St. Pancras
4.
10.
SOUTHAMPTON ROW
Museo Británico
HOLBORN
CHANCERY LANE
FETTER LANE
CLERKENWELL ROAD
7.
Barbican
11.
Museo de Londres
Tribunales de Justicia
FLEET STREET
Catedral de St. Paul
Piedra de Londres
Monumento
Estación de Cannon Street
ALDWYCH
EMBANKMENT
STRAND
WATERLOO BRIDGE
BLACKFRIARS BRIDGE
SOUTHWARK BRIDGE
LONDON BRIDGE
Obelisco de Cleopatra
8.
WHITEHALL
VICTORIA
HORSE GUARDS ROAD
5.
Ojo de Londres
BLACKFRIARS ROAD
SOUTHWARK BRIDGE RD
BOROUGH HIGH STREET
Big Ben
PARLIAMENT SQUARE
WESTMINSTER BRIDGE
GREAT DOVER STREET
WESTMINSTER BRIDGE ROAD
LONDON ROAD
Parlamento
LAMBETH PALACE ROAD
LAMBETH ROAD
ST. GEORGE'S ROAD
KENNINGTON ROAD
NEW KENT ROAD
LAMBETH BRIDGE
MILLBANK
NEWINGTON BUTTS

CORAZÓN DE PIEDRA

CHARLIE FLETCHER

CORAZÓN DE PIEDRA

Traducción de Irene Saslavsky

Barcelona • Bogotá • Buenos Aires • Caracas • Madrid • México D. F.
Montevideo • Quito • Santiago de Chile

Título original: *Stoneheart*
Traducción: Irene Saslavsky
1.ª edición: octubre, 2008
Publicado originalmente en 2006 en Gran Bretaña por Hodder Children's Books

Bailén, 84 - 08009 Barcelona (España)
www.edicionesb.com
www.edicionesb.com.mx

ISBN: 978-84-666-3618-6

Impreso por Quebecor World.

Quiero expresar mi agradecimiento a mis padres, Margaret y Paul Fletcher, que me proporcionaron una infancia feliz, además de muchas otras cosas más...

Cosas hechas por hombres de manos diestras,
manos que les han dado vida,
cosas que a lo largo de los años despiertan gracias al roce,
y siguen deslumbrando durante mucho tiempo.
Y por eso algunas cosas viejas son hermosas,
y en ellas aún viven los hombres olvidados que las hicieron.

«Cosas hechas por los hombres»,
D. H. Lawrence, 1929

Nuestra felicidad aquí no es más que una vana gloria,
y sólo transitorio es este mundo falso,
débil es la carne, poderoso el Maligno,

Timor mortis conturbat me.
«Lamento por los hacedores»,
William Dunbar (?) 1460-1520

1

El vientre de la ballena y los dientes del mono

George nunca se había preguntado por qué quería formar parte del grupo. Lo quería y punto. Las cosas eran así. El mundo se dividía entre los que eran miembros del grupo y los que no lo eran, y no cabía duda de que estar entre los primeros era mucho menos arriesgado.

En su última excursión con los compañeros de clase habían visitado el Museo de la Guerra. Allí les explicaron lo que era la guerra de trincheras y George pensó que la vida consistía precisamente en eso: en mantener la cabeza bien agachada para evitar que las balas te alcanzaran.

Claro que eso había sido el año pasado y, como todo lo que tenía que ver con ser un niño, formaba parte del pasado. A veces se acordaba de ello, pensaba en cómo era ser un niño, pero ya no lo era. Tenía doce años. Doce años «de verdad», no «sólo doce años», como había dicho su padre la última vez que habían hablado. George sabía que sus doce años no eran como los de su padre porque había visto fotos de su padre de niño: parecía despistado, era gordo y llevaba gafas y —en la trinchera del George de doce años— todo eso habría equivalido a estar de pie en medio del campo de batalla con una gran diana pintada en la cabeza y gritando: «Eh, estoy aquí.»

Se acordaba de cuando hablaba de ese tipo de cosas con su padre y se reían juntos, antes de que su padre muriera y todos empezaran a hablar demasiado.

Ahora prácticamente no abría la boca en casa. Su madre a veces se le quejaba y, en ocasiones, ya avanzada la noche, cuando creía que él estaba dormido, se lamentaba de ello por teléfono en conversaciones con otras personas. Le resultaba doloroso que su madre se quejara de que él no hablara, aunque no tanto como cuando anhelaba las maravillosas sonrisas que le dedicaba en el pasado.

Pero lo que más le dolía era saber que ya nunca volvería a hablar con su padre.

La verdad es que lo de guardar silencio no había sido algo premeditado. Simplemente ocurrió, como cuando se le cayeron los dientes de leche o cuando pegó su último estirón. Aunque lo cierto es que no crecía con la rapidez que hubiera deseado y ése era justamente uno de sus mayores problemas.

Tenía la altura esperada para su edad, incluso puede que fuera un poco más alto que la media... Pero se sentía más bajo, del mismo modo que a veces se sentía mayor de lo que era. O quizá no tanto mayor, sino algo más desgastado que sus compañeros de clase..., al igual que su ropa. Su madre metía toda su ropa en la lavadora, sin separar las prendas de color de las blancas, y aunque ella aseguraba que daba igual, no era verdad. Todo quedaba gris y desteñido, y así es como se sentía George la mayor parte del tiempo.

En todo caso, así es como se sentía ese día, aunque el hecho de no poder ver con claridad lo hacía sentir aún más insignificante de lo habitual: sólo era capaz de distinguir el vientre de la ballena y el cogote de sus compañeros, que se apiñaban alrededor de uno de los guías del museo, consagrado a mostrarles algo sin duda interesante. George intentó abrirse paso hacia delante, pero lo único que consiguió fue recibir un codazo en las costillas. Rodeó entonces el grupo con la esperanza de ver algo más y tratando de no empujar a nadie.

Encontró un sitio desde el que oía vagamente la explicación y se decidió a aproximarse, atisbando a través del hueco que se abría entre un expositor cargado de folletos y un chico que medía unos diez centímetros más que él. Pero su hombro chocó contra el expositor y, cuando trató de evitar que se viniera abajo, el chico se dio la vuelta y lo vio.

George le sonrió automáticamente, pero el otro se limitó a apartar la vista en silencio. A George no le importó que hiciera caso omiso de él, de hecho se sintió aliviado. Ese chico era el inventor de los apodos, el que tenía el don de encontrar el más cruel de los apodos para cada uno de sus compañeros y arreglárselas para que no pudieran librarse de él jamás. Al principio estuvo a punto de hacerse amigo de George, pero al descubrir su talento empezó a sentirse invulnerable, dotado de un poder que le permitía prescindir de amigos y contar sólo con vasallos. Y eso lo hacía peligroso.

El chico se dio la vuelta de nuevo y esta vez se dignó dirigirle la palabra.

—¿Qué quieres?

George se quedó paralizado. Intentó entonces disimular y volvió a sonreír, encogiéndose de hombros.

—Nada, sólo trataba de ver...

—Pues no te pongas detrás de mí.

El chico le dio la espalda de nuevo. Varios habían visto lo ocurrido y George reconoció algo en sus miradas. No era interés, ni simpatía, ni siquiera desagrado: sólo cierto alivio de no ser el objetivo del inventor de apodos.

George tragó saliva y se quedó donde estaba. Sabía que debía impedir que vieran que lo mangoneaban; de lo contrario, estaría perdido. Si se dejaba mangonear nunca lograría salir del pozo y, cuando uno estaba en ese pozo, los demás siempre aprovechaban para pegársela.

Así que clavó la vista en el suelo y decidió no moverse. Al fin y al cabo había maestros presentes, así que ¿qué podía pasar?

El otro chico alargó el brazo hacia atrás e hizo caer el expositor justo encima de George. Éste retrocedió, pero como no había suficiente espacio apartó la estructura metálica intentando protegerse. El expositor cayó al suelo con gran estrépito y los folletos se desparramaron por el suelo.

De repente reinó el silencio. Los chicos se volvieron hacia George, y la expresión de asombro e inocencia que había en los ojos del inventor de apodos fue rápidamente sustituida por la sorpresa y la indignación.

—¡Por amor de Dios, Chapman!

Los chicos se echaron a reír y los tres adultos, dos maestros y un guía, buscaron al culpable. Todos se partían de risa mientras lo señalaban, y ahí estaba George, con la cabeza bien erguida en medio del campo de batalla y los pies sumergidos en un mar de folletos multicolores.

El señor Killingbeck le lanzó una mirada de francotirador, le hizo señas para que se le acercara y disparó una sola palabra:

—Chapman.

George se ruborizó y Killingbeck chasqueó los dedos.

—Vosotros, a ordenar los folletos y tú, sígueme.

Atravesaron la sala de la ballena hasta alcanzar el vestíbulo central del Museo de Historia Natural. El señor Killingbeck se detuvo debajo del esqueleto del dinosaurio, en el centro del vestíbulo, y le indicó que se acercara.

George sabía lo que le aguardaba, así que se limitó a esperar. Killingbeck movió ligeramente las mandíbulas: siempre hacía lo mismo, como si sus palabras supieran mal y no tuviera más remedio que escupirlas.

—Dime, Chapman, ¿intentabas ser grosero, o es algo que forma parte de tu naturaleza?

—Yo no he sido, señor.

—Entonces, ¿quién ha sido?

No podía responder; él lo sabía, y Killingbeck también. Así que se quedó callado.

—Cobardía moral e insolencia callada, Chapman, ambas bastante desagradables. No estás aquí para aprender eso, ¿verdad?

George se preguntó en qué planeta vivía Killingbeck; tal vez en el planeta 1970, y ése no estaba entre los planetas en que George pudiera respirar. Empezó a asfixiarse y sintió que el rubor invadía sus mejillas.

—Ha sido imperdonable, jovencito. Te has comportado como un salvaje, como ese mono —dijo mientras su dedo huesudo señalaba un mono que, desde el interior de una jaula de cristal, le mostraba los dientes esbozando la mueca que debió de ser su último mensaje al mundo. George sabía cómo se sentía uno en esas circunstancias.

—Está claro que no eres un ser civilizado, Chapman. ¿Qué eres entonces?

George se limitó a mirar al mono, pensando cuán aterradores parecían sus dientes; en realidad eran como colmillos.

Killingbeck movió ligeramente las mandíbulas.

George palpó el trozo de plastilina que llevaba en el bolsillo y empezó a amasarlo con los dedos. Aún conservaba el contorno del rostro que había modelado en el autobús.

—Creo que esto se merece algo más que un silencio huraño. Para empezar, creo que merece una disculpa.

George extendió la boca del rostro de plastilina con el pulgar.

—Saca las manos de los bolsillos.

George aplastó la nariz de plastilina y sacó la mano del bolsillo.

—Vas a disculparte, aunque tengas que quedarte ahí de pie durante todo el día. ¿Me has entendido?

George siguió amasando el trozo de plastilina.

—A no ser que quieras decirme quién ha sido. ¿Me has entendido?

Sí, lo entendía. Había una espada y una pared. Y ahí estaba él, atrapado entre ambas. No podía chivarse y acusar a otro chico, aunque fuera un abusón, porque chivarse suponía caer muy bajo ante los demás, hasta el fondo del pozo. El que se chivaba de alguien, caía irremediablemente en un pozo oscuro y sin fondo del que ya no volvía a salir jamás.

Ésa era la espada, así de sencillo. La pared era algo más complicado, quizá porque era enorme e inamovible. La pared era todo lo demás, la pared era su vida y todo lo que lo había conducido hasta ese instante del que no lograba zafarse.

—¿Chapman? —insistió Killingbeck haciendo tamborilear los dedos con impaciencia.

George posó la mirada sobre los colmillos del mono. Con qué facilidad partirían esos dedos impacientes. Le gustaría poseer esos dientes, arrancarle a Killingbeck los dedos de un mordisco y escupírselos. Casi sentía el crujido de los huesos y el sabor de la sangre. Era una sensación tan real que de repente se asustó: nunca había pensado nada semejante.

—¿Y bien?

La voz de Killingbeck lo devolvió al presente, a la espada y la pared. Ignoraba qué hacer, pero el escozor que sintió en los ojos le anunció lo que estaba a punto de ocurrir.

George no estaba dispuesto a llorar, y al saber lo que no quería hacer, de pronto lo vio todo claro. Sabía qué hacer y qué decir, y sabía que debía hablar con lentitud y tranquilidad para que las lágrimas no lo asfixiaran.

—Comprendo que usted crea que debería decírselo, señor.

Killingbeck lo miró con expresión de sorpresa y dejó de mover las mandíbulas.

—Pero yo no estoy de acuerdo.

Killingbeck lo miró fijamente.

George comprendió que había cometido un error. De pronto se dio cuenta de que el profesor quería hacerle daño y eso lo asustó aún más que la imagen de los dedos mordidos. Al ver el puño apretado del profesor, George tuvo claro que pretendía golpearlo.

—Bien, bien, bien. Estupendo —dijo Killingbeck. Entonces cerró los ojos y se pasó la mano por su tupida y rizada cabellera gris, como si quisiera borrar la imagen de George de su cabeza—. Te quedarás aquí hasta que decidas disculparte. Si cuando llegue la hora de marcharnos aún no lo has hecho, te aseguro que tendrás problemas. Mientras no te muevas de aquí, quédate de pie, no te metas las manos en los bolsillos y no comas caramelos ni masques chicle. Los guardias del museo no te dejarán salir a menos que formes parte del grupo. Vendremos a recogerte dentro de una hora y media y entonces te disculparás delante de todos. ¿Me has entendido?

—Sí —contestó George, sin pestañear.

Killingbeck se dio la vuelta y fue a reunirse con los demás.

Cuando el sonido de sus pasos se desvaneció, George se metió las manos en los bolsillos, se sentó en un banco y empezó a mascar chicle.

Al cabo de un rato se puso de pie, se dirigió a la puerta y salió al exterior, donde la llovizna empapaba los escalones de la entrada del museo.

Los guardias ni siquiera lo miraron.

2

El horror

Cuando George empujó la puerta para salir del museo, un viento frío le golpeó la cara. Se sentía fatal; no podía sacarse de la cabeza esa horrorosa imagen de los dedos mordidos y ese frío cortante que le hería el rostro no lo ayudaba a sentirse mejor. No sabía lo que iba a hacer una vez fuera del museo, pero la necesidad de estar unos momentos a solas lo había empujado a salir.

Estar solo es siempre menos arriesgado y más fácil. Eso George lo sabía. Había llegado a esa conclusión justo después de morir su padre, cuando de repente se vio rodeado por un montón de personas cuyas palabras no lograban aliviar el nuevo hueco que se había abierto en su interior.

Ser un solitario resultaba duro y a veces su debilidad lo traicionaba, como cuando le había sonreído al chico que acabó echándole encima el expositor de folletos. Con esa sonrisa se había traicionado a sí mismo.

Al sonreírle había tratado de comportarse como si fuera su amigo, cuando en realidad no lo era: un acto cobarde. Y George ya había decidido que no necesitaba a nadie, ni amigos ni enemigos.

Una ráfaga de lluvia le azotó el rostro. George levantó la mirada hacia el cielo y pensó que estar solo era lo mejor, porque suponía tener que decidir qué te afecta y qué puedes evitar.

Por encima de su cabeza, en lo alto de la fachada del museo, asomaba un rosario de tallas de animales imaginarios, casi reales, pero no del todo. Lagartos que sólo existieron en la mente del escultor se alternaban con alarmantes aves con aspecto de pterodáctilos. Tenían unos horribles picos puntiagudos de los que sobresalían horribles dientes también puntiagudos y entre sus alas sin plumas asomaban unos ganchos horrorosos. La mirada de sus ojos muertos era amenazadora.

Cuanto más se fijaba George en la fachada, más tallas de piedra en forma de animales descubría. Recubrían todo el edificio. Le resultaban inquietantes; no sabía por qué, pero le desagradaban. Se sentía observado. Quizás eran las ventanas del edificio, la gente que podía estar escudriñando su rostro enrojecido, decidido a ocultar la frustración y las lágrimas que se empeñaban en salir.

Sabía ya lo suficiente acerca de la autocompasión como para aborrecerla, todavía más que a Killingbeck, la espada y la pared. Así que apartó la mirada de la fachada y se frotó los ojos para asegurarse de que nadie viera esas lágrimas que estaba a punto de derramar.

Le echó un vistazo al reloj: eran las tres y cuarenta y dos. Los demás se quedarían en el museo al menos hasta las cuatro y media. No sabía qué hacer, así que se acercó cansadamente al edificio y se apoyó contra la fachada.

Entonces algo le pinchó la espalda; detrás de él, a la altura de la cintura, en la esquina de la puerta principal del museo, una pequeña talla en forma de cabeza de dragón le clavaba la mirada.

Le hizo pensar en las esculturas que su padre realizaba —solía realizar— en su taller. No en las grandes e importantes, sino en los animalitos de juguete que le moldeaba con arcilla para hacerlo sonreír cuando George, de pequeño, acudía a su taller.

El recuerdo no lo animó, quizá porque ese día había pensado ya demasiado en su padre, o tal vez porque los colmillos de ese dragón le recordaron al mono y a Killingbeck. Fuera como fuera, el bicho tenía un aspecto amenazante.

La talla no le gustaba nada.

Nada en absoluto.

Casi sin darse cuenta, apretó el puño y lo lanzó hacia delante. En cuanto se paró a pensar se dio cuenta de que se haría daño: probablemente se lastimaría los nudillos, e incluso podía romperse algún hueso, pero no le importó. Sabía —o más bien quería— que ocurriera lo que estaba a punto de ocurrir. Debía ocurrir y además era lo adecuado.

Su puño tenía el mismo tamaño que la cabeza del dragón, pero no era de piedra. Justo una milésima de segundo antes del impacto cayó en la cuenta de que nunca hasta entonces se había roto un hueso y que ignoraba, por tanto, lo que iba a sentir.

No sintió el impacto: lo oyó. Oyó un chasquido agudo y desagradable, y tuvo la sensación de que el mundo sufría una ligera sacudida.

Algo impactó contra su pie.

Cerró los ojos y se acarició la mano de manera instintiva, esperando que el dolor lo golpeara. Sabía que sería muy intenso. A juzgar por el chasquido, tenía que haberse hecho mucho daño. Ahora lamentaba haber arreado aquel puñetazo y se resistía a mirarse la mano: tal vez vería sobresalir algún hueso. Decidió palparse la otra mano: no había hueso, pero la piel estaba mojada.

De pronto oyó un siseo.

George abrió los ojos; tal vez se lo había imaginado. Pero cuando se volvió, su pie chocó contra algo. George miró entonces hacia el suelo. Era la cabeza de piedra del dragón: se había desprendido de la pared.

George dirigió la mirada hacia la puerta y vio el resto del cuello: parecía cercenado por un bisturí.

Y entonces se miró la mano: no sobresalía ningún hueso, ni siquiera sangraba. Simplemente estaba mojada por la lluvia. George se agachó para recoger la cabeza del dragón y se quedó observándola durante un rato. Algo había cambiado: ya no lo miraba. A menos que se lo hubiera imaginado, antes lo había mirado, y ahora, en cambio, tenía los ojos cerrados. George supuso que se había confundido.

A sus espaldas resonó otro siseo, un chasquido y un chillido ronco. Supuso que debía de ser uno de los guardias, o incluso Killingbeck que salía dispuesto a soltarle un buen sermón por haberse marchado. Ignoraba cómo iba a reaccionar cuando viera que el chico menos popular de la clase había roto una talla de la fachada del museo.

Así que decidió meterse la cabeza del dragón en el bolsillo con la esperanza de no ser descubierto y el convencimiento de que no iba a salirse con la suya.

No era Killingbeck, era algo mucho peor. Tanto que si hubiera tenido tiempo para pensar, habría dado cualquier cosa por que fuera Killingbeck.

No era humano. Era algo imposible de creer: se estaba desprendiendo de la fachada de piedra del museo y contemplaba a George con odio. Y no sólo con odio, también con hambre.

Era un pterodáctilo.

Tenía los ojos grandes y muy abiertos, como si estuvieran sorprendidos de caber en una cabeza que era más bien un pico largo y grueso, una prolongación de un cuello rugoso que se inclinaba hacia abajo vencido por el peso de todos esos dientes. El cuerpo, pequeño y de pecho curvo, como el de las palomas, estaba provisto de grandes alas de murciélago y patas vigorosas acabadas en nudillos y garras.

El animal chasqueó el pico mientras forcejeaba para despegarse de la pared, y algo parecido a un aliento surgió de las profundidades de su cuello de piedra.

George no podía respirar.

El bicho se despegó de la fachada con un último esfuerzo. Trató entonces de extender ambas alas, pero tras lograr desplegar sólo una, se alejó y cayó detrás de la balaustrada.

George oyó un ruido parecido al que produciría un saco de maletas al caer sobre el césped, y se apresuró a asomarse por encima de la balaustrada. El monstruo seguía intentando extender las alas mientras se apoyaba sobre las garras. Estaba de espaldas a George y se desperezaba como un anciano estirando el cuello.

Y entonces se volvió.

Lo miró con sus ojos de piedra, y, mientras retorcía el resto del cuerpo para alinearlo con la cabeza, George comprendió lo que estaba haciendo.

Estaba intentando localizar un blanco y al parecer lo había encontrado: el blanco era él.

Como confirmándolo, el pterodáctilo alzó el pico hacia el cielo plomizo e hizo castañetear los dientes produciendo un sonido parecido al del redoble de un tambor golpeado con huesos de muertos. Después bajó la cabeza y empezó a arrastrase hacia delante apoyándose en los extremos de las alas, balanceando el cuerpo y las patas acabadas en garras, como un demonio con muletas.

George echó a correr.

3

La carrera

Llegó a la esquina de Exhibition Road, dio un patinazo, siguió corriendo y chocó contra la multitud que hacía cola para entrar en el Museo de la Ciencia. Pero cuando empezaron a protestar él ya estaba cincuenta metros más adelante.

Un guardia municipal intentó agarrarlo llevado por ese impulso al que ningún uniformado puede resistirse cuando ve a un chico corriendo a toda prisa.

—Eh, tú...

George se zafó y siguió adelante. Se volvió y echó una mirada por encima del hombro: el espantoso pterodáctilo lo perseguía por la acera a toda velocidad; parecía que corría apoyándose en las patas y, al mismo tiempo, se impulsaba con los nudillos de las alas.

Nadie le prestó atención.

George soltó un grito y aceleró; se metió entonces por una calle lateral y, casi inmediatamente, volvió a girar en la siguiente esquina. Gritó «¡Socorro!», pero Londres es una ciudad ajetreada y cuando lo oyeron George ya había desaparecido.

Sintió una punzada, pero no detuvo su carrera hacia el parque.

Las punzadas suelen desaparecer, aunque uno siga corriendo. Ésa, sin embargo, debía de ser diferente, porque cada vez se agudizaba más y el dolor era cada vez más profundo. Aun así, George no se detuvo.

Las pesadillas suelen empezar cuando intentamos huir de ellas. Nuestro cuerpo alberga recuerdos muy antiguos que nuestro cerebro ignora por completo, y cuando George alcanzó la calle que bordea la parte inferior de los jardines de Kensington, esos recuerdos le hicieron correr aún más deprisa.

George no vio la entrada al parque, así que giró a la derecha y siguió corriendo.

A sus espaldas, el pterodáctilo se arrastró rodeando la esquina sin dejar de olfatear el aire. George huyó. Cuando se volvió una vez más, le pareció que el pterodáctilo se iba haciendo más pequeño; debía de haberse detenido para contemplar el verdor del parque. George corrió y corrió sin quitarle el ojo de encima hasta que un camión atravesó la calzada obstaculizándole la visión.

En cuanto el pterodáctilo desapareció de su vista, George sintió el dolor de la punzada con mayor intensidad, tropezó con el bordillo y cayó al suelo.

Se puso de pie y miró hacia atrás: ni rastro del bicho.

George no vio al vagabundo hasta que éste lo agarró y lo detuvo justo cuando se disponía a cruzar la calle.

George se dio la vuelta soltando un grito.

En ese preciso instante, un camión pasó exactamente por encima del lugar que hubiera ocupado.

El vagabundo lo soltó. George miró por encima del hombro, pero no vio nada; entonces se inclinó hacia delante jadeando de dolor y cansancio, casi con ganas de vomitar.

—De nada... —dijo el vagabundo.

George señaló entonces calle abajo y el pterodáctilo apareció de detrás de un árbol y los contempló. Después se ocultó detrás de otro árbol.

—¿Lo has visto? —jadeó George, intentando tomar aire y aferrándose a lo poco que le quedaba de su mundo normal.

El vagabundo se encogió de hombros y sacudió la cabeza.

—Que seas un paranoico no significa que no te estén persiguiendo —dijo, soltando una risita áspera y asfixiada.

George inspiró profundamente. Le dolía todo el cuerpo: los pies, los músculos y los pulmones, y lo que más le dolía era la cabeza.

No parecía que se moviera nada detrás del árbol, pero por encima de la cabeza del vagabundo, a un lado del edificio, había algo. Encima de un canalón se extendía una talla de tres fantásticas salamandras parecidas a lagartos: las colas formaban una trenza decorativa y las cabezas miraban hacia abajo; cada una medía unos diez metros de largo, pero no fue eso lo que le llamó la atención.

Lo que le llamó la atención fue que se movían. George se quedó boquiabierto.

Por encima de la cabeza del vagabundo, los tres detalles arquitectónicos empezaron a agitarse. Oía el rumor de las escamas deslizándose unas contra otras a medida que las colas se desenredaban; los ojos de las salamandras lo observaban y sus narices lo olfateaban.

Un terror helado lo atenazó. Señaló hacia arriba y el vagabundo levantó la mirada; parecía desconcertado.

—¿Qué pasa?

Uno de los lagartos logró desenredar la cola y se encabritó, siseando.

—¿Acaso no lo ves? —le preguntó al vagabundo.

George oyó un chasquido remoto y apartó rápidamente la mirada de los nuevos horrores que aparecían en la pared del edificio: el pterodáctilo se aproximaba torpemente; sólo estaba a treinta metros de distancia.

George emprendió la carrera de nuevo. Corrió con todas sus fuerzas y adelantó a un chico que hacía *jogging*, a varios dueños con sus perros, e incluso a un par de ciclistas. Nadie se detuvo, nadie lo miró, nadie lo ayudó. Pero George no aminoró el paso: la única vez que se atrevió a echar un vistazo hacia atrás vio a las salamandras deslizándose a lo largo de la alcantarilla junto al pterodáctilo, agitándose como esas serpientes de cascabel que había visto en una película. Era un movimiento horroroso, amenazador y maligno.

George corrió a lo largo de la acera que rodeaba Hyde Park, y pasó junto a un edificio moderno de ladrillo rojo con una torre ante el que un soldado montado a caballo hacía guardia. El soldado ni siquiera lo miró.

Sentía la dureza del pavimento a través de la suela de los zapatos, era como si fuera la acera la que le golpeara los pies, y no al revés. Percibía el sonido de su respiración como si fuera ajena y tenía la sensación de que el pecho le ardía.

Se arriesgó a mirar de nuevo hacia atrás.

—¡Eh!

Chocó contra el carrito de un barrendero y al ver las escobas y los sacos de basura desparramados por la acera se quedó unos instantes sin aliento.

—¡Eh!

George consiguió respirar de nuevo. Cada respiración era más dolorosa que la anterior y las lágrimas empezaban a asomarle por los ojos.

—¿Estás loco? —preguntó el barrendero.

George negó con la cabeza; le resultaba imposible hablar.

—Limpia todo esto inmediatamente, muchacho —dijo el barrendero, levantándose del suelo—. ¡Límpialo ahora mismo!

George empezó a llorar y el robusto barrendero dio un paso atrás.

—Eh, tranquilo.

George sollozaba mientras los mocos brotaban. El barrendero miró a su alrededor y se rascó la cabeza; parecía tan avergonzado como podría parecerlo un hombre con un bulldog tatuado en el cuello.

—Tranquilo, muchacho. Es... —dijo, y volvió a mirar a su alrededor. Desde el interior de un autobús, los pasajeros los miraban distraídamente, como si estuvieran viéndolos en la tele: indiferentes, aburridos, pasando el rato. Los conductores de los coches hacían caso omiso de ellos y se concentraban en el vehículo que tenían delante. Un motorista pasó en una moto rugiente.

El barrendero recogió las dos mitades de una escoba.

—Me has roto la escoba...

George se quedó paralizado. Por detrás del hombro del barrendero, al otro lado de la calle, George detectó un destello plateado cuando un autobús avanzó unos metros; vio el extremo de un pico y el brillo oscurísimo de un ojo.

El pterodáctilo lo había seguido desde el otro lado de la calle, aprovechando el tráfico para ocultarse.

Los arbustos junto a los que estaba George volvieron a agitarse, y esta vez se volvió con la rapidez suficiente como para distinguir tres colas de salamandra que desaparecían entre el follaje.

—¿Qué...? —exclamó el barrendero.

Pero ya no había nadie: George se había marchado.

4

El Artillero

George corrió hasta Hyde Park Corner, el cruce más ajetreado de Londres: innumerables vehículos girando alrededor de una rotonda ocupada por grandes monumentos y césped ralo.

George saltó por encima de los coches, de un maletero al capó y de un capó a otro maletero. Las bocinas no dejaban de sonar y un ciclista frenó y le lanzó un silbido; George, sin embargo, impulsado por el pánico que sigue al temor, no se detuvo. Un camión frenó precipitadamente cuando George fue a aterrizar justo delante de sus ruedas.

Al mirar hacia atrás, George vio que el pterodáctilo lo perseguía implacablemente, con deliberación y sin prisa, como si supiera que ya lo había atrapado.

Pero peor que tener que huir de esa cosa horrible de alas coriáceas y dientes agudos fue comprender que el único que la veía era él. Se arrastraba tranquilamente por los capós de los coches delante de los ojos indiferentes de los conductores, se deslizaba por encima de los techos de los taxis sin que ninguno de los taxistas reaccionara. Ni uno solo de los pasajeros del autobús volvió la cabeza, nadie notó que una pesadilla prehistórica formada por huesos y dientes perseguía a un niño por la calle más transitada de Londres.

La cosa se sentó en el asiento trasero de una moto y lo miró fijamente durante un buen rato. El motorista no se dio cuenta, ni siquiera cuando el bicho lanzó la cabeza hacia atrás y chasqueó el pico con actitud victoriosa y burlona.

Dicen que nunca se está tan solo como en medio de la multitud, pero cuando uno se encuentra en medio de la multitud y nadie se da cuenta de que algo tan horrible te persigue, la sensación es mucho peor.

Casi sin darse cuenta, George fue retrocediendo arrastrándose por encima de la acera... Hasta que una mole de piedra blanca de setenta toneladas lo detuvo. Había chocado contra el monumento a los caídos de la Royal Artillery.

Miró a su alrededor y, por un instante, creyó que el monumento colgaba por encima de su cabeza dispuesto a aplastarlo y poner fin a esa pesadilla de un modo doloroso y horripilante.

Entonces, con el último resto de lucidez que aún le quedaba, comprendió que estaba mirando una imagen de color oscuro, una estatua de un soldado, un artillero con un uniforme de la Primera Guerra Mundial, con el casco de acero inclinado sobre la frente y los brazos apoyados contra la piedra, como si descansara. Y encima de los hombros llevaba un capote impermeable que, por un instante, George confundió con unas alas.

Oyó un traqueteo y, al darse la vuelta, vio que el pterodáctilo estaba arrastrándose lentamente por encima de la verja, a sólo dos metros de distancia.

George empezó a avanzar rodeando la base del monumento; sorprendentemente, el monstruo apartó un momento la vista y George aprovechó para intentar alcanzar la esquina.

Debió de haberlo visto con el rabillo del ojo, porque de pronto el monstruo dejó de buscarlo. George se detuvo. Y entonces vio a una de las salamandras y retrocedió hasta la otra esquina, donde volvió a detenerse: las otras dos salamandras se asomaban por la esquina, mostrándole sus fauces abiertas y silenciosas.

A George se le acabaron las ideas.

El pterodáctilo volvió lentamente la cabeza hacia él y le

dedicó una mirada llena de odio. Era un odio antiguo, un odio que George no comprendía, pero que percibió en lo más profundo de su ser. Además de odio, George descubrió en esos ojos crueldad y alegría: el pterodáctilo sabía que lo había atrapado.

Cuando George lo vio desplegar en el aire sus alas de reptil en actitud triunfante, ocultando tras ellas los últimos rayos de sol, tuvo la sensación de que el animal aumentaba de tamaño. Entreabrió entonces sus fauces y del interior surgió un olor antiguo, el olor más repugnante que George había olido jamás; era un olor que no tenía nada de animal, un olor nauseabundo y aterrador.

George no tenía escapatoria.

Lo único que sentía era el miedo que lo atenazaba y la frialdad de la piedra a sus espaldas; abrió la boca, pero no logró emitir ningún sonido y vio cómo sus lágrimas rebotaban contra el suelo. Pero cuando el monstruo bajó de la cerca donde estaba encaramado y se deslizó hacia él, George consiguió articular dos palabras, dos palabras tan silenciosas que el único que las oyó fue él.

—Por favor...

El monstruo abrió el pico y se echó hacia atrás para asestarle el golpe de gracia. Su pico de largos colmillos esbozaba una mueca alegre, que lo pareció aún más cuando siseó y flexionó sus largas garras.

—Por favor...

Era el final. El monstruo se lanzó hacia delante.

PUM.

El bicho se detuvo.

PUM.

El bicho parecía sorprendido.

CRASH.

Algo aterrizó delante de George. Algo con tachuelas de acero en las botas, algo que llevaba un fusil. Alguien.

El pterodáctilo examinó los dos agujeros que tenía en el pecho y sacudió el pico, incrédulo y furioso. Se enroscó y se lanzó hacia delante...

PUM PUM PUM.

El primer disparo lo detuvo. El segundo lo derribó, y el tercero lo hizo añicos y lo convirtió en polvo.

George levantó la mirada y vio a un hombre de bronce deslustrado, desde las botas militares hasta la punta del casco. El Artillero del monumento a los caídos le devolvió la mirada mientras abría el revólver que llevaba en la mano, se deshacía de los casquillos usados y volvía a cargarlo con un movimiento ágil y sin siquiera mirarse las manos.

Recargó el revólver con tanta rapidez que cuando lo cerró de nuevo los casquillos usados aún tintineaban a los pies de George.

Estaba claro que la pesadilla todavía no había terminado, así que George intentó alejarse del Artillero. Sin embargo, no se movió lo bastante rápido como para evitar que la estatua lo agarrara, volviera a apoyarlo contra la piedra y se colocara finalmente delante de él para protegerlo.

Por encima del capote impermeable, George vio avanzar a las tres salamandras, que se reunieron en medio del montón de polvo que había sido el pterodáctilo.

Se agitaron ciegamente, como tratando de encontrarlo, y después dirigieron la mirada hacia George y el Artillero. El chico volvió a ver entonces ese odio antiguo, esta vez multiplicado por tres.

Las salamandras sisearon y agitaron las colas para formar nuevamente una trenza, como la que las enlazaba la primera vez que George las vio deslizándose por la fachada del edificio. Después se irguieron como una cobra de tres cabezas, y se movieron... Y entonces el Artillero disparó.

PUM PUM PUM PUM PUM PUM.

Esos seis disparos de fuego rápido las detuvieron: las salamandras se retorcieron al recibir los impactos, y entonces se acabaron las balas. Una de las salamandras se agitó y se alejó abriéndose paso por debajo de los cuerpos inertes de sus compañeras.

El Artillero se quitó el casco y lo dejó en los brazos de George. Se secó la frente y avanzó hacia las salamandras, hurgando en el saco de municiones que colgaba de su cinturón.

Mientras la salamandra herida luchaba por zafarse, le aplastó el cuello con la bota impidiendo que se moviera y recargó el revólver con la misma rapidez que antes. Dos disparos la convirtieron en polvo y, tras retroceder un paso, convirtió también en polvo a las dos restantes.

Cuando se detuvo, lo único que quedaba en el suelo era una ligera mancha polvorienta que indicaba el lugar que habían ocupado esos monstruos de pesadilla.

Antes de volverse para mirar a George, el Artillero recargó el revólver y volvió a guardárselo en la cartuchera. El chico se aferraba al casco con la misma fuerza con la que solía abrazar a su osito de peluche.

La oscura estatua se acuclilló delante del chico, que se fijó en que tenía los ojos grises, como dibujados a lápiz en su cara negruzca. Esos ojos parecían traspasarlo con la mirada. El Artillero agarró el casco, se rascó el cuello, y se desperezó como si tuviera tortícolis; ése iba a ser un gesto que acabaría resultándole a George curiosamente familiar.

Por el momento, no obstante, George se limitó a mirar.

Aún era incapaz de pensar con claridad.

El Artillero apoyó el casco contra el monumento, se agachó junto a George y extrajo algo del bolsillo del uniforme.

Cigarrillos.

El, eso, lo que fuera, restregó una cerilla negra contra la piedra blanca y produjo una llama amarilla con la que encendió el pitillo; después exhaló un humo gris, volvió a inhalar y formó un perfecto anillo de humo. Ambos contemplaron cómo su brillo se disipaba en el aire londinense.

A George sólo se le ocurrió decir una palabra:

—Gracias.

El Artillero se volvió y dio otra calada sin dejar de mirarlo.

George trató de decirle algo más, pero sólo logró balbucear:

—Esto...

Entonces, una voz desconocida surgió de la garganta del Artillero, una voz áspera y vulgar.

—Ya me darás las gracias cuando esto haya acabado, compañero.

George alzó la mirada y vio que los ojos grises aún lo contemplaban. Como no parpadearon, tuvo tiempo de fijarse en que la parte blanca se había vuelto de un gris muy claro y en que las pupilas habían adquirido un negro aún más oscuro.

El Artillero dio otra calada y dejó escapar el humo mientras esbozaba una ligera sonrisa.

—Caray. No tienes ni idea de lo que has provocado, ¿verdad?

5

Calor enjaulado

Algo había despertado en lo más profundo de la ciudad, algo tan antiguo y tan corriente que la gente había convivido con ello durante siglos, pero nunca le había prestado atención.

Era algo tan común y tan mediocre que cualquiera que se hubiera decidido a buscarlo habría quedado decepcionado, aunque lo cierto es que nadie lo había hecho en mucho tiempo. No había en su aspecto nada que indicara cuál era su utilidad o su poder. Parecía un pedazo de mampostería bastamente tallado, una piedra blancuzca del tamaño y la forma de un antiguo mojón. El único indicio de que se trataba de algo de más importancia de lo que parecía era su emplazamiento: estaba enjaulada.

Estaba situada en un edificio al menos dos mil años más moderno que la piedra y la rodeaba un enrejado de barrotes de hierro.

Dada su antigüedad, todo el que la veía creía que los barrotes servían para protegerla del público.

Sólo algunas personas —unas personas muy extrañas, por cierto— sabían que esa reja estaba ahí precisamente para lo contrario.

El enrejado se había convertido en una trampa para la basura que arrastraba el viento. Una bolsa de patatas fritas plateada ya muy arrugada había quedado atrapada en la parte superior de los barrotes y, en un extremo de la bolsa, todavía podía leerse: «... a la parrilla...»

Si algún amante de las coincidencias hubiera estado observando lo que ocurrió a continuación, sin duda habría sonreído, porque las palabras «a la parrilla» resultaron ser también una profecía.

De pronto se oyó un zumbido de baja frecuencia, como los que producen las viejas neveras en medio de la noche cuando creen que nadie está escuchando, y entonces la bolsa de patatas se arrugó aún más y por fin empezó a arder hasta que una llama breve pero intensa acabó por consumirla por completo.

Quizá no tenía importancia, pero, una vez hubo desaparecido la bolsa, se hicieron visibles los dos surcos sanguinolentos que le conferían a la piedra un aspecto vacío y dispuesto, como el de una mesa de autopsias.

6

La elección

Ahora que la persecución se había acabado, a George empezaron a temblarle las piernas. Volvieron a entrarle ganas de llorar, pero optó por reprimir las lágrimas. Se sentía muy cansado, tanto que tenía que luchar para no caer en un sueño profundo pero probablemente no reparador.

Miró a su alrededor en busca del Artillero y allí estaba, acuclillado a su lado y observando el tráfico.

Desde lo alto resonó un silbido agudo.

George levantó la mirada hacia el arco de triunfo que se elevaba al otro lado del césped: una enorme estatua femenina y una cuadriga arrastrada por cuatro caballos se alzaba imponente por encima de su cabeza. El silbido volvió a resonar, más agudo e insistente, taladrándole los oídos.

El Artillero apagó el cigarrillo, guardó la colilla y se puso de pie.

—¿Qué es eso?

El Artillero dirigió la mirada a los cuatro caballos.

—Es la cuadriga.

—No... —empezó a decir George.

Volvieron a oír el silbido.

—... Eso —dijo George, acabando la frase.

—Es una advertencia —dijo el Artillero.

—¿De qué?

El Artillero oteó los tejados al otro lado de la calle.

—No es momento de hacer preguntas, muchacho: es hora de elegir.

George despegó los labios decidido a contestar, pero el Artillero lo interrumpió:

—Elegir quedarse... o marcharse.

George estaba tan cansado que habría preferido dejarse arrastrar por el sueño, cerrar los ojos y dormir, pero tras un breve parpadeo sacudió la cabeza y trató de concentrarse.

—No sé qué está ocurriendo.

—Sí que lo sabes: estás eligiendo. ¿Te marchas o te quedas? ¿Quieres vivir o quieres morir?

De pronto, y sin saber muy bien por qué, George se enfadó.

—Eso es absurdo...

El Artillero soltó un escupitajo.

—Claro que lo es. La muerte siempre es absurda. ¿Y qué? La vida es una farsa, así que ríe y disfruta mientras estés vivo. Pero tú eliges. ¿Qué quieres hacer?

A George le seguían temblando las piernas y cuando por fin habló, las palabras surgieron de sus labios como un lamento:

—De verdad que no comprendo lo que ocurre.

Se oyeron entonces varios silbidos seguidos, más cortos y también más agudos, y el Artillero lo agarró de los brazos y lo levantó hasta la altura de sus ojos.

—Yo sí.

El chico se quedó en blanco, incapaz de articular palabra ni de pensar. El soldado se encogió de hombros.

—Bien. Volveré a mi plinto y observaré lo que te hace esa cosa que viene hacia aquí, porque si eres tan estúpido como para no salvarte a ti mismo, también lo eres como para que me moleste por ti —dijo, dejando a George en el suelo y dándose la vuelta.

George lo agarró del brazo.

—No. Ayúdame.

El rostro negro lo contempló durante un momento.

Algo en su expresión había cambiado: tal vez la tensión de la mandíbula, quizá la dureza de la mirada.

—Dios ayuda a quienes se ayudan a sí mismos.

—¿Qué significa eso?

—Significa que te agarres de mi mano y corras.

La mano grande y negra del Artillero envolvió la de George, que, cuando aún se estaba preguntando por qué el metal no resultaba frío, sino suave y flexible, sintió que casi le arrancaban el brazo: el Artillero había enfilado hacia el pasaje subterráneo.

Se adentraron en el túnel iluminado por tubos de neón y descendieron a lo largo de la rampa en dirección al norte, por debajo del tráfico. En medio del pasaje subterráneo un músico callejero entonaba una vieja canción de Simon y Garfunkel, con más energía, pero menos precisión que el original.

Miró a George, pero no pareció ver al Artillero, ni tampoco oír el estruendo de las tachuelas de sus botas golpeando el suelo de cemento. A medida que George se le aproximaba, su expresión de aburrimiento fue dejando paso a la de fastidio, y cuando el chico pasó junto a la caja abierta de la guitarra sin dejar una moneda, el hombre dejó de cantar y dijo «Gracias» en tono irónico.

Mientras el Artillero lo arrastraba a lo largo de la escalera hacia la oscura arboleda de Hyde Park, George no dejó ni un momento de mirar hacia atrás.

—¡No te ha visto!

El Artillero siguió corriendo abriéndose paso entre los peatones que volvían a casa en medio de la penumbra, alejándose del tráfico y adentrándose cada vez más en el parque.

—¡Ninguno de ellos te ha visto!

El Artillero le tiró del brazo justo a tiempo de evitar que chocara contra el árbol que había surgido de la penumbra apenas iluminada por la luz anaranjada de los faroles.

Era una lástima, porque si George hubiera seguido mirando hacia atrás, habría visto que estaba equivocado.

Alguien los había visto. Alguien cuyos ojos brillaban con una expresión más intensa que la incredulidad. Unos ojos que miraban fijamente tras una cabellera de un color castaño tan oscuro y lustroso como el de las berenjenas. Eran ojos de párpados gruesos y estaban muy separados el uno del otro, como los ojos de los orientales, pero pertenecían a un rostro cuya palidez blanca y cremosa evocaba el norte.

En el piso superior de un autobús que circulaba hacia el oeste, una chica de la misma edad que George saltó del asiento y, con la mirada clavada en algo que desaparecía en la penumbra del parque, se abrió paso hacia la puerta trasera.

Tiró del cordón de PARADA y bajó la escalera haciendo caso omiso de las protestas de los demás pasajeros y las manos que tiraban de su largo abrigo de corderito. Se lanzó a la plataforma posterior del autobús, escudriñando la oscuridad en busca de algo que había dejado de ver.

El conductor la agarró del brazo.

—Eh, señorita, tranquilícese.

Ella ni siquiera se dignó mirarlo.

—¡Tengo que bajar!

El autobús aceleraba a lo largo de Rotten Row.

—Llegaremos a la próxima parada dentro de un minuto —dijo el conductor sin soltarla.

El autobús frenó para dejar pasar un taxi, la chica se revolvió como una serpiente y le mordió la mano al conductor, quc gritó sorprendido y la soltó; la chica saltó del autobús, trastabilló, cayó al suelo, se levantó, esquivó a otro autobús que tuvo que frenar y corrió hacia el parque. A la chica, que se llamaba Edie, no parecía importarle el arañazo que tenía en la rodilla ni los bocinazos y los gritos que resonaban a sus espaldas.

La otra característica de ese rostro pálido que asomaba bajo el lustroso cabello color berenjena era su dureza, una dureza provocada por la convicción de que nunca más volvería a preocuparse por las cosas insignificantes.

Y además mostraba la determinación férrea de alguien que persigue algo importante.

7

El *parking*

El Artillero detuvo a George bajo la intrincada tracería de sombras que proyectaba una farola situada por encima de un plátano y miró a su alrededor.

George se concentró en llenar sus pulmones de oxígeno y después formuló una breve pregunta.

—¿Estamos a salvo?

El soldado de bronce se limitó a reemprender la carrera, aunque esta vez con más tranquilidad. Era más bien como si jugaran al escondite, volando de una sombra a la siguiente sin dejar de mirar hacia atrás para comprobar si lo que parecía acecharlos aún estaba ahí.

Al no tener que correr con tanto desasosiego, George pudo dejar de concentrarse únicamente en la ardua tarea de seguir respirando a pesar de la aguda punzada que le taladraba las costillas: los pensamientos se agolpaban en su cerebro sin ton ni son, como si estuviera viendo la tele mientras alguien se dedicaba a cambiar frenéticamente de canal. Pensó en Killingbeck. Pensó en su hogar, una casa vacía a la que su madre todavía no habría regresado. Se preguntó cuándo notaría su ausencia. Recordó el horroroso pterodáctilo abriéndose paso hacia él a través del tráfico, y pensó en el móvil que guardaba en su mochila, olvidada en el guardarropa del museo. Le asaltó entonces la imagen de las salamandras de piedra disponiéndose a atacarlo y matarlo.

Y entonces vomitó. El Artillero tiraba de él para no detener la carrera, pero él apoyó el brazo en el tronco de un árbol, se inclinó hacia delante y vomitó. Dos veces. Su estómago intentó realizar un *hat-trick*, pero ya estaba vacío. George sintió un escozor en la nuca, y un estremecimiento que se calmó cuando el Artillero le apoyó la mano en el hombro.

—¿Te encuentras bien? —le preguntó.

George negó con la cabeza.

—Lo has hecho muy bien, ni siquiera te has manchado los zapatos. Espera un momento.

De repente lo alzó en brazos y saltó por encima de un muro bajo que bordeaba el parque. George estaba a punto de soltar una exclamación, pero la sensación de caer al vacío lo acalló. Hubo un instante de vértigo antes de que las botas del Artillero aterrizaran en el suelo con gran estrépito. George miró a su alrededor: habían caído ocho metros más abajo, en una rampa que daba a un *parking* subterráneo.

En el *parking* no había ni un alma, sólo coches. A lo lejos resonó el chirrido de un neumático, pero en ese mar de capós y parabrisas iluminados por tubos de neón, los únicos seres vivos eran el Artillero y George. El Artillero avanzó entre dos coches, encontró un lugar oscuro detrás de una columna de cemento y se agachó.

—¿Qué estamos haciendo?

—Esperar.

—¿A qué estamos esperando?

—A que se marche.

—¿Qué es?

—No lo sé. ¿Quieres volver allí arriba y echar un vistazo?

George no quería.

—Además, estás exhausto. Por eso has vomitado. Llega un momento en que uno tiene que parar y tú has seguido corriendo. Es lo que les ocurre a los caballos. Tienes que descansar un poco... Los caballos se me daban bien.

George se fijó en que el soldado llevaba la cadena de una brida colgada del cinturón, debajo del capote. El Artillero se dio cuenta de que lo estaba mirando.

—Artillería montada. Arrastrábamos los cañones a través del barro y procurábamos no matar de cansancio a los caballos. Si pierdes un caballo, pierdes el cañón. Si pierdes el cañón, pierdes la batalla y si pierdes demasiadas batallas...

El Artillero se interrumpió; George tuvo la sensación de que el soldado intentaba regresar al presente desde algún lugar muy remoto.

—En todo caso, esto es diferente. Procura recuperar el aliento —dijo el Artillero, y volvió a encender la colilla que se había guardado en el bolsillo.

George dirigió la mirada a los detectores de humo que había instalados en el techo.

—¿Qué pasa? —le preguntó el Artillero contemplándolo a través de sus bocanadas de humo.

—Creo que...

—¿Sí?

—Creo que aquí no se puede fumar.

El soldado lo miraba fijamente, inmóvil, pero las comisuras de sus labios de bronce se elevaron ligeramente. George no tenía ganas de sonreír, pero la sonrisa del Artillero era contagiosa y, al igual que una represa a punto de reventar, cuando el soldado soltó una carcajada, George también se echó a reír.

—¿Que no se puede fumar? ¡No se puede fumar!

Su risa era como el tañido de una gran campana; la de George, en cambio, era un poco más aguda y ligeramente histérica. De algún modo, la risa expresaba todo su temor e incomprensión. Ignoraba por qué todo le parecía tan cómico; lo único que sabía era que reír era lo correcto. Recordó a su padre, soltando un eructo en la mesa y contestando a la desaprobación de su madre con un alegre: «Mejor fuera que dentro.» Así era esa risa, esas carcajadas después del terror. No tenía ni idea de lo que expresaban, pero sabía que era mejor que estuvieran fuera que dentro. Si las reprimía, reventaría. Reír era un sinsentido, pero también lo adecuado. El Artillero se restregó los ojos.

—¿Así que no puedo fumar? Puedo bajarme de un monumento en medio de la ciudad, dispararle a cuatro máculas, arrastrarte a través del parque a toda velocidad sin que nadie me vea... ¿y dices que no puedo encender un cigarrillo? ¡Por Dios!

El Artillero dejó de reír; George continuó riendo durante un rato y después, tan inexplicablemente como había empezado, se detuvo: el Artillero estaba esperando que acabara.

—Debes prestar atención, muchacho. Todo lo que creías que era normal cuando te has despertado por la mañana ya no lo es. Vale, arriba sigue siendo arriba y abajo, abajo, pero todo lo demás... Vete a saber. La historia ha cambiado por completo —dijo, sin despegar la vista del chico mientras lanzaba una bocanada de humo hacia el techo.

—¿Qué quieres decir?

—Que si quieres sobrevivir a esto, primero has de reflexionar y plantear la pregunta correcta. Y «¿Qué quieres decir?» no lo es.

George se echó a temblar, abrió la boca, se lo pensó mejor y volvió a cerrarla.

El soldado soltó un gruñido de aprobación.

—Bien. Pon en marcha el cerebro antes de poner en marcha la boca. Y no te preocupes por los temblores: es el *shock*. O bien pasará o te volverás un poquito majareta durante un rato.

—No quiero volverme majareta.

—No es lo peor que podría pasar.

George bajó la vista.

—Creo que me he vuelto majareta hace un momento. Creo que todo esto es una locura. Creo que alguien me ha puesto alguna droga en la comida o algo así. Creo que esto no está ocurriendo.

El Artillero se limitó a mirarlo. Él se preguntó si había vuelto a convertirse en estatua.

—Oye —dijo tras hacer una pausa—, dime lo que está pasando, por favor. Dime quién eres. Dime qué son esas cosas. Por favor.

El Artillero se tocó el pecho.

—Soy una estatua. Esas cosas son estatuas, tallas o como quieras llamarlas; es todo lo que tenemos en común. Yo soy un vitrato y ellas son máculas. Las máculas aborrecen a los vitratos, y por eso a los vitratos les desagradan las máculas. Se podría decir que ha habido problemas entre nosotros desde que el primer hombre realizó una talla e incluyó algo de sí mismo en ella. Ambos estamos «hechos», ¿comprendes? Ambos hemos sido creados por artesanos o incluso artistas (da igual, a ambos los denominamos «hacedores»), pero somos tan diferentes como el día y la noche.

—Las máculas ¿son malvadas?

—No sé si son malvadas. Son malas porque no tienen nada de humano. Las hicieron para asustar, para ser feas, para lanzar miradas lascivas desde los tejados de las iglesias y provocar escalofríos.

—Gárgolas.

—Sí, algo por el estilo. Me refiero a que todas las gárgolas son máculas, pero no todas las máculas son gárgolas, ¿me sigues? Pero las cosas como las gárgolas se hicieron para recordarte que existe el infierno, para gritar más fuerte que el diablo. No tienen nada de humano. Están vacías y, como todo lo vacío, están hambrientas. Pero no tienen hambre de comida, tienen hambre de lo que hace que tú seas tú, y yo sea yo.

George recordó el pico dientudo del pterodáctilo y su mirada, y comprendió a qué se refería.

—Claro que yo no soy tan yo como tú, porque soy un vitrato.

—¿Qué quieres decir? —preguntó George. Al formular la pregunta, sin embargo, tuvo la sensación de saber la respuesta, tuvo la sensación de que ya se lo habían dicho, de que si lo intentaba, recordaría la respuesta. Pero el Artillero retomó la palabra.

—Un vitrato es una estatua que el «hacedor» (el escultor, el picapedrero o lo que sea) ha hecho para que se parezca a un humano. Y por ese motivo, mientras el hacedor trabaja, algo de su humanidad penetra en nosotros y llena el hueco que carcome a todos los vitratos. Una estatua de lord Kitchener no es lord Kitchener, pero es... Bueno, es lo que el artista pensaba de lord Kitchener y lo que sabía de él. Es como si albergara una chispa de Kitchener. Es el «vitrato»: el vivo retrato de lord Kitchener, ¿comprendes?

George tuvo que reflexionar antes de contestar. Sabía lo que era un escultor. Recordaba haber oído hablar de «poner algo de ti mismo» en las obras, así como de obras «que cobran vida en tus manos». Tocó el pedazo de plastilina que tenía en el bolsillo y asintió lentamente con la cabeza.

—¿Y tú qué eres?

—Soy el Artillero. Nadie en especial. Sólo soy un soldado de la Primera Guerra Mundial. El único otro nombre que tengo es el del hombre que me hizo. Como tú: tú también llevas el nombre del hombre que te hizo, te llames como te llames...

—Chapman. Me llamo George Chapman.

—Yo soy Jagger. Mi hacedor fue Charles Sargent Jagger, así que soy un Jagger. ¿Sois muchos en tu familia?

—No.

—Nosotros somos unos cuantos. Hay Jaggers repartidos por todo Londres. La guerra favoreció a Jagger. A la gente le gustó lo que hacía: nos otorgaba aspecto de héroes, pero sin alardear. Primero hizo que pareciéramos hombres que lo sabían todo acerca del barro y de la muerte, y después hizo que pareciéramos héroes. Los que perdieron a sus hijos y maridos veían en nosotros a los hombres que querían recordar, los hombres en los que esperaban que se hubieran convertido si esos malditos generales no los hubieran mandado a luchar contra los alemanes.

—¿Así que he de llamarte Jagger?

El Artillero guardó silencio y miró hacia arriba.

—¿Qué...?

El Artillero se llevó el dedo a los labios.

—No digas ni pío —dijo, sacándose el revólver de la cartuchera—. El gato está en el tejado.

8

El gato en el tejado

El techo del *parking* era de cemento y estaba reforzado con un enrejado de varillas metálicas de unos sesenta centímetros de grosor, cubierto de un metro y medio de tierra arcillosa, en la que las raíces de los árboles se entrecruzaban en su búsqueda de agua y alimento, y las lombrices formaban redes de túneles a lo largo de los que se desplazaban por debajo del parque. Y cubriéndolo todo estaba el césped, cuyas raíces blancas se abrían paso por la arcilla y cuyos brotes verdes se esforzaban por respirar el poco aire puro que no habían contaminado los tubos de escape de los coches que circulaban interminablemente por Park Lane. Los quince centímetros de hierba que cubrían la tierra albergaban un diminuto mundo de insectos dedicados implacablemente a sus tareas, al igual que los habitantes humanos de la ciudad que los rodeaba. Había hormigas, mariquitas e incluso un escarabajo.

Edie lo vio con toda claridad: la luz anaranjada de las farolas se reflejaba en su lomo negro y lustroso mientras se desplazaba lentamente entre un paquete de cigarrillos y un montón de vómito. Edie sabía que el montoncito que había en medio del césped era vómito porque podía olerlo. Percibía el olor con mayor intensidad de la deseada porque estaba tendida en el suelo debajo de un arbusto, con la nariz pegada a la tierra. Sabía que el escarabajo era un escarabajo, aunque después de que la gárgola que había aterrizado justo delante de ella lo aplastara contra el suelo con su garra de piedra, había dejado de serlo.

Edie retrocedió y se ocultó en la sombra del arbusto, procurando moverse con el mayor sigilo posible. En la mano izquierda sostenía un pequeño disco de cristal de brillo azulado. Estaba caliente. Se lo metió en el bolsillo sin apartar la vista de la garra de piedra que se había plantado a menos de un metro de su nariz. Ya no necesitaba un cristal que le advirtiera de la presencia de la gárgola: estaba ahí y demasiado cerca.

Era una gárgola de piedra caliza con un rostro de gato gruñón y cuernos de diablillo. Tenía alas, pero carecía de brazos, y sus patas, largas y poderosas, estaban rematadas con las garras que habían aplastado al pobre escarabajo. Sus ojos, inexpresivos, eran de piedra, como el resto de su cuerpo, y sus cejas expresaban hostilidad e ira. Tras siglo y medio de lluvia y vientos, la piedra se había llenado de manchas negras y grises, y durante alguna helada del pasado el agua acumulada en una grieta del ala derecha se había expandido y causado el desprendimiento de parte del miembro; eso le otorgaba un aspecto desequilibrado y frágil.

Edie sabía que poseía un gran talento para volverse invisible cuando deseaba pasar inadvertida, pero cuando vio que la gárgola agachaba la cabeza para olisquear la tierra, deseó que ese talento fuese aún mayor. Cuando la gárgola espiró, Edie oyó un silbido sordo, como si alguien soplara en el cuello de una botella abierta. La gárgola movió la cabeza de un lado a otro intentando descubrir algún rastro. Edie dejó de retroceder y optó por tratar de permanecer invisible. La gárgola se alejó en dirección al muro tras el que habían desaparecido George y el Artillero. Cuando el bicho de piedra se dispuso a olisquear la parte superior del muro, Edie dejó escapar un suspiro de alivio. Sin moverse de su escondite, pudo observar la cresta vertebrada que recorría la espalda de la gárgola, como una hilera de gigantescas espinas que presionaban por debajo de la piel de piedra; también vio los músculos felinos que se tensaban y se relajaban a medida que la figura de piedra se desplazaba de un lado a otro, como si bailara, guiada por su olfato.

Y entonces Edie vio a una mujer que, acompañada de un cocker, empujaba apresuradamente un cochecito a través de la penumbra anaranjada; era evidente que llegaban tarde a alguna cita. El perro corría por delante de la mujer agitando alegremente las orejas, pero de pronto se detuvo, agachó las orejas y gruñó.

Al principio Edie creyó que el perro había visto la gárgola, situada a sólo dos metros del animal. La gárgola se volvió y lo miró.

La mujer chasqueó los dedos y exclamó:

—*Bramble*. Ven aquí, *Bramble*.

Bramble permaneció inmóvil y temblando delante de la gárgola. Los cocker no suelen tener muchas ideas, así que cuando se les ocurre una, tienden a aferrarse a ella. Pero de repente Edie comprendió que *Bramble* no había visto la gárgola: la había olfateado a ella, que seguía oculta debajo del arbusto.

—¡Venga, *Bramble*! ¡Vamos! —gritó la mujer, dejando el cochecito y acercándose al perro y a la gárgola. Ésta retrocedió un paso, se agazapó y extendió las alas paralelas al suelo, dispuesta a atacar. Edie se fijó en que sus alas acababan en ganchos afilados. En cierta ocasión, había visto en la tele a un torero que hizo el mismo gesto con su capote: dio un paso atrás, extendió el capote a sus espaldas y ocultó la espada; parecía un gesto inocente, pero estaba dispuesto a matar cuando el toro se acercara.

La mujer pasó junto a la gárgola. A Edie le pareció que la rozó con el abrigo, pero era evidente que no la veía, al igual que su perro. Lo agarró del collar y le puso la correa.

—Vamos, perro malo, ¡aquí no hay nada! —dijo llevándoselo consigo. El perro empezó a ladrar y cuanto más lo alejaba su dueña, más fuerte ladraba. El ladrido acabó convirtiéndose en un aullido cuando la mujer le arreó en el hocico y lo ató al cochechito, cuyo ocupante empezó a llorar. Una ráfaga de viento agitó entonces los árboles: la mujer hizo una mueca, sacó un paraguas de la bolsa que llevaba colgada en la sillita y lo abrió.

—Vamos. Está a punto de llover. Tenemos que ir a casa. Buen perro.

Tras recibir ese azote en el hocico, el perro se olvidó de Edie y se dedicó a trotar junto a su dueña, que se alejaba en medio de la penumbra levantando la capota del cochecito mientras arrullaba a su bebé.

Edie se dio entonces cuenta de que algo horrible estaba a punto de ocurrir. La gárgola con cara de gato permanecía agazapada y dispuesta al ataque... Pero había vuelto poco a poco la cabeza, y estaba mirando justo en la misma dirección hacia la que el perro había estado ladrando.

En dirección a Edie.

De repente, la gárgola cambió de posición y se plantó frente al arbusto. A continuación extendió las alas, se agazapó aún más y olfateó.

Poco a poco, con la punta de un ala, fue apartando el arbusto hasta que Edie quedó al descubierto, sin escapatoria. Los ojos de piedra de la gárgola la contemplaron, mientras el bicho respiraba a través de un tubo de cobre oxidado que surgía de su boca como un cañón.

Edie extrajo el disco de cristal que se había metido en el bolsillo. Ya no lanzaba destellos azules: ahora ardía como una antorcha de llamas de un azul verdoso. Edie extendió el brazo con el disco en la mano, prácticamente sin temblar.

—Vete —dijo con voz trémula.

Carraspeó y exclamó esta vez con contundencia:

—¡VETE! ¡DEBES IRTE!

La gárgola alzó una ceja, y después se echó hacia atrás y le mostró los dientes mientras agachaba los cuernos, como hacen los perros con las orejas. Pero no se marchó. Se acercó a Edie y apartó las ramas del arbusto tras las que había vuelto a ocultarse.

Entonces empezó a llover; primero cayeron sólo algunas gotas tímidas, pero luego la lluvia se intensificó y acabó en diluvio. A través de la cortina de agua que las separaba, Edie lanzó una mirada desafiante a los ojos de piedra.

—No-me-das-miedo —mintió—. Nada me da miedo. Ya no. No puedes hacerme daño. ¡Debes MARCHARTE!

La gárgola se agitó y la miró a los ojos.

—No me das miedo... —volvió a mentir Edie.

Y la gárgola saltó, saltó hacia atrás, hacia el cielo, en medio de la lluvia y alejándose de ella.

Edie clavó la mirada en el lugar donde había estado plantada la gárgola hasta que se convenció de que allí sólo había lluvia y césped y esa odiosa luz anaranjada.

Miró el disco de cristal que tenía en la mano y observó que los destellos se estaban apagando y que poco a poco volvía a ser lo que era: un viejo pedazo de cristal, un culo de botella desgastado por la marea, los guijarros y la arena, algo que cualquiera podría encontrar en la playa. Se lo guardó en el bolsillo de su abrigo de corderito, inspiró profundamente un par de veces y atravesó el césped en dirección al *parking*.

9

Aparcados

George y el Artillero no apartaban la mirada del techo de cemento. El Artillero sonrió.

—Se ha ido.

George se dejó caer contra la pared, frente al radiador de un Mercedes.

—¿Qué era?

—Una mácula.

—¿Una mácula?

El Artillero se encogió de hombros y, como si no fuera una estatua, se rascó con el mismo placer que un humano.

—Quizás una gárgola. Volaba. La mayoría de las máculas voladoras son gárgolas.

George archivó esta información en la sección «Nuevos datos» y descubrió que ese archivo estaba sobrecargado.

—Un momento. La cosa que me persiguió desde el Museo de Historia Natural, los tres lagartos que se desprendieron del edificio y las cosas a las que les disparaste, ¿eran máculas?

—Así es, eres muy rápido. Sigue así y quizá logres sobrevivir a esta noche.

George estaba a punto de hacerle una pregunta a la que en realidad no quería que le respondiera cuando oyó pasos que se aproximaban. El Artillero le indicó que se callara apoyándole la mano en la rodilla. Los pasos se detuvieron delante de ellos, se oyó el clic de una llave y el sonido de la puerta del Mercedes que se abría y se cerraba; después el motor se puso en marcha.

—Esto... —dijo George.

Los faros se encendieron y los iluminaron a ambos, como prisioneros de tebeo atrapados por un foco.

—¡Socorro! —gritó George, con la esperanza de que el conductor le prestara ayuda, pero éste no lo vio; simplemente volvió la cabeza y puso marcha atrás.

—No puede verte —dijo el Artillero.

Los faros dejaron de iluminarlos cuando el Mercedes avanzó con un chirrido de neumáticos entre las filas de coches aparcados, buscando la salida.

—¿Por qué no puede verme? —preguntó George. Sentía que no debía haber pedido ayuda, como si, dada su situación, supusiera una grosería.

—Bueno, puede verte, sus ojos funcionan, pero su cerebro no se lo permite.

—¿Por qué?

—Porque, aunque conduzca un coche alemán, es una persona normal y racional, y las personas normales y racionales no creen que alguien pueda deambular por Londres acompañado de una estatua. Es lógico. Y también imposible, así que su cerebro no da crédito a sus ojos. Lo protege, porque si pudiera vernos, sabría que está, ya sabes...

—Majareta.

—Eso es.

—¿Por qué puedo verte yo a ti?

El Artillero volvió a rascarse, y de pronto se puso de pie y se desperezó.

—Porque has hecho algo. No sé qué, pero debe de haber sido algo malo, porque las máculas están muy enfadadas. Supongo que tendremos que averiguarlo, pero que sepas que ha sido algo lo bastante malo como para sacarte de tu Londres y meterte en el mío. Y eso no es bueno, no para ti.

—¿«Tu» Londres? ¿A qué te refieres?

—Me refiero al Londres en el que las máculas aborrecen a los vitratos, y las cosas que en tu Londres permanecen inmóviles se mueven, cazan y luchan. ¿Acaso creías que tu Londres era el único? La ciudad de Londres es algo más que una vieja ciudad, es como la piedra y la arcilla sobre las que se asienta. Tiene estratos. Tú acabas de caer de un estrato a otro. Vamos, muévete, hemos de preguntarle a las esfinges cómo resolver...

Se detuvo un instante aguzando el oído. George se aproximó a él sin reflexionar.

—¿Qué has oído?

—Nada. He oído que algo se detenía, pero era algo tan silencioso que no lo he notado hasta que ha desaparecido.

Volvieron a oírse pasos que se aproximaban. El Artillero se relajó.

—No pasa nada, no es más que una persona. Tranquilo, no te preocupes.

—¿Que no me preocupe?

El Artillero parecía decepcionado.

—Si no vas a escucharme, no vale la pena que hable, ¿no te parece? Ya te lo he dicho, las personas normales no pueden vernos, porque para ellos nosotros, yo mismo, somos algo imposible, ¿vale? Así que ella no puede vernos —dijo señalando a una niña de doce años, de cabellos color berenjena y abrigo de corderito que se acercaba al espacio que había ocupado el Mercedes. El Artillero le hizo señas con la mano y miró a George.

—¿Lo ves? Nada. Inténtalo. Haz una mueca, hazle una pedorreta, lo que quieras. Ella no te verá, te lo prometo —dijo, dándole un codazo.

George agitó la mano y le sacó la lengua, pero la chica no reaccionó.

—¿Lo ves? —dijo el Artillero—, no puede vernos porque su cerebro no se lo permite.

—Os veo perfectamente —dijo Edie—. Me limito a esperar que dejéis de hacer muecas estúpidas y digáis algo sensato.

El Artillero la miró fijamente.

George y el Artillero intercambiaron una mirada.

—Ah —dijo el Artillero—, interesante. Se supone que eso no debería ocurrir, a menos que...

Su voz se disipó como el humo de un cigarrillo y durante un buen rato todos se quedaron mudos y se limitaron a contemplarse mutuamente. George miraba a Edie, Edie miraba al Artillero y éste la miraba a ella. Hasta que George interrumpió el silencio:

—¿Quién eres?

Edie no respondió.

—Vale, ¿por qué estás aquí?

La chica dejó de mirar al Artillero y le lanzó una mirada dura y despectiva a George.

—Evidentemente, os he seguido.

—¿Por qué?

—Porque he visto estatuas que se mueven un montón de veces, pero nunca me había encontrado con nadie que también las viera —dijo, apartando la mirada del Artillero para posarla sobre George.

George se fijó en que tenía los ojos del mismo color castaño oscuro que sus cabellos, de un castaño oscuro casi negro. Tan oscuros que era imposible distinguir dónde acababa el ojo y empezaba el iris. Era un tanto inquietante. A lo mejor esos iris expresaban odio.

—¿Y qué? —preguntó.

—Que he pensado que tal vez eras alguien como yo.

—No lo es —dijo el Artillero sin dejar de clavarle la vista—. No lo es en absoluto.

Edie alzó la barbilla, quizá para observar el rostro del Artillero, quizá simplemente como un gesto de rebeldía. George concluyó que probablemente se trataba de ambas cosas, y pensó que lo único que resultaba más extraño que hablar con una estatua parlante que le disparaba a las cosas era encontrarse con alguien que hacía lo mismo. Observar que otro hacía algo imposible resultaba mucho más extraño que hacerlo uno mismo. De pronto cayó en la cuenta de que no había dejado de amasar nerviosamente el pedazo de plastilina que tenía en el bolsillo.

—¿Por qué no? —preguntó Edie.

—Porque no —contestó el Artillero, poniendo punto final al asunto y dirigiéndose a la rampa de salida. Los chicos intercambiaron una mirada.

—Esto... —dijo George.

Los ojos negros de Edie se lo quedaron mirando y, tras parpadear, la muchacha corrió tras el Artillero.

—¡Eh! —exclamó—. «Porque no» no es una respuesta. ¿Por qué no es como yo?

El Artillero observaba la lluvia que caía.

—¡Oye, que te estoy hablando!

El soldado se volvió rápidamente y la agarró de la muñeca. La chica intentó morderlo con la misma velocidad viperina con la que había mordido al conductor, pero se detuvo antes de que sus dientes se hincaran en la mano de bronce. En lugar de soltar un gruñido de furia, decidió darle una patada, pero lo único que consiguió fue que le doliera el pie. El Artillero la agarró del cuello del abrigo y la alzó hasta la altura de sus ojos.

—Te he oído.

—Bueno, ¿por qué no es como yo? Puede verte, es igual que yo, es...

El Artillero la interrumpió.

—No es como tú, no se te parece para nada. Nadie es como tú...

Ella intentó liberarse, pero el resultado fue tan ineficaz como la patada.

—Nadie es como tú. Hace muchísimo tiempo que no hay nadie como tú. Hace años, décadas, que no he visto ni oído hablar de alguien como tú. Nadie lo ha hecho. Algunos de nosotros incluso creemos que estás...

La lluvia caía en el charco que se acumulaba en la base de la rampa mientras el Artillero intentaba encontrar la palabra correcta. Cuando se le ocurrió, la saboreó unos instantes como si fuera un caramelo, y finalmente la soltó:

—... Extinta.

—No sé de qué estás hablando. No he desaparecido. Soy una...

—Eres un vislumbre.

—¿Un qué?

—Un vislumbre. Eres un vislumbre.

Edie miró a George, que se limitó a encogerse de hombros.

—¿Qué es un vislumbre?

—Es lo que eres si puedes ver todo esto. Eres un vislumbre, una vidente, una chispa brillante; alguien tan agudo y nítido que es capaz de atravesar todas las capas de «lo que es» y «lo que podría ser» para alcanzar finalmente «lo que era».

Durante un instante, algo parecido al pánico llameó en los ojos de la chica, pero enseguida se desvaneció. Edie levantó entonces la barbilla y miró al Artillero con actitud desafiante.

—No lo sé, no sé qué significa todo eso: yo sólo soy yo misma...

—Los vislumbres son peligrosos, son un problema, son tan problemáticos que atraen más problemas. Si queremos ir a donde debemos ir, lo último que necesitamos es un vislumbre. Así que tú te quedas aquí... Y nosotros nos marchamos.

—No me digas lo que tengo que hacer —gruñó Edie—. Déjame en el suelo.

—¿O qué? —preguntó el Artillero con una sonrisa peligrosamente amable.

—O usaré esto —exclamó.

El Artillero observó el disco de cristal con mucho interés; después lo golpeó y el disco tintineó.

—¿Así que usarás este pedazo de cristal?

Edie se concentró con todas sus fuerzas y asintió con la cabeza.

—¿Qué hace?

—Resplandece cuando hay gárgolas cerca y se marchan volando cuando lo ven. Tiene mucho poder.

El Artillero volvió a golpearlo y, al cabo de un instante, depositó a Edie en el suelo.

—Así que has asustado a un montón de gárgolas con esto, ¿no?

—Sí. No. A una. Hace un ratito. La que os rastreaba. Me ha perseguido, le he enseñado el disco y se ha ido volando.

El Artillero contempló la lluvia que caía a través del rectángulo negro que se abría encima de sus cabezas.

—¿Y por qué se lo has enseñado? ¿Sabías que tenía poder?

—Se calienta cuando hay gárgolas cerca. Brilla. Las percibe...

—Y estás convencida de que es un arma, ¿verdad?

—Supongo; de lo contrario la gárgola no se habría ido volando.

—¿Por eso se lo has enseñado?

—No. Se lo he enseñado porque no se me ha ocurrido otra cosa. —La sonrisa del Artillero la ponía nerviosa—. Da igual, el porqué no importa, lo importante es que ha funcionado.

—¿Estaba lloviendo?

—¿Qué?

—Cuando has creído derrotar a la poderosa gárgola, ¿llovía? ¿Empezaba a llover?

Edie hizo memoria y asintió con la cabeza.

—No ha huido temerosa del poder de tu cristal. No es más que una piedra de advertencia, no un arma.

—¡Pero se ha ido volando!

—Se ha ido volando porque es una gárgola, y una gárgola no es más que un canalón, un surtidor con ínfulas. Un canalón realmente feo y malhumorado. Para eso sirve. Cuando no llueve puede ir a donde le dé la gana, pero en cuanto empiezan a caer gotas sobre el tejado de su edificio debe largarse. La venganza y los vitratos le importan un pimiento. Debe cumplir con su objetivo, como todo el mundo. No puede dejar de cumplir con su Objetivo Primordial. Debe cumplir con los designios de su hacedor.

George tosió.

—¿Hacedor? ¿Te refieres a Dios?

—No sé nada de dioses —contestó el Artillero, sacudiendo la cabeza para librarse de las gotas de lluvia—. Los hacedores no son más que los individuos que nos hacen.

Como te he dicho, el mío era Jagger, y Jagger no era ningún dios. Simplemente era un soldado que luchó en la Primera Guerra Mundial, logró regresar con vida y cargado de recuerdos y, gracias a su talento, pudo ayudar a los demás a ver lo que él había visto. Lo más probable es que el hacedor de la gárgola fuera algún picapedrero medieval mal hablado y con la barriga llena de cerveza agria. «Los hacedores hacen lo hecho, y lo hecho ha de expresar la voluntad del hacedor.» Es así, y siempre ha sido así. Tu cristal no te ha salvado, así que no vuelvas a repetir lo que hiciste. La lluvia interrumpió la jugada; de lo contrario la mácula te habría atrapado. No es un arma, simplemente es un emisor de señales, ni más ni menos. Y ahora tenemos que irnos. Adiós.

Y, chasqueando los dedos, le dijo a George:

—Vamos, George, mientras llueva podremos movernos sin correr peligro y aún tenemos que atravesar gran parte de la ciudad antes de llegar al río.

—¿Por qué vamos al río?

—Has vuelto a hacer la pregunta equivocada. Venga, vamos.

George le lanzó una mirada a Edie. Estaba de pie bajo la lluvia, contemplando el cristal que sostenía en la mano. Podría haberse puesto a cubierto bajo el alero de la rampa, pero no lo hizo. Estaba empapada y parecía triste, como una marioneta con algunos hilos cortados.

—¿Por qué no puede acompañarnos?

—Ya te lo he dicho. Porque es un vislumbre.

Edie alzó la vista y en ese preciso instante cayó un relámpago. George la vio estremecerse, y le pareció mucho más joven e insegura. Edie se guardó el cristal en el bolsillo y se frotó los brazos con las manos, como si de repente notara el frío.

—¡Pero todavía no sé qué es un vislumbre! —exclamó en tono frustrado.

—Los vislumbres son misteriosos y extraños, e inútiles para lo que debo hacer —le aclaró el Artillero—. Los vislumbres tienen mala sombra. Lo siento, pero es verdad. Ahora hemos de irnos.

—Vale —dijo ella—. Largaos, pero pienso seguiros.

—No lo hagas —dijo el Artillero.

Mientras el Artillero ascendía por la rampa, Edie le hizo señas a George para que lo siguiera.

—Vamos —le dijo a George—, vete. Debes irte; si no te vas, no podré seguirte, ¿no te parece?

George sintió una punzada en la tripa. Quería quedarse junto al Artillero, pero le sabía muy mal abandonar a la chica. Tal vez le daba pena, o quizá sentía pena por sí mismo. A lo mejor sólo quería que alguien lo acompañara en esa pesadilla.

—Oye —empezó a decir—, lo siento...

Entonces Edie le dio una bofetada. George se quedó atónito. Esa bofetada lo había sorprendido casi tanto como todo lo demás.

—¿Qué demonios...? ¿Por qué me...?

—No me tengas lástima —masculló la chica agarrándolo de la camisa—. No me trates como si fuera una blandengue. No quiero gustarte.

George notaba la impronta roja de su mano en la cara.

—No me gustas. No vuelvas a pegarme.

—Bien. Entonces nos llevaremos perfectamente. Date prisa.

George alzó la vista. El Artillero había desaparecido, así que no se lo pensó dos veces y echó a correr rampa arriba, gritando:

—¡Espérame!

10

Desde las alturas

El lado norte de Euston Road de Londres está bordeado de edificios de techos abruptos interrumpidos por campanarios, torrecillas, chapiteles y chimeneas de tal altura y exuberancia gótica que nadie se fija en los vigilantes que los observan. Pero por encima de los sesenta millones de ladrillos que conforman la estación de St. Pancras y el hotel que tiene anexo anida el mayor conjunto de gárgolas de Londres.

En la cara norte del edificio, los ojos de piedra de una gárgola felina cuyo cuerpo se asomaba por encima del techo de cristal de la estación miraban fijamente las húmedas vías del ferrocarril; del tubo de cobre que sobresalía de entre sus dientes surgía un chorro de agua. Era idéntica a todas las otras gárgolas del tejado, salvo por un detalle: desprendía vapor, como un pura sangre después de una larga y dura carrera.

No sabía gran cosa, pero había algo que sí tenía claro: había fracasado. Las otras gárgolas de St. Pancras también lo sabían. Tal vez la próxima vez deberían ir a la caza en manada. Y la próxima vez no fallarían.

11

Pisando guijarros

El Artillero ya no corría, quizá porque todavía seguía lloviendo. Avanzaba por Park Lane con paso decidido y rápido, con la mole iluminada de Mayfair a la izquierda y el parque arbolado a la derecha. Aunque no corría, el chico debía apretar el paso para mantenerse a la par; atravesaron dos pasajes subterráneos y entraron en Green Park. Las preguntas se arremolinaban en la cabeza de George, pero guardó silencio, tal vez porque le sabía mal haber abandonado a la chica. Sabía que no era el momento de hacer otra pregunta, pero cuando creyó que el Artillero no lo observaba, volvió la cabeza y vio que Edie los seguía a unos doce metros de distancia.

Edie notó que George había vuelto la cabeza, tratando de no ser observado. Sólo medía un par de centímetros más que ella —aunque ella era alta para su edad— y su espalda encorvada parecía estar pidiendo disculpas. Tenía el pelo más largo que la mayoría de los chicos de su edad y no lo llevaba peinado en punta, ni con gomina, ni nada por el estilo. La chaqueta era demasiado grande —probablemente comprada para cuando fuera más mayor— y, en compensación, sus tobillos asomaban por debajo de las perneras, demasiado cortas. Edie recordó la expresión de su cara cuando le había pedido perdón: era sincera y se había disculpado mirándola directamente a los ojos. Detrás de la tristeza y el temor que expresaban sus ojos se ocultaba una persona bondadosa, y por eso lo había abofeteado.

Los siguió a través del pasaje subterráneo... Y entonces se dio cuenta de que el pasaje se bifurcaba y de que no tenía ni idea del camino que habían tomado. Se decidió por la bifurcación de la izquierda y pensó que en caso de que hubieran tomado la otra correría y los alcanzaría.

En el túnel de la derecha, el Artillero también echó a correr y George no lo alcanzó hasta que salieron.

—¿Por qué corres?

—Intento perder el equipaje —dijo, señalando hacia atrás con la cabeza—. Date prisa.

Arrastró a George a través de un seto y siguió corriendo.

Edie comprendió que se había equivocado. Regresó sobre sus pasos y se metió en el otro túnel, pero cuando salió a la superficie, ya habían desaparecido.

Enfadada, se dedicó a patear los guijarros que había bajo sus pies. Después echó a correr, y tomó un atajo a través de los árboles en dirección al parque de St. James y el río. El Artillero había dicho que se dirigían al río. Tal vez les daría alcance allí. El crujir de los guijarros bajo sus pies le hizo pensar en la playa. Y en por qué corría.

Edie sabía que el Artillero tenía razón: ella tenía mala sombra. La idea la arrastró como un torrente a un lugar oscuro y asfixiante. Cuanto más se esforzaba por apartar la idea de su cabeza, tanto más pánico sentía, y sabía que rendirse al pánico era peligroso, porque dejaría de pensar con claridad. Y pensar con claridad era lo que le permitía sobrevivir. Tratar de huir del pánico resultaba difícil: era como pisar guijarros, como intentar remontar la cuesta de una playa de guijarros: cada paso hacia delante supone deslizarse hacia atrás y, cuanto más rápido tratas de avanzar, tanto más te cansas.

En cierta ocasión, Edie se había cansado muchísimo remontando una playa de guijarros. Un hombre la perseguía. Ella corrió por la arena, y cuando intentó remontar la cuesta cubierta de guijarros, oyó sus pasos a sus espaldas. Junto a la orilla, los guijarros eran pequeños, pero iban aumentando de tamaño a medida que la cuesta se acercaba a las vías del ferrocarril. El crujido que producían sus pies al correr por encima de los guijarros se fue poco a poco transformando en un golpeteo de piedras desprendidas cuesta abajo.

No oyó nada a sus espaldas así que se arriesgó a mirar hacia atrás. Durante un instante sólo vio los guijarros y más allá la arena gris; a lo lejos el viento impulsaba las nubes por encima del oleaje del canal de la Mancha. Y, de pronto, vio un brillo rojizo: el hombre estaba pasando por encima del camino de madera; Edie, asaltada por el pánico, echó entonces a correr tan deprisa como pudo.

No se fijó en el neumático que sobresalía del suelo, medio enterrado entre los guijarros y, tras tropezar, quedó extendida en la cima de la cuesta. Cayó al suelo con gran estrépito y se golpeó la mejilla contra un guijarro, pero eso fue lo que la salvó. Vio que estaba al borde de una hondonada de unos seis metros de profundidad. En la cara más próxima de la hondonada, los guijarros descendían hasta encontrarse con una pared de madera que se elevaba hasta alcanzar la altura de su cabeza. Se trataba de un muro de contención para la arena formado por vigas de madera nueva atornilladas entre sí. A lo lejos vio buldózeres amarillos y una caseta prefabricada, pero estaban demasiado lejos y tenía el viento en contra, así que nadie la oiría si gritaba; además, no había ni un alma.

Era sábado por la tarde, y nadie trabaja los sábados, si puede evitarlo. Estaba sola, y detrás de ella oía el crujido de las pisadas del hombre. Se puso de pie, dio un paso hacia delante y volvió a caer. Se había torcido un tobillo. A lo lejos se oía un tren. Edie se dio la vuelta y vio que el hombre remontaba la cuesta resoplando, con el rostro tan rojo como el pañuelo manchado que sostenía contra la mejilla. Sus ojos expresaban ira, pero estaba sonriendo. No era la sonrisa de un villano de película diciendo: «Ya te tengo.» Era mucho peor que eso, teniendo en cuenta sus palabras y lo que había tratado de hacer, y lo que hizo Edie para impedírselo. La sonrisa decía: «Soy tu amigo... Somos compinches.»

Ella conocía esa sonrisa, una sonrisa tras la que se ocultaban mentiras, y promesas, y amenazas, y el olor del pub Red Lion, y el aroma rancio del tabaco. Y también los sonidos y los aromas del dolor, la traición y el miedo.

El hombre se detuvo. Respiraba entrecortadamente. Miró la sangre que manchaba su pañuelo y echó un vistazo iracundo a la playa vacía y las vías del ferrocarril, más allá de la profunda hondonada y la pared de madera.

—Me dará un síncope, si no dejas de correr. Vamos, basta de tonterías. No te preocupes —dijo, sonriendo.

Habría tenido más probabilidades de que Edie le creyera si hubiera llevado la navaja abierta en la otra mano.

—Venga, sólo estamos tú y yo. No seas tonta.

Edie oyó que el tren se aproximaba con rapidez. Pasaría a toda velocidad y desaparecería, y ella todavía estaría allí a solas con él y con la navaja, y la única compañía del viento, el mar, y esas grandes piedras sobre las que descansaba su mano.

El tren tomó la curva y apareció de repente, agitando la alambrada y los oxidados postes que la sostenían. Edie se puso de pie y agitó los brazos... Pero el traqueteo del tren apagó sus gritos de socorro. Estaba vacío, y el maquinista, que no comprendió la señal, la saludó, creyendo que se trataba de una chica alegre acompañada de su padre. Edie contempló las ventanillas vacías; ninguna figura humana interrumpía su uniformidad rectangular.

El tren pasó, dejando una estela sonora... Y Edie vio el pantano detrás de las vías y el amarillo del último vagón que desaparecía hacia una pequeña ciudad en la que nadie la esperaba.

Y entonces tuvo tres sensaciones diferentes, todas al mismo tiempo. Sintió que él la agarraba del pelo. Sintió pánico y sintió la piedra redonda y lisa que sostenía en la mano.

Tenía claro que era portadora de mala suerte, y lo sabía

todo acerca del pánico. Por eso estaba dispuesta a hacer todo lo posible para evitarlo: miraría a sus temores de frente, y nunca les daría la espalda y echaría a correr irreflexivamente.

Dejó de correr. No había estado pensando: había estado recordando el pasado y debía pensar en el futuro. Se quedó quieta en medio de la oscuridad y trató de prever lo que ocurriría. Sin darse cuenta, su mano derecha aferró el disco de cristal y cerró los ojos; procuró calmarse, respirar con tranquilidad y reflexionar. Y entonces recordó que cuando se había acercado sigilosamente a ellos en el *parking* subterráneo, antes de que George y el Artillero se dieran cuenta de que ella podía verlos, había oído lo que decían.

Había oído al Artillero diciendo que tenían que hablar con las esfinges. Edie no había recorrido todas las calles de la ciudad, pero conocía unas cuantas y sólo se le ocurrió un lugar donde había esfinges: junto al río.

12

El enigma de las esfinges

Cuando abandonaron el Strand y caminaron cuesta abajo hacia el Embankment, la lluvia casi había cesado. Caminaban algo más despacio y George aprovechó para hacer una pregunta:

—¿Qué le ocurre a una estatua cuando le disparas...? ¿Como cuando tú le has disparado y se ha convertido en polvo?

Sin dejar de caminar, el Artillero le lanzó una mirada rápida y esbozó una sonrisa.

—Los disparos no matan a todas las estatuas, en todo caso no a los vitratos. Pero si matas a una mácula, se rompe en pedazos y el viento los dispersa. Desaparecen del mundo, aunque a medianoche vuelvan a cobrar forma en su plinto o lo que sea, pero ya no vuelven a moverse. A partir de entonces, no son más que pedazos de piedra o de metal.

—¿Y los vitratos son diferentes?

—Como el día y la noche, muchacho. Nosotros no nos rompemos como las máculas. Es como si nuestra parte espiritual evitara que nos deshagamos. Al menos así lo veo yo. Es como si el hecho de saber quiénes somos evitara que nos convirtamos en polvo como las máculas. Podemos sufrir heridas y si eso ocurre cuando estamos muy lejos de casa, también nos convertimos en polvo. Pero si logramos regresar a nuestro plinto antes de medianoche, nos curamos.

—¿Os curáis?

—Es como si al día siguiente nos despertáramos sanos, recargados como un... Como un...

—Cepillo de dientes eléctrico —dijo George, que lo había comprendido.

—¿Un qué? —dijo el Artillero. Casi parecía ofendido.

—Como un cepillo de dientes eléctrico —repitió el chico.

—Cepillo de dientes eléctrico, ¡qué disparate! —gruñó el Artillero—. Eso no existe. Habría que ser imbécil para meterse algo eléctrico en la boca. El estrés te está afectando, muchacho.

—No... —empezó a decir George.

—Adam Street —lo interrumpió el Artillero, señalando la placa con el nombre de la calle—. Eso es un buen augurio, si es que crees en ellos.

George no sabía qué contestar.

—Después de todo lo que ha ocurrido hoy, ya no sé en qué creer.

El Artillero saltó por encima de las rejas de los jardines del Victoria Embankment; a continuación levantó a George en brazos y lo depositó en el suelo, al otro lado de la verja.

—Bien, entonces cree en la buena suerte, porque llegar hasta las esfinges caminando por Adam Street tiene que ser signo de buena suerte: Adán fue el primer hombre y, al fin y al cabo, esto que tenemos entre manos es un asunto de hombres, jovencito, así que un buen augurio no nos hará daño. Allí están —dijo el Artillero, agachándose detrás de las rejas con el dedo extendido.

George se agachó junto a él y dirigió la mirada a la orilla del Támesis, más allá del tráfico. Un gran obelisco de piedra se elevaba hacia el cielo nocturno, y a ambos lados del monumento dos imágenes de piedra miraban en direcciones opuestas; tenían cuerpo de león, rostro inexpresivo y tocado de la antigua realeza egipcia.

—Es la Aguja de Cleopatra —susurró el chico.

—Pues claro —repuso el Artillero—. Ya te había dicho que debíamos hablar con las esfinges; pero no lo llames la no sé qué de Cleopatra en su presencia: son un tanto susceptibles al respecto.

—¿Por qué?

—Porque son esfinges y están atrapadas en Londres donde hace mucho más frío que en Egipto... ¡Qué sé yo! En fin, que les disgusta la lluvia, una de ellas aborrece a los humanos y ambas se enfadarán mucho si te refieres al obelisco como la Aguja de Cleopatra.

George recordaba haber paseado por allí con sus padres, cuando todo era estupendo y él era mucho más pequeño.

—De acuerdo. No es la Aguja de Cleopatra. Es un obelisco en honor a Tutmosis o Tutmoses o algo así...

El Artillero agachó la cabeza, y las pocas gotas de lluvia que quedaban en su cabeza resbalaron y acabaron salpicando sus botas.

—Tal vez no deberías haber dicho eso. Tienes razón, pero... Tal vez no deberías haberlo dicho.

—¿Por qué?

El Artillero se puso de pie y se lanzó el capote hacia atrás sin apartar la vista del otro lado de la calle.

La voz de Edie surgió a sus espaldas.

—Porque te han oído y ahora te están mirando —dijo la chica.

El Artillero le lanzó una mirada, y a continuación decidió ignorarla.

—Sí, ambas nos están mirando. Y yo sólo quería hablar con la más simpática; ya es bastante complicado conseguir que te dé una respuesta directa. Vamos...

El Artillero levantó a George y lo dejó al otro lado de la verja; Edie se quedó mirando con las manos apoyadas en la cintura.

—¿Y yo?

—No es mi problema —dijo el Artillero encogiéndose de hombros—. Tú te has metido ahí, ahora ingéniatelas para salir. Pero esta vez hablo en serio. Mantente al margen. No te haré daño, soy un vitrato, pero las esfinges... Bueno, son medio vitratos y medio máculas: si las fastidias, podrían reaccionar de una u otra manera.

Arrastró a George a través del tráfico haciendo caso omiso de los coches, pero evitándolos como por arte de magia, o quizá gracias a la suerte.

—Hablaremos con ellas precisamente porque son medio vitratos y medio máculas —susurró—. Si has irritado a las máculas, sabrán qué hacer... Si es que se puede hacer algo.

Cuando se aproximaron a las esfinges, George se dio cuenta de que eran del tamaño de un elefante pequeño. Ambas habían vuelto la cabeza hacia él. Tenían rostro de mujer y eran idénticas, pero de algún modo diferentes. La sonrisa de la de la derecha era divertida y bondadosa. La esfinge de la izquierda también sonreía, pero su sonrisa tenía algo extraño: no era bondadosa, parecía dolida. El chico se acercó a la que parecía más bondadosa.

—Buena elección —susurró el Artillero.

Y entonces la Esfinge habló.

—Tutmoses Segundo, para ser precisos.

—Y no es que nos guste ser precisas —ronroneó la otra Esfinge—. Nos gusta ser enigmáticas. Ya que eres un niño tan inteligente, sabrás qué significa «enigmático», ¿no?

El Artillero le dio un codazo.

—Significa misterioso —graznó. Era verdaderamente difícil mantener una conversación con una criatura mitológica del tamaño de un minibús. No sabías dónde mirar.

—Significa mucho más que misterioso. Significa oscuro, dudoso y poco confiable.

George no pudo evitar pensar que ese par de estaturas no eran el mejor consejero al que acudir, pero intuía que mencionarlo sería una mala idea.

—En ese caso, quizá no seáis los consejeros ideales —dijo una vocecita a espaldas de George.

—¿Quién es ésa? —ronroneó la Esfinge que George empezaba a considerar la Esfinge Simpática.

—Soy Edie Laemmel —dijo Edie antes de que el Artillero pudiera contestar por ella.

—Es un vislumbre —siseó la otra Esfinge.

Y al oírlo incluso la Esfinge Simpática parecía poco amistosa. Ambas se pusieron tensas y se echaron hacia atrás, como un par de gatos ante un perro.

—¿Por qué has traído a un vislumbre? —preguntó la Esfinge Simpática, en tono despectivo—. Creíamos que ya no existían. Creíamos que el talento se había extinguido.

—No viene con nosotros. Nos ha seguido, y no hay manera de que nos deje en paz.

—Claro que no. Es un vislumbre. Fastidian a todo el mundo. No debiste traerla.

El Artillero se volvió, señalando a Edie.

—Lárgate. Deprisa. Al otro lado de la calle. Ahora.

La chica no se movió. Apretó las mandíbulas, bajó la cabeza y un mechón de cabello le cubrió un ojo, pero no apartó la mirada del Artillero. George se fijó en que sus labios apretados se volvían blancos.

—Oye...

—Vete.

—Escúchame...

De repente el Artillero se acercó a Edie.

—Vete..., por favor —le rogó.

—Ni siquiera sé lo que es un vislumbre.

El Artillero se detuvo y echó la cabeza hacia atrás, como si eso no se le hubiera ocurrido, como si necesitara un segundo para pensar. Edie se metió los puños en los bolsillos y miró a George.

—Me iré si me dices qué es un vislumbre.

George se encogió de hombros. Las esfinges siseaban a espaldas del Artillero como si fueran gatos, pero debido al tamaño de sus cuerpos, el sonido se parecía más bien al silbido de una válvula de vapor. El Artillero negó con la cabeza.

—No. Lárgate. Primero hemos de hacerles una pregunta a estas damas. Después te lo diré.

Edie apretó los labios aún más y después masculló:

—Vale.

George la vio alejarse unos pasos por la acera y apoyarse contra un muro, con la mirada fija en el río, como si ya no tuviera interés alguno por ellos. El Artillero cogió a George del hombro y lo enfrentó a las esfinges. Éstas parecían más relajadas, aunque no dejaron de observar por encima del hombro a la niña, cuya silueta se recortaba contra el Támesis. El Artillero empujó a George en dirección a las estatuas y el chico inclinó la cabeza hacia atrás para contemplarlas.

—Queremos haceros una pregunta.

—Todos quieren hacer alguna pregunta —le espetó la Esfinge Antipática sin despegar la vista de Edie—. Por eso acuden a nosotras.

—El chico ha hecho algo que ha alborotado a las máculas y ahora no dejan de perseguirlo.

La otra Esfinge, que ya no parecía tan simpática, le clavó la mirada.

—¿Y qué?

—La pregunta es cómo podemos evitar que...

—¿Que lo maten? —dijo la Esfinge, acabando la frase.

—Sí, eso para empezar —dijo el Artillero.

—¿Y ésa es tu pregunta?

El Artillero miró a George; éste asintió con la cabeza.

De pronto los grandes ojos de la Esfinge que vigilaba a Edie contemplaron a George. Sus movimientos eran tan veloces y su tocado tan similar al capuchón de una cobra que el chico no pudo evitar recordar a las tres serpientes de piedra que se disponían a abalanzarse sobre él justo antes de que el Artillero se bajara de su monumento. De pronto se dio cuenta de que, al menos la mitad de ella, era una mácula.

—¿Estás seguro? ¿Estás seguro de que ésa es la pregunta que quieres que te responda?

Como a George no se le ocurrió nada más importante que evitar su muerte, volvió a asentir.

—Pues entonces pregunta.

George carraspeó.

—¿Cómo puedo evitar que esas cosas me maten? Contéstame, por favor.

Sinuosamente felinas, las esfinges se apoyaron una contra la otra.

—Cualquiera puede hacernos una pregunta, y nosotras debemos contestar, pero sólo si el interesado descifra un acertijo o responde a una pregunta. Las esfinges somos así.

George miró al Artillero y éste asintió con la cabeza.

—Ellas funcionan así.

—Pero resolver acertijos se me da muy mal.

La Esfinge Antipática sonrió. Al menos a George le pareció que era la antipática, porque desde que había llegado Edie, cada vez resultaba más difícil diferenciarlas.

—Entonces no responderé, y puedes llevarte a tu vislumbre contigo.

—No es mi vislumbre.

—Pues llévatelo de todos modos.

George vio una chispa de maldad en su rostro, una chispa de la misma maldad aburrida que había visto en la mirada de Killingbeck, y se enfadó. La ira ardió en su estómago con la misma violencia con que crece la llama de un hogar cuando el aire aviva el fuego. No era una hoguera, era una llamita, pero era la primera vez que George sentía algo que no fuera miedo y confusión desde que el pterodáctilo se había desprendido de su friso, así que no trató de apagarla. Le resultaba familiar y tranquilizadora.

—¿Cuál es el acertijo? —dijo, mirando a la Esfinge.

Ésta bajó la cabeza hasta la acera. George vio cómo arqueaba su lomo tenso y se sintió como un ratoncito ante un gato. Y sabía que a los felinos les encanta jugar con los ratones.

Antes de despanzurrarlos.

La Esfinge movía la cabeza en zigzag y George se preguntó si estaría tratando de hipnotizarlo.

Soy un palo que nadie lleva, ni campesinos, ni reyes,
sin embargo, ninguno prescinde de mí.
A veces proporciono recompensas.
A veces me parto de pena.
Todo me afecta cuando soy blando, nada cuando soy
[de piedra.
Si me pierdes, vacilarás... Pero si de mí haces tripas,
[te sobrepondrás a cualquier esfuerzo...
¿Qué soy?

ronroneó la otra Esfinge por encima del hombro de la primera.

George se quedó parado. El tráfico pasaba a sus espaldas, oía el siseo de los neumáticos en la calzada mojada. Sabía que el mundo real estaba allí, un mundo en el que los chicos no se veían obligados a contestar preguntas imposibles planteadas por criaturas aún más imposibles. Pero también sabía que el único modo de regresar a ese mundo seguro era respondiendo a la pregunta. No sabía cómo lo sabía, pero lo sabía. Y por eso, y porque ignoraba la respuesta al acertijo, dejó que la llamita de ira aumentara. Su frustración alimentó la llama como si fuera oxígeno puro y la llamita se convirtió en una hoguera que borró todo lo demás. George apretó los puños y se volvió hacia el Artillero.

—¡No es justo! ¡No sé la respuesta! ¡Es una estupidez!

Le pareció que la lluvia se deslizaba por sus mejillas, pero entonces comprendió que no eran gotas de lluvia sino lágrimas, y eso lo irritó todavía más. Se restregó la cara para secarlas.

—No es justo, sólo es...

El Artillero se puso en cuclillas, lo agarró de los hombros y lo sacudió un par de veces.

—Estás enfadado. A veces sirve para hacer lo que has de hacer, pero ahora no. La ira te impide pensar y ahora es precisamente eso lo que debes hacer.

George tomó aire por la boca y espiró por la nariz, procurando tranquilizarse. Un truco que le había enseñado su padre y que a veces funcionaba. Volvió a mirar a la Esfinge.

—¿Puedes repetirlo?

—No tengo la obligación.

La llama volvió a arder y George intentó apagarla controlando la respiración.

—Será porque tienes miedo de que lo adivine.

Los ojos de bronce siguieron clavándole la mirada.

—Ah, ¿sí?

George procuró no pestañear. La Esfinge se estremeció y se desperezó.

Soy un palo que nadie lleva, ni campesinos, ni reyes,
sin embargo, ninguno prescinde de mí.
A veces proporciono recompensas.
A veces me parto de pena.
Todo me afecta cuando soy blando, nada cuando soy
[de piedra.
Si me pierdes, vacilarás... Pero si de mí haces tripas,
[te sobrepondrás a cualquier esfuerzo...

En cuanto la Esfinge empezó a hablar, George cerró los ojos y se limitó a concentrase en sus palabras. Pensó en varios tipos de palos: palos de ciego, palos flamantes, que cada palo aguante su vela, a palo seco, palo de rosa, de tal palo tal astilla... Nada tenía sentido. Era como los crucigramas que su padre solía resolver: pistas ocultas tras otras pistas, crípticas como un código que sólo comprendían los adultos. Su padre lo instaba a que intentara descifrar alguna pista, pero casi nunca las comprendía, incluso cuando se las explicaba. Había palabras con un significado secreto, otras que debían dividirse y formar con sus partes palabras nuevas, y un montón de indicios breves que se suponía ayudaban a resolver el crucigrama.

Recordó la risa de su padre tras resolver una pista especialmente ingeniosa. Le dijo que era sencillo si uno tenía presente que las palabras disponían de más de un significado, que había que releer de nuevo las pistas porque su significado tal vez no era el primero que le habíamos asignado, y a veces estaban allí sólo para confundirnos.

Abrió los ojos. La sonrisa de la Esfinge le resultaba especialmente irritante. Volvió a cerrarlos. Palos... ¿Qué otras clases de palos había...? Y entonces comprendió que se trataba de un palo de la baraja.

—Corazones. ¡Corazones! Eres un corazón.

Vio la sorpresa en el rostro de ambas esfinges. El Artillero lo miraba boquiabierto.

—¿Un corazón?

George sabía que estaba en lo cierto. Todo encajaba y sintió algo parecido a una brisa refrescante en el cerebro.

—*Soy un palo que nadie lleva*: ese «palo» que nadie lleva se refiere a un palo de la baraja, así que ha de ser tréboles, picas, diamantes o corazones. *Ninguno prescinde de mí.* Debe haber un corazón, porque si no tienes corazón, eres como una cosa sin batería y dejas de funcionar. *A veces proporciono recompensas*. Fácil: el corazón a veces proporciona recompensas, como cuando te enamoras. *A veces me parto de pena*: cuando muere un ser querido, por ejemplo.

El Artillero seguía contemplándolo con expresión de asombro y, a medida que su cerebro iba resolviendo el resto del acertijo, George sintió que una gran euforia lo invadía.

—*Todo me afecta cuando soy blando, nada cuando soy de piedra*. Un corazón *blando* se ve afectado con facilidad, pero nada afecta a uno de *piedra*. ¡Es intocable! Si lo *pierdes*, si te «descorazonas», vacilas; pero *si de mí haces tripas*, te sobrepondrás a cualquier esfuerzo. Corazón, la respuesta es corazón. ¡He contestado a tu pregunta! —exclamó y entonces se dio cuenta de que señalaba a la Esfinge con el dedo como si fuera un profesor al frente de una clase. No parecía un gesto muy sabio ni muy amable, pero le hizo sentir estupendamente.

—¿Quieres saber cómo evitar que las máculas te maten?

—Sí. He contestado a tu acertijo. ¡Debes decírmelo!

La Esfinge se apoyó sobre las patas traseras, miró a su hermana y entonces ésta habló:

—Tu remedio reside en el Corazón de Piedra, y la Piedra Corazón será tu alivio: has de encontrarlo, hacer un sacrificio, y satisfacer el desagravio que has creado colocando encima de la Piedra del Corazón de Londres lo necesario para reparar lo que has roto.

George y el Artillero intercambiaron una mirada.

—¿Qué es el Corazón de Piedra?

El Artillero se encogió de hombros. Ambos miraron a las esfinges. Éstas tenían un aspecto enigmático.

—¿Qué es el Corazón de Piedra?

Es dudoso que los gatos puedan encogerse de hombros, pero eso fue lo que hizo la Esfinge más próxima a George.

—Hemos contestado a tu pregunta. Si no comprendes la respuesta, quizá deberías haber preguntado una mejor.

De pronto, la euforia de George se esfumó.

—¡No es justo!

—Nosotras no somos justas. Somos esfinges. Y ahora lárgate.

Cuando regresó a su plinto, la segunda Esfinge parecía un poco avergonzada. Era la más simpática de las dos.

—¡Habéis hecho trampa!

—Hemos contestado a tu pregunta.

—¡Pero...!

—Pero no has contestado a la mía —dijo la misma vocecita áspera de antes. Las esfinges se volvieron; George y el Artillero, también. Edie estaba justo detrás de ellos.

—Tiene razón. Habéis hecho trampa. Así que responde a mi pregunta.

Las esfinges volvieron a retroceder, como si Edie fuera un perro.

—No tenemos la obligación de hacerlo.

—Sí, la tenéis. Sois esfinges y lo que hacéis es contestar preguntas. Lo que pasa es que sois crueles. Ambas.

—¿Ambas? —dijo la Esfinge Antipática. Pero Edie no cedió.

—Dices que ambas somos iguales. ¿Estás segura?

—Sí. No. Un momento; intentas engañarme, ¿verdad?

—¿Lo intento? —dijo la Esfinge, sonriendo.

Edie asintió con la cabeza y se acercó a George, que no estaba muy seguro de lo que estaba ocurriendo, pero tuvo la firme sensación de que la Esfinge estaba reprimiendo las ganas de retroceder ante la presencia de la chica.

—Me has preguntado si ambas sois iguales. Creo que pretendes que ésa sea tu pregunta, así que me equivocaré incluso antes de saber que es uno de tus acertijos y no tendrás que contestar a mi pregunta. Considero que es una manera retorcida de engañar a la gente, digna de una Esfinge.

—Eres muy suspicaz, muchachita.

—Gracias.

Edie caminó alrededor de una de las esfinges, y después alrededor de la otra. Y entonces sonrió.

—Tenéis el mismo aspecto, pero sois diferentes. Tú —dijo, señalando a la más simpática—, eres perfecta y lisa. A diferencia de ti, que estás agujereada. Alguien te agujereó —dijo, señalando el costado de la Esfinge.

George la escudriñó. Tenía razón. Había pequeños agujeros en uno de los costados del cuerpo de bronce, y también en una de sus patas delanteras. La Esfinge se contempló a sí misma.

—Muy astuta, muy ingeniosa. Pero me temo que ésa no era mi pregunta.

—Ambas sabemos que sí —dijo Edie—, pero si quieres hacer trampas, pregúntame otra.

Antes de que la Esfinge Antipática pudiera responder, la más simpática tomó la palabra.

—¿Cómo nos volvimos diferentes?

La otra se volvió y siseó enfadada y a la vez alarmada.

—¡No! Es un vislumbre. ¡Es un vislumbre! Y hará...

De repente, ambas esfinges se enfrentaron y agitaron las colas.

—Lo sé. Pero la chica tenía razón. Hacías trampas y eso no es ser enigmático. Es mentir. Déjala responder. Últimamente te pareces cada vez más a una mácula, hermana...

—¿Acaso te sorprende que aborrezca a los humanos

después de hacerme como soy y estropearme como me estropearon?, como cuando...

—No, hermana, ya basta. Deja que la chica nos conteste, si puede...

Cuando Edie se acercó a ella, la Esfinge estropeada permaneció inmóvil.

—¿Qué ocurre? —preguntó George.

El Artillero vio que la chica recorría el cuerpo de la gran Esfinge de bronce. Su mano se detuvo cuando encontró un agujero y el Artillero se volvió y se subió el cuello del uniforme, como quien espera un golpe de viento.

—Cuidado con los zapatos —dijo.

George no podía despegar la vista de la chica. Su mano desapareció en el interior de la Esfinge.

—Aquí hay un agujero.

La Esfinge la miró fijamente.

—Un agujero no explica el cómo. Un agujero es un qué. Ya me has dicho que tengo agujeros.

Edie cerró los ojos y se estremeció.

—¿Qué...? —empezó a decir George. Y entonces ocurrió.

Edie se puso rígida. Era como si algo hubiera estallado silenciosamente y ella fuera el epicentro del estallido: la onda expansiva de lo que le estaba ocurriendo hizo que sus cabellos se levantaran de su cabeza y, antes de que volvieran a caer, todas las hojas de los árboles, al igual que la basura de la calle, salieron volando, trazando un arco de ciento ochenta grados.

La chica soltó un alarido. Su espalda se arqueó, sus ojos se cerraron, su boca se abrió desmesuradamente, los tendones del cuello se tensaron como las cuerdas de un violín y un sonido que no era sólo un sonido atravesó la cabeza de George, que se tapó los oídos para protegerse. Pero no sirvió de nada: el alarido estaba atrapado dentro de su cabeza y parecía aumentar de intensidad.

El pasado de Edie la golpeó con la fuerza de una descarga eléctrica, como si en el interior metálico de la estatua se hubiera almacenado el recuerdo del dolor y del espanto, esperando que ella lo tocara y percibiera toda su intensidad.

Abrió los ojos, los cerró y después los volvió a abrir, una y otra vez. Y vio el pasado, lo vio seccionado por el tiempo, vio algunos fotogramas y algunos fragmentos de luz y sonido a cámara lenta. Cada vez que cerraba los ojos para huir del dolor insoportable del pasado sentía una enorme presión en la cabeza y sabía que reventaría si no abría los ojos y volvía a dejar entrar el pasado.

Y lo que vio fragmentado en trozos fue lo siguiente:

El Embankment había cambiado. La calle era más estrecha, los árboles más bajos y algunos ocupaban un lugar diferente. Los edificios modernos habían desaparecido. Los puentes tenían un aspecto distinto. La gente se había detenido y miraba hacia arriba. Era un día soleado. No se oía el rugido de los miles de coches que atravesaban las entrañas de la ciudad. La gente iba vestida con las faldas largas y los abrigos elegantes de principios del siglo XX. Una niñera de uniforme sonreía al tratar de ponerle un sombrero a un niño risueño. Un vendedor de periódicos voceaba algo acerca de la «Fuerza expedicionaria británica» y «Flandes»; de pronto calló y cuando aquello que todos estaban mirando apareció por encima de los edificios, soltó una maldición.

Un objeto largo con aspecto de cohete zumbaba por encima de sus cabezas e, impulsado por algunas hélices, iba ocultando poco a poco el sol. Su lenta inmensidad hizo que pareciera parte de un sueño.

La gente dejó de gritar y se limitó a observarlo fijamente. En medio del repentino silencio, Edie oyó el golpe de los cascos de un caballo que avanzaba por Adam Street tirando de un coche; el conductor bajó el látigo y se quedó boquiabierto ante la visión de lo que flotaba por encima de su cabeza. Edie lo oyó decir: «¡Coño! ¡Un zepelín!»

Entonces, pequeños puntos negros empezaron a caer del vientre del zepelín y el tiempo volvió a fragmentarse. Como si fueran astillas de vidrio, esos fragmentos se clavaron en el cerebro de Edie y el dolor se multiplicó por diez.

Los puntos negros fueron aumentando de tamaño y acercándose cada vez más. Estaba claro: eran bombas. Una mujer soltó un grito y un hombre la tiró al suelo y cubrió su cuerpo con el suyo.

El vendedor de periódicos se arrojó al Támesis.

Y entonces la primera bomba cayó en la calle.

Edie vio claramente la llamarada.

Sintió que el estallido le deformaba el rostro y el calor de las llamas penetraba en sus pulmones.

Vio los agujeros que se abrían en el cuerpo de la Esfinge.

Vio un sombrero de niño chocando contra las rejas de hierro que rodeaban Adam Gardens.

Vio que el hombre y la mujer acababan encima de un árbol.

Vio el cuerpo del caballo partido en dos, girando en el aire y desparramando pedazos de carne ensangrentados.

Y entonces todo se detuvo y regresó el presente.

George y el Artillero se habían acurrucado para protegerse. El alarido dejó de reverberar dentro de la cabeza del chico y cuando las náuseas se apoderaron de él, volvió a vomitar por segunda vez esa noche y un delgado chorro de bilis le manchó los zapatos.

El Artillero intentó borrar la mueca de dolor de su rostro.

—Te dije que tuvieras cuidado con los zapatos.

George se sentó en la acera; le dolían todas las articulaciones y las náuseas se habían convertido en algo parecido a un antiguo temor o una profunda tristeza, o al recuerdo de ambos. Edie mantenía la vista clavada en su mano. De repente se sentó: su cuerpo lo había decidido sin consultar al cerebro.

—Ha sido... espantoso —logró articular George.

El Artillero asintió con la cabeza; le temblaba todo el cuerpo, como si no fuera de bronce.

—Es un vislumbre. Te lo dije.

Edie los miraba desde el otro lado de la calle. A sus espaldas, las esfinges volvían arrastrándose a sus plintos. Aún parecían dos grandes gatos, pero ahora tenían un aspecto enfermizo. El Artillero se frotó la cara.

—Los vislumbres son personas en torno a las cuales suceden cosas malas. Son capaces de hacer llorar hasta a las mismísimas piedras.

Edie miró al Artillero y a continuación a las esfinges.

—¿Por qué? —les preguntó.

La que estaba más cerca se detuvo y la observó.

—¿Cómo es posible que no sepas lo que eres? Todo el mundo sabe lo que es.

La chica se puso de pie y le dijo:

—Creía que contestabais preguntas, no que las formulabais. Una bomba agujereó el cuerpo de una de las dos, la que está deteriorada, ¿no? Pues entonces contestad a mi pregunta.

—¿Quieres saber por qué los vislumbres son capaces de hacer llorar a las piedras?

El Artillero dio un paso adelante y se interpuso entre la chica y el enorme gato agazapado.

—No —dijo con contundencia el soldado.

Edie lo apartó. A George le sorprendió que una chica tan pequeña fuera capaz de mover una estatua tan grande, pero luego se preguntó si el Artillero no habría retrocedido voluntariamente ante el contacto de las manos del vislumbre.

—Es mi pregunta. Me la he ganado —le espetó Edie.

—Pero... —empezó a decir el Artillero.

—Nada de peros. ¡Basta de «peros» y de «espera» y de «vete»! —exclamó la muchacha señalando a la Esfinge con el dedo—. ¡Contesta a mi pregunta!

13

El llanto de una piedra

La Esfinge se apoyó en las patas traseras. Su hermana soltó un gruñido parecido a un trueno lejano, agitó la cola y finalmente se quedó inmóvil. Edie volvió a meterse las manos en los bolsillos.

La Esfinge que tenía frente a ella —la simpática— parecía haber recobrado su inmovilidad habitual. La chica le dio una patada al plinto y exclamó:

—¡Eh! ¡Aún estoy aquí!

—Apenas —suspiró la Esfinge.

—¿Qué quieres dec...?

Edie no pudo terminar la oración.

—Si no dejas de interrumpirme, te perderás la respuesta, ¿no te parece? —susurró la Esfinge arqueando una ceja. La chica cerró la boca; tuvo que hacerlo dos veces, pero al final su boca no volvió a abrirse.

—Estás aquí, ya lo veo. Pero para saber qué es un vislumbre, para comprenderlo de verdad, tienes que ver las cosas desde otra perspectiva, y desde esa perspectiva, más distante, tú, él y todas las demás personas casi no estáis aquí. Comparado con la vida de la piedra o del metal, tenéis la misma importancia que las gotas de lluvia de una tormenta de verano: se secan y desaparecen. Los actos de las personas pasan, pero las piedras permanecen, no eternamente, pero sí durante más tiempo que las personas. Y las piedras recuerdan.

—Eso no tiene sentido. Las piedras no recuerdan. Las piedras son incapaces de pensar...

—¿Quieres discutir o que te dé una respuesta?

—Quiero un argumento que tenga sentido.

—Los vislumbres hacen surgir de las piedras lo que ha ocurrido.

De pronto George comprendió.

—¡Ven el pasado! —exclamó.

Edie lo miró como si la hubiera traicionado.

—¡No es verdad! No es así, es...

—Es algo más —dijo la Esfinge con suavidad.

Un remolino de ideas se apoderó de George; giraban alrededor de un eje y el eje era la convicción de que estaba en lo cierto, de que comprendía el don de Edie.

—Sí ves el pasado —insistió George—. Cuando has hecho eso, ya sabes, cuando todo se ha vuelto repugnante, como si te hubieran pegado una patada en el estómago, cuando tus cabellos se han puesto de punta...

Edie negó con la cabeza.

—No sé qué es «eso» que hago. No creo que haga nada. ¡Algo me lo hace a mí!

—¡Pero si estabas allí y tu pelo se ha puesto de punta y...! —exclamó George.

—¡Oye! No estaba «allí», estaba, estaba...

Sorprendentemente, fue la Esfinge quien acudió en su ayuda.

—Estabas «entonces», no «allí». Las cosas malas que suceden dejan una impronta en el entorno. Las buenas también, pero las personas reaccionan con mayor intensidad frente a las malas. Y cuando un vislumbre toca una piedra que lleva una impronta, la canaliza y el pasado se repite a través de él.

George se sintió fascinado por esa idea.

—¡Eso es... asombroso! ¿Qué ocurre cuando tú...?

—Es espantoso —lo interrumpió Edie.

—Es una pérdida de tiempo —dijo el Artillero.

—¿Qué quieres decir? —preguntó Edie.

—Que hayas usado tu pregunta para preguntarles acerca de eso. Yo podría habértelo dicho. Cualquier vitrato podría habértelo dicho, pero disponías de una sola pregunta y la has desperdiciado.

La Esfinge los contempló sonriendo con satisfacción; George la miró con odio y le dijo:

—Si respondemos a otro de sus acertijos, nos toca otra pregunta.

—No, las cosas no funcionan así —dijo la Esfinge Antipática, agitando la cola—. Sólo puedes hacer una pregunta al día.

Edie se quedó callada; George trataba de comprender.

—Y no te queda un día. Ni de espera, ni probablemente de vida.

George volvió a ser presa del pánico. La Esfinge hablaba en un tono triunfal y burlón que no le gustó nada, sobre todo porque parecía muy segura de sí misma.

—¿A qué se refiere? —le preguntó al Artillero, y entonces oyó la voz de la otra Esfinge.

—Pregúntale al cenobita.

—¿Al qué? —preguntó George.

Algo le ocurría a la Esfinge y, una vez más, George la vio convertirse en una inmóvil estatua de bronce negro.

—El cenobita... ¿Qué cenobita? —preguntó George con desesperación.

La mirada de la Esfinge se apagó y su voz parecía provenir de un lugar cada vez más lejano.

—El cenobita oscuro. Él sabe lo que ha de saberse...

Entonces, antes de que el ruido del tráfico que recorría el Embankment lo invadiera todo, George creyó oír el eco de un susurro, el susurro burlón de la otra Esfinge.

—Y mucho de lo que no ha de saberse... Al menos tú, pedazo de carne, pequeño charco de lluvia que no tardará en evaporarse...

Los chicos intercambiaron una mirada. Edie miró al Artillero y éste se encogió de hombros.

—¿No sabes lo que es un cenobita? —le preguntó al soldado con indiferencia.

—¿Acaso lo sabes tú? —repuso el Artillero.

Edie negó con la cabeza y ambos miraron a George.

—¿Uno que cena? —dijo él.

—Genial, uno que cena; en la ciudad debe de haber más de cuatro millones de personas. ¿Piensas preguntárselo a todas? —le soltó Edie.

El Artillero hizo una mueca y se desentumeció el hombro.

—No me fastidies —dijo—, eres tú quien debería haberle preguntado por el Corazón de Piedra.

—¿Por qué? —preguntó Edie, mirándolo con tanta intensidad que consiguió que se sintiera incómodo.

—Porque tenemos que averiguar qué es, ¿no te parece, señoritinga? Porque tenemos un gran problema y...

—¿«Tenemos»? ¿Acaso hay un «nosotros» del que no me he enterado? Porque lo único que has hecho desde que os he encontrado es tratar de deshacerte de mí y decirme que me largue. Eso no significa ningún «nosotros». Eso sólo significa «tú». Y no creo que «te» deba nada.

—Pero...

—Y no me llames señoritinga.

El Artillero tragó saliva y George trató de adivinar si lo que sentía era miedo o más bien frustración. Fuera como fuera, lo que estaba claro era que Edie provocaba en el soldado reacciones muy intensas, pero George aún no sabía por qué.

—Pero pensabas preguntárselo, ¿no? Por eso has respondido a su acertijo... —preguntó el Artillero.

—Tiene razón —dijo George—. Ibas a preguntárselo...

Edie hizo girar los ojos sin mover la cabeza, y de pronto el chico comprendió por qué perturbaba tanto al Artillero: su mirada no parecía humana o, por lo menos, parecía provenir de unos ojos cuya antigüedad era superior a la duración de una vida humana. Sus ojos habían estado en otra parte, en algún lugar donde habían visto cosas horripilantes y del que habían regresado cambiados. George se dio cuenta de que su expresión era imperturbable, pero no apagada. Era como si el tiempo los hubiera desgastado.

—Tenía la intención de hacer esa pregunta, pero cambié de idea.

—¿Por qué? —preguntó George.

—No confíes nunca en un vislumbre —dijo el Artillero dejando escapar un suspiro de frustración.

—¿Así que abordarás a todos los que tienen la costumbre de cenar con la esperanza de encontrar al que pueda decirte algo acerca de tu precioso Corazón de Piedra?

—No —contestó George—. Buscaré un diccionario para ver qué significa la palabra «cenobita».

—Buena idea —dijo el Artillero inesperadamente.

—¿Estás diciendo que consultar un diccionario es una buena idea? —preguntó Edie con incredulidad.

—No lo sé —respondió el Artillero—. Pero me parece bien que tenga ideas en vez de desesperarse, quejarse o lamentarse. Porque a menos que no hayas entendido nada de lo que ha dicho la Esfinge, el chico tiene que darse prisa: el tiempo se acaba. En marcha.

George trotó para alcanzar al Artillero, que atravesaba la calle entre los coches alejándose del río.

—¿Sabes dónde podríamos encontrar un diccionario? Tal vez en una librería o...

—No tengo ni idea de dónde podríamos encontrar un diccionario, muchacho, pero se me ocurre algo mejor.

—¿Mejor que un diccionario?

—Sí. Sé dónde encontrar a un hombre que escribió uno. Vamos. Cuidado con ese taxi.

George se subió a la acera de un brinco y logró esquivar el taxi, que pasó zumbando. Cuando miró hacia atrás, Edie había desaparecido.

14

El que camina por detrás

La mujer del impermeable rojo se subió las solapas del cuello y corrió hacia la estación de metro de Cannon Street. A su alrededor, las personas se esquivaban unas a otras a lo largo de la acera. El tráfico avanzaba con tanta lentitud que algunos aprovechaban para caminar por el bordillo, todos con el mismo objetivo: llegar a casa.

Eran los viajeros profesionales, los soldados de infantería de Londres, cada uno dirigiéndose a su hogar, igual que ayer e igual que mañana. Casi todos avanzaban con el piloto automático puesto, y quienes debían tomar un tren caminaban más rápido que los que tomaban el metro. Quienes tomaban el autobús corrían impacientemente de una parada a otra mirando hacia atrás con la esperanza de ver aparecer el autobús rojo de dos pisos que los llevaría a sus casas.

Los únicos que parecían conscientes de dónde estaban eran los que buscaban un taxi, y eran también los únicos que observaban a los demás peatones, para evitar que alguno se les adelantara y se apropiara de un taxi delante de sus narices.

La mujer del impermeable rojo no buscaba un taxi. Iba a tomar la Northern Line y le esperaba un trayecto de veinticinco minutos que afrontaría leyendo el libro que ahora abultaba el bolsillo de su impermeable, si tenía suerte, sentada.

Y entonces, como un ciervo que percibe un sonido extraño o ventea un olor inesperado en medio del bosque, levantó de pronto la cabeza. Había algo a sus espaldas. Se volvió sin saber muy bien por qué, pero no vio a nadie. O, mejor dicho, vio a todo el mundo, pero a nadie en particular, a nadie que la mirara.

Pero había alguien observándola. En la ciudad, siempre hay alguien que te observa, incluso cuando crees estar solo. Si estando por ejemplo en una calle oscura, a altas horas de la madrugada, cuando todas las personas decentes están ya en la cama, sientes un cosquilleo entre los omóplatos que te dice que alguien te está observando, te vuelves con rapidez, como la mujer del impermeable rojo, y no ves a nadie, no te engañes: siempre hay alguien. Donde hay un caminante, siempre está el que camina detrás. Que no lo veas no significa que no esté allí.

El Caminante que iba tras la mujer del impermeable rojo tuvo mucho tiempo para perfeccionar su capacidad de permanecer invisible. Y también para perfeccionar su manera de caminar. Si alguien fuese capaz de verlo cuando hacía todo lo posible por no ser visto, se daría cuenta de que nunca estaba quieto, jamás dejaba de andar. Hasta cuando parecía estar inmóvil se balanceaba sobre ambos pies sin desplazarse. A veces lo hacía tan lentamente que parecía un animal piafando justo antes de abalanzarse sobre su presa. Si uno lograba no perderlo de vista, y sobre todo, si uno lograba no perderlo de vista mentalmente, acababa dándose cuenta de que ese movimiento perpetuo era como una maldición.

Y si era eso lo que uno pensaba, acertaba.

El Caminante era alto y llevaba un abrigo de *tweed* que en sus buenos tiempos había sido verde. No se le veía la cara porque llevaba la cabeza cubierta con una vieja capucha verde bajo la que sobresalían sus largos mechones de tonos grises y negros. El abrigo dejaba entrever una sudadera mugrienta y el contorno amarillo de un ciervo brincando debajo de un logotipo de John Deere. Ajustada alrededor del cuello llevaba una gruesa cadena de plata que realzaba su aspecto vagamente *hippy* y de la que colgaba una tosca piedra que se movía cada vez que tragaba.

El Caminante sentía que aquello que lo había apartado de su deambular por la ciudad lo conducía al edificio del otro lado de la calle como si fuera un oscuro imán. Se humedeció los labios, e hipnotizado por el siniestro poder que lo atraía con una intensidad cada vez mayor, se olvidó de evitar que la mujer lo viera. Ella se volvió durante sólo un segundo y, cuando vio esa oscura figura prácticamente pegada a su espalda, se quedó sin aliento.

Los labios resecos del Caminante se entreabrieron esbozando algo parecido a una sonrisa. Estiró la mano y le tocó el hombro.

—Es un desastre —dijo suavemente, como tratando de tranquilizarla; su voz era como el susurro de las hojas secas al caer sobre una lápida—. Es un desastre. Todo esto es un desastre y siempre lo será.

Y como la mujer lo había oído y lo había visto, empezó a gritar. Dejó caer el bolso, abrió la boca y gritó —pero no le gritó a él, porque otro de sus talentos consistía en hacerse olvidar de inmediato—, sino a todo lo demás.

El Caminante atravesó la calle en dirección a un edificio de oficinas mientras la mujer del impermeable rojo seguía gritando a voz en cuello. La gente al principio se arremolinó a su alrededor, pero no tardaron en tomarla por una loca más de las calles de la que más valía alejarse.

El Caminante se agachó delante de una verja de hierro forjado situada en la cara lateral del edificio de oficinas. Introdujo la mano entre los barrotes y se balanceó sobre las rodillas flexionadas, como si tratara de empujar el edificio. Se quedó mirando a través del enrejado, como si escuchara a alguien con atención, y después hizo un gesto afirmativo.

—Comprendo —dijo y siguió escuchando—. Si las máculas vuelven a fallar, lo traeré. Nosotros lo traeremos.

Retiró la mano del enrejado, se puso de pie, se dirigió al norte. Tras dar unos pasos, tiró de la capucha, de la que surgió un ave negra; el animal agitó las alas y se posó en el hombro cubierto por el abrigo de *tweed* verde.

—Ve y encuentra esa cosa que ha pasado y a aquellos que han fracasado.

El ave hizo chasquear el pico, se elevó hacia el cielo y desapareció entre dos edificios.

En la calle, el Caminante aguardó entre un grupo de peatones indiferentes a que el semáforo se pusiera en verde, dispuesto a dirigirse al norte. Mientras esperaba, un coche de policía pasó haciendo ulular la sirena y se detuvo calle abajo, donde dos mujeres intentaban calmar a una tercera que llevaba un impermeable rojo y que no dejaba de gritar. Ninguna de las dos había sido capaz de averiguar qué le había provocado semejante terror.

El semáforo se puso en verde y el Caminante esperó a que alguien tomara la misma dirección que él para seguirle los pasos. Y entonces ambos desaparecieron en medio de la multitud.

15

Un hombre llamado Diccionario

El Artillero caminaba muy rápido y George trotó para darle alcance. Algo preocupaba al soldado, que carraspeó como si se enfrentara a un tema complicado con desacostumbrada delicadeza.

—Babea y se agita un poco, pero no te preocupes: a él no le importa, a menos que se dé cuenta de que lo notas.

—¿Babea y se agita? —dijo George, que ya se había acostumbrado a no saber de qué le hablaban.

—Sí. No tiene importancia y no puede evitarlo, pero te diré una cosa: es un tipo inteligente. Sabe mucho de palabras, de historia y de Londres... Y de cualquier otra cosa que se te ocurra.

El Artillero avanzó unos pasos.

—Pero ten en cuenta que la agitación le molesta, y que es posible que de pronto suelte algún sonido raro, o farfulle alguna palabra incomprensible; tal vez esté un poco, ya sabes...

—¿Loco? —sugirió George.

—No, no está loco. Diccionario no está loco, pero a veces puede parecer que tiene algún tornillo suelto, por así decir. Aunque no es así. Perro ladrador, poco mordedor y su cerebro..., bueno, según él escribió un diccionario él solo y en la mitad del tiempo que necesitaron un montón de franchutes, así que su cerebro es de primera. Los franchutes no le gustan, pero así eran las cosas cuando estaba vivo...

George se paró en seco y las suelas de sus zapatos chirriaron en el asfalto mojado.

—¿Cuando estaba vivo? ¿Acaso está muerto?

—¡Serás tonto! ¿Cómo va a estarlo? Es una estatua, ¿no?

La voz de Edie resonó a sus espaldas; George no había notado su presencia y al oírla dio un brinco.

—Correcto —dijo el Artillero—. Es el vitrato de un hombre que vivió hace trescientos años, una época en la que se suponía que las señoritas eran respetuosas y guardaban silencio, así que no lo olvides cuando hablemos con él, ¿de acuerdo?

Edie no parecía estar en absoluto de acuerdo, pero no dijo una palabra cuando salieron del callejón y se dirigieron al este por el Strand, junto con los peatones que se apresuraban por llegar a la estación de Charing Cross.

Curiosamente, aunque nadie notaba la presencia del Artillero, todos lo esquivaban, así que los chicos avanzaron uno junto al otro detrás de sus anchas espaldas, obligados a darse prisa, puesto que sus pasos eran mucho más cortos que los del soldado.

—Es extraño que no lo vean, ¿verdad? —jadeó George.

Edie no dijo nada y, tras recorrer unos cuantos metros en silencio, George decidió que dejaría de hablarle. La primera vez que George se dio cuenta de que Edie también podía ver al Artillero, allí, en el *parking* subterráneo, se sintió aliviado de que hubiera alguien con quien compartir su pesadilla, pero ahora comprendió que eso se debía al miedo.

Puede que Edie tuviera su misma edad y que fuera capaz de ver cosas increíbles, pero era una chica muy dura. Cuando había tratado de hablarle, lo primero que había hecho fue asestarle una bofetada, y a partir de ahí las cosas fueron de mal en peor. Mucho peor. Aún sentía el sabor a bilis en la boca, el mismo sabor que había sentido cuando la chica había vislumbrado a las esfinges. Hasta ahora su presencia se había limitado a ser negativa; esperar otra cosa era estúpido y tratar de mantener una conversación lo era aún más.

—Es horroroso —dijo Edie.

Aunque no quería, George se dio la vuelta y la miró. Ella se encogió de hombros sin despegar la mirada del suelo.

—La primera vez que vi que las estatuas se movían creí que me había vuelto loca. Al principio supuse que se trataba de una especie de truco para los turistas, un individuo disfrazado y pintado de negro, o algo por el estilo. Pensé que era un truco excelente, pero entonces caí en la cuenta de que nadie le prestaba atención y al cabo de un rato tuve mie... Me pasó lo que dijiste tú: aluciné. Después te vi correr a través del parque con él, así que...

—Echaste a correr detrás de nosotros.

—Creí que sería menos espantoso.

—Vamos, venga, cuidado con ese autobús... —dijo el Artillero.

Se había metido entre los coches y avanzaba en dirección a una pequeña iglesia de piedra blanca abandonada en medio de una isla, en la confluencia del Strand con el Aldwych, antes de que ambas calles se convirtieran en Fleet Street. La aguja de la iglesia se elevaba hacia el cielo flanqueada de retorcidos plátanos, desafiando los edificios más altos e impresionantes que la rodeaban.

Delante de la iglesia tres estatuas miraban hacia el este. George las contempló con expectación. Las que estaban más próximas eran dos estatuas de dos hombres con el uniforme de la Segunda Guerra Mundial y gorras con visera, y, más allá, un hombre de espaldas encaramado en un plinto muy trabajado y envuelto en una toga muy larga miraba en dirección al Strand, como si esperara que en cualquier momento apareciera algo desagradable. George miró al Artillero.

—¿Es ése Diccionario?

—¿Por qué lo crees?

—Porque parece un profesor, por la toga y su aspecto distinguido.

El Artillero negó con la cabeza.

—No es distinguido, sólo es un político. Vamos.

George echó un vistazo a las dos estatuas de la gorra.

—Es uno...

—No es ninguno de ésos —dijo el Artillero, señalando más allá de las estatuas—. Está en la otra punta.

Al pasar junto a las estatuas, el chico se preguntó si cobrarían vida. Pese a sus uniformes, ambas tenían un aspecto profesoral. Edie las observó con atención.

—Comprendo lo que quieres decir.

—No he dicho nada —repuso George.

—Se parecen, pero son diferentes. Lo percibes.

—No, no lo percibo. Pensaba que no saber si cobrarán vida ni cuando lo harán es realmente extraño.

—Creí que habías percibido las vibraciones.

George la miró. Edie parecía decepcionada.

—¿Qué vibraciones? —preguntó George.

—No lo sé —dijo, señalando a uno de los uniformados—, pero aquí hay mucha muerte.

Entonces George se dio cuenta de que ella nunca decía nada tranquilizador. Se estremeció y siguió al Artillero alrededor de la iglesia.

—Hay mucha muerte por todas partes —gruñó el Artillero—. Esto es Londres. Mucha vida, mucha muerte, mucho de todo. Aquí está.

—¿Aquí está quién? —dijo otra voz.

George alzó la vista. Una estatua de un hombre con vestimentas del siglo XVIII lo contemplaba desde arriba, y encima de su peluca —que mientras en la vida real habría estado empolvada, ahora estaba cubierta de caca de paloma— había posada un ave. Entre los rizos de la peluca aparecía un rostro carnoso de boca torcida que parecía estar mascándose la lengua.

El Artillero inclinó el casco hacia atrás y lo saludó con la cabeza.

—Si dispones de unos instantes, nos gustaría hablar contigo, Diccionario.

Diccionario carraspeó sonoramente y habló. Su voz era profunda y áspera y tenía un cierto acento de los Midlands. George no pudo evitar pensar que más que un hombre que lo sabía todo acerca de Londres, parecía un campesino.

—Los instantes de que dispongo no son los míos, sino aquellos otorgados por una providencia incognoscible, y no me pertenecen. Sin embargo —dijo Diccionario mirando un grueso libro que sostenía en la mano izquierda mientras con la derecha se acomodaba la toga y los bombachos como si tuviera vida propia—, las palabras de las que dispongo están en este libro gracias a mis propios esfuerzos, así que hago lo que me venga en gana con ellas y, como siempre, están a tu disposición.

George le lanzó una mirada interrogativa al Artillero.

—Dice que sí —le aclaró el soldado.

—Pues lo dice con muchas palabras —comentó Edie en voz baja.

El Artillero la miró con indignación. Diccionario se agitó, como quien intenta deshacerse de un cubito de hielo que alguien le ha introducido subrepticiamente por debajo de la camisa.

—Bien, no solemos ver a niños que nos ven tal como somos, Artillero. Apuesto a que aquí hay una historia, ¿no?

Diccionario se tiró de los bombachos, se apoyó sobre una rodilla y los contempló.

—Así es, Diccionario. Este chico tiene algunos problemas...

—Ya, supongo que el «chico» tiene nombre, ¿verdad?

El Artillero hizo avanzar a George y éste observó el rostro torcido de Diccionario y decidió que, aunque en un principio parecía enfadado y severo, cuando uno se fijaba mejor, descubría que era bondadoso. Su rostro no tenía la costumbre de sonreír, pero deseaba hacerlo.

—Se llama George. George, éste es Diccionario Johnson. Diccionario, éste es George.

De repente Diccionario sufrió un espasmo, como si quisiera quitarse la chaqueta. Su cuello se agitó dos veces y ladró algo que tal vez era una palabra, pero que también podía ser simplemente un gruñido.

—Encantado de conocerlo, señor.

El Artillero le dio a George un empujoncito en la espalda.

—¡Ah! Encantado de conocerlo —repuso George.

—Veo que os embarga una profunda emoción, señor —dijo Diccionario mirando a George; su mirada lo incomodó.

—Sí —contestó—, estoy confundido.

—Confundido. ¿O tal vez asustado?

—Tal vez —murmuró el chico sin mirar a Edie.

—Cuando era un joven temeroso, una mujer sabia me dio un consejo; lo consideré precioso y ahora te lo transmito a ti: al igual que la esperanza aumenta la felicidad, el miedo agrava la calamidad.

—¡Ah! —dijo George, intentando comprender sus palabras.

—Quiere decir que las cosas empeoran si te preocupas por ellas —dijo la chica.

—No creo que nada pueda ser peor a que intenten matarte, ¿no?

—Claro que sí. Hay cosas mucho peores —aseguró Edie.

Antes de que George pudiera preguntarse qué había querido decir —o incluso antes de preguntarse a sí mismo si realmente quería saberlo—, Diccionario carraspeó.

—¿Serías tan amable de proporcionarme un esbozo de los acontecimientos que te han traído hasta mi humilde plinto? Me muero por mantener una conversación con alguien, ¿comprendes?, y la verdad es que es difícil conseguirlo clavado como estoy en esta solitaria roca en medio de la vida de esta bella ciudad. No hay ingenio ni variación que me aparte del deprimente espectáculo de los caballeros leguleyos entrando y saliendo de ese magnífico teatro situado enfrente —dijo, señalando el inmenso edificio de piedra blanca coronado por pináculos y arcos que había al otro lado de la calle.

—Son los Tribunales de Justicia —dijo George.

—Así es —contestó Diccionario—, y suponen un exceso arquitectónico para un objetivo tan sencillo como diferenciar entre el bien y el mal. Considero que la exuberancia de agujas y estilizadas torrecillas que caracteriza el exterior está ahí para distraer la atención del hecho de que en el interior, en los oscuros despachos de los jueces, todo señala hacia abajo, hacia el bolsillo del cruel abogado. Es como el maquillaje de las prostitutas, una mera distracción. Pues...

—El chico tiene un problema, Diccionario —lo interrumpió el Artillero—. Y perdona que te corte, pero es grave. Venimos de preguntarles a las esfinges...

—¿Las esfinges? En ese caso, no hay duda de que no os habréis enterado de nada y estaréis doblemente confundidos. Sólo un cernícalo le pediría una respuesta a una esfinge...

—¿Un cernícalo? —preguntó George mirando a Edie, que se encogió de hombros.

Diccionario hojeó su libro con rapidez y aclaró:

—Un zopenco.

—Un burro —le explicó Edie.

El Artillero volvió a darle un empujón y George carraspeó.

—La Esfinge nos ha contestado a medias, y nos ha dicho que fuéramos en busca del «cenobita oscuro», pero no sé qué es un cenobita.

Diccionario volvió a hojear el libro hasta encontrar la palabra. La señaló con satisfacción.

—Cenobita: un fraile.

—¿Así que debo buscar a un fraile oscuro?

—Un monje o un abad, un fraile...

—Un fraile oscuro.

Hubo un silencio repentino. Los niños contemplaron las dos estatuas, quc sc miraban la una a la otra con la expresión de quien guarda algún secreto.

—Un fraile oscuro que lo sabe todo acerca de Londres.

Diccionario enderezó la espalda y miró hacia el este, hacia Fleet Street.

—Un fraile negro.

El Artillero asintió con la cabeza y dijo:

—El Fraile Negro. Debería haberlo adivinado.

—¿Qué tiene de malo el Fraile Negro? —preguntó George, tratando de observar ambas estatuas a la vez.

—Nada —respondieron, apartando la mirada la una de la otra.

—No obstante —carraspeó Diccionario—, no es un hombre al que pueda molestarse así sin más. A lo mejor puedo ayudar. Es mera vanidad, pero me enorgullezco de conocer la metrópoli a fondo.

—El chico ha alborotado a las máculas. No sabe por qué, pero lo persiguen. Por eso hemos ido a ver a las esfinges, porque son medio vitratos y medio máculas.

—¿Acaso os han proporcionado alguna iluminación crepuscular para este dilema?

—¿Qué significa «crepuscular»? —interrumpió Edie.

—Borroso —dijo Diccionario. George tuvo la sensación de que le disgustaba que lo interrumpieran.

—Pues, ¿por qué no decir borroso? Todas esas palabras largas son como hablar en clave.

Antes de que Diccionario pudiera responder, George la interrumpió: quería respuestas y no estaba dispuesto a que la chica iniciara otra discusión.

—Las esfinges han dicho que tengo que encontrar el Corazón de Piedra. Creo que han dicho que el Monje Negro...

—El Fraile —dijo el Artillero.

—Que el Fraile Negro me diría qué es.

—Claro que ahorraríamos mucho tiempo si tú supieras qué es el Corazón de Piedra, Diccionario —dijo el Artillero en tono esperanzado—; en ese caso no tendríamos que molestar al Fraile. Y eso sería...

Parecía haberse quedado sin palabras.

—¿Más conveniente? —sugirió la otra estatua.

—Así es.

—Así que hemos de descifrar el significado del Corazón de Piedra —dijo Diccionario, sentándose en el plinto y dejando colgar sus piernas grácilmente. Estuvo unos instantes hojeando el libro que sostenía en la mano, pero no descubrió nada. Lo abrazó y se balanceó de un lado al otro con los ojos cerrados.

¿Corazóndepiedra? ¿Corazón de piedra? Tal vez una piedra con forma de corazón. O un corazón de piedra... Pero eso podría ser cualquier piedra, y buscar una piedra en esta gran ciudad sería como buscar una aguja en un pajar. No. Quizá se trate de Corazón Duro, «duro» como la estatua de piedra de una cierva, la hembra de un ciervo tallada en piedra.

Diccionario abrió un ojo y los miró. Como no vio asentir a nadie con la cabeza, lo volvió a cerrar y siguió balanceándose.

—Tal vez Corazón de Piedra sea una dolencia del órgano de los afectos necesitado de atención médica... Como un cálculo renal o biliar...

—No sé de qué está hablando —murmuró George, dirigiéndose al Artillero. Éste se llevó un dedo a los labios y siguió mirando a Diccionario.

La voz de Edie interrumpió el silencio:

—Y él tampoco sabe lo que es.

Diccionario dejó de balancearse, abrió el otro ojo y la miró.

—Pues a fe mía que, a la que consideré una ayudante y un paraninfo no es más que un... —Sus dedos hojearon el libro con rapidez—. Un mequetrefe maleducado.

—¿Mequetrefe? ¡Me ha llamado mequetrefe! —exclamó Edie.

—Lo sé —dijo el Artillero con tono cansino—. Lo encontró bajo la letra «M». Si hubiera mirado en la «P», quizá te habría llamado peste. O pesada...

Edie le lanzó a la estatua una mirada suspicaz y le tiró de la hebilla del zapato.

—Un mequetrefe, ¿se parece a un vislumbre?

Diccionario se estremeció y alzó el pie.

—¿A un vislumbre? En absoluto. Vislumbre no figura en mi diccionario, porque su significado es infame, una mera superstición que va aún más allá de las fantasías más delirantes de los románicos. Mequetrefe es una palabra común de amplio uso, como sabe cualquier niña, y significa bullicioso y de poco provecho.

George la miró, reprimiendo una sonrisa.

—¿Qué? —preguntó Edie en tono amenazador.

—Quizá seas un poco mequetrefe —dijo George.

—Quizá te pegue un puñetazo si tú también te atreves a insultarme —repuso ella dándole un empujón; George tuvo que agarrarse de su abrigo de corderito para no caer de espaldas. Se oyó el ruido de un desgarrón y el tintineo del cristal golpeando contra la piedra. Edie le pegó un puñetazo en el hombro y lo obligó a soltar el abrigo. Diccionario parecía escandalizado.

—Niños, ¡no debería haber ocasión para una reyerta en la mismísima sombra de la casa de Dios!

—¿Reyerta? —dijo George, una vez más sin comprender.

—Una bronca, una pelea, una refriega —dijo el Artillero cansadamente.

—Con navajas, ¿eh?, con navajas —añadió Diccionario.

—No ha sido una pelea. Ella me ha empujado. Lo siento, pero...

George dejó de hablar. Edie estaba en cuclillas, con la vista clavada en el objeto que había caído de su bolsillo. Era el disco de cristal.

—Están aquí —dijo Edie.

El cristal lanzaba destellos de un azul verdoso con más intensidad que nunca.

—Hay máculas presentes. Aquí y ahora.

Todos alzaron la vista hacia el cielo nocturno, aún teñido de anaranjado por la luz de las farolas... Todos salvo Edie, que se metió el cristal en el bolsillo y cerró la cremallera.

Durante un instante tremendo, George sintió una punzada en las entrañas al ver la figura alada que caía del cielo agitando las alas por encima de sus cabezas. Suspiró aliviado cuando se dio cuenta de que no era más que un gran pájaro negro.

—Sólo es un pájaro —dijo, más sereno.

El ave aleteaba por encima de sus cabezas, volando como en cámara lenta. Diccionario agitó el libro procurando espantarla.

—Un presagio —murmuró—. Eso es un auténtico presagio.

—¿Presagio? —preguntó el Artillero sin despegar la mirada del ave que planeaba con extraña lentitud.

Diccionario sacudió el libro, como si pretendiera que el significado de la palabra cayera encima del Artillero.

—Presagio: una cosa de mal agüero —dijo, agitándose y temblando; George también se puso a temblar, como si el movimiento fuera contagioso.

—¿Y ahora qué hacemos? —preguntó.

Y entonces una mano menuda lo aferró y le tiró del brazo.

—Corre —dijo Edie arrastrándolo entre el tráfico. George se tambaleó, y se puso a correr aún más deprisa que ella.

El soldado apartó la mirada del ave y se volvió. El horror se dibujó en su rostro. Y entonces echó a correr y gritó:

—¡No! ¡Hacia el otro lado!

Los chicos se detuvieron cuando un autobús rojo de dos pisos les cerró el paso a Fleet Street. George oyó los gritos del Artillero y vio que se acercaba a toda velocidad, señalando y gritando algo incomprensible; después apareció otro autobús y, durante unos instantes, ambos chicos quedaron atrapados en una especie de desfiladero rojo.

Era como estar en el ojo de un huracán: se produjo un segundo de silencio mientras las dos paredes rojas pasaron junto a ellos en direcciones opuestas.

Después, el autobús delantero avanzó despidiendo humo y Edie volvió a emprender la carrera tirando de George. Cuando aún no habían dado ni tres pasos, vieron lo que se les venía encima, la cosa acerca de la que el Artillero había estado advirtiéndoles, la cosa de ojos ardientes, cuerpo cubierto de escamas, y alas que restallaban como truenos. La cosa que los miraba desde la elevada peana de piedra que había plantada en medio de la calle.

Entonces Edie aminoró la carrera y George, que seguía mirando hacia atrás tratando de descifrar lo que les decía el Artillero, preguntó distraída:

—¿Qué pasa?

—Creo que nos hemos topado con un dragón.

George volvió lentamente la cabeza.

Era exactamente eso: un dragón.

Y no había escapatoria.

16

El dragón de Temple Bar

Los dragones pueden tener cualquier aspecto y tamaño, desde auténticos monstruos que despliegan sus alas con un estruendo atronador hasta pequeñas mascotas de peluche inofensivas, pero aun así irritantes, que a menudo cuelgan de los retrovisores. Lo primero que tuvieron claro los chicos fue que el dragón que vigilaba Fleet Street no era de los de peluche. Su cuerpo nervudo parecía el de un león cruzado con un galgo musculoso y estaba cubierto de escamas, como una cota de malla.

Cuando se irguió sobre sus patas traseras, la cola delgada rematada de pinchos restalló como un látigo. Con la garra delantera —y era una garra auténtica, afilada como una daga curva, de las que te despedazan de un zarpazo— levantó el gran escudo que le servía de apoyo y se golpeó con él el pecho como señal de advertencia. El suelo vibró bajo los pies de George.

Pero lo más espantoso era su cabeza, situada en el extremo de un largo cuello de reptil que ostentaba una cresta de pinchos en la parte superior. Tenía las orejas puntiagudas, como las de los caballos, la boca llena de colmillos curvos y la mirada fija en George y Edie. Y era tal la intensidad con que esos ojos los observaban, que George tuvo la sensación de que lo clavaban en el suelo. Era como contemplar el núcleo de una hoguera. El dragón tenía los ojos del profundo color rojo de brasas, y cuando el rojo se intensificó hasta alcanzar la tonalidad del blanco, George observó que de las cuencas de los ojos del dragón surgían unos hilitos de humo negro que se elevaban para acabar fundiéndose con el cielo nocturno.

Edie le tiró a George del brazo.

—No puedo moverme.

—Yo tampoco.

El dragón lanzó la cabeza hacia atrás y todo su cuerpo se enroscó formando una «S». Su pecho estrecho se expandió y las escamas del cuello fueron levantándose como pinchos a medida que lo que se henchía en el seno del dragón se abría paso hacia fuera. En cierta ocasión, George había visto en un documental a un lagarto escarolado al que el cuello se le hinchaba de furia. El dragón parecía la versión adulta de aquel lagarto.

Y entonces llegó el Artillero, se detuvo y se interpuso entre ellos y el dragón.

—¡No lo miréis a los ojos! ¡Os ha atrapado! ¡No lo miréis a...!

El dragón lanzó la cabeza hacia delante con las fauces bien abiertas blandiendo su lengua bífida como una espada y escupió una llamarada: ni George ni Edie pudieron evitar mirarlo.

La llamarada impactó contra la calle formando una espiral de fuego, de lenguas rojas, anaranjadas, violetas y amarillas entrelazadas con la violencia controlada del chorro de una manguera de bombero. Las llamas lamieron toda la calle y se abalanzaron sobre ellos como una ola.

Aún clavados en el asfalto, George y Edie sólo atinaron a cubrirse la cabeza para protegerse de la oleada de fuego y de calor.

El Artillero se arrodilló y desplegó su capote procurando resguardarlos de la avalancha de fuego, pero el capote era demasiado pequeño y George no pudo apartar la vista de la conflagración inevitable.

—¡Al suelo! —gritó el Artillero.

George no podía mover ni un dedo, ni siquiera lograba

cerrar los ojos. Sabía que estaba a un tris de morir incinerado. El calor le resecó los ojos en un segundo; parpadeó para humedecerlos y al abrirlos vio que las llamas se habían detenido ante un muro invisible situado a diez metros de distancia.

Al notar su expresión, el Artillero miró por encima del hombro: las llamas ardían tras una barrera invisible, como si fueran olas chocando contra una pared de cristal.

—¡Cielo santo!

Detrás de la pared, el fuego se elevaba cada vez más y poco a poco fue adoptando una forma, como si estuviera llenando un molde. Los coches pasaban a través del muro ardiente sin notarlo. Un ciclista estuvo a punto de chocar con un taxi, y respiró aliviado sin darse cuenta de que estaba pasando a través de las llamas.

Fuera lo que fuera lo que estaba ocurriendo, les ocurría a George, Edie y al Artillero, pero no al resto de los habitantes de la ciudad, que se apresuraban por llegar a sus hogares sin mirar a los demás para evitar que les pasara algo fuera de lo normal.

Pero lo cierto es que algo fuera de lo normal estaba ocurriendo. Las llamas formaron un arco por encima de Fleet Street, o más bien adoptaron la forma de una escultura de fuego parecida a la torre de entrada de un castillo de tres puertas: una grande y central con dos arcos de la altura de un hombre a ambos lados. Por encima de la puerta principal se alzaba un arco aplanado de estilo clásico y llamas de diferentes colores contorneaban las piedras que lo formaban. Encima del arco había una habitación con una ventana elegante flanqueada por dos nichos coronados por un techo bajo y curvo. Presa del terror y convencido de que había vuelto a perder la razón, George no dejó sin embargo de apreciar la belleza del conjunto.

Un autobús articulado de un solo piso atravesó la torre de entrada; el conductor, de expresión malhumorada, mascaba chicle sin ver más allá del coche que lo precedía.

—¿Qué es? —preguntó Edie, con la vista clavada en la barrera.

—Es la Temple Bar —susurró el Artillero.

—¿Qué es la Temple Bar?

—Una de las antiguas puertas de la ciudad. La demolieron hace más de cien años y la reemplazaron por ese dragón, aunque supongo que con el mismo fin...

Detrás de la torre de entrada se oyó un gran estruendo. Las llamas se difuminaron, y enseguida recuperaron la nitidez de sus contornos. Incluso podían distinguirse las maderas tachonadas de las puertas.

—¿Y cuál era ese fin? —graznó George; tenía la garganta reseca.

—Vigilar la entrada a la ciudad. Evitar que entren los indeseables.

Las amplias puertas bajo el arco central se agitaron y algo se asomó por encima de las púas que las coronaban y tiró de ellas.

Era la garra del dragón.

—¡Moveos! —gritó el Artillero, llevándose la mano a la cartuchera.

Entonces, cuando las puertas se abrieron y el dragón atravesó el arco, toda la magia y la belleza del edifico ígneo desapareció y el terror regresó.

El calor acumulado en el interior del monstruo lo había convertido en un dragón blanco y reluciente.

Agitó la cabeza de un lado a otro, como si buscara una presa, y de pronto la encontró: era George. El cuello del dragón se hinchó y las llamas que ardían en su interior convirtieron las escamas en un abanico incandescente que enmarcaba los ojos fulgurantes del animal.

George deseaba huir con todas sus fuerzas, pero su cerebro no conseguía transmitirle a su cuerpo la señal. El Artillero lo agarró y trató de arrastrarlo..., pero no lo consiguió. George se había vuelto pesado como una roca e incluso los músculos de bronce del Artillero no lograron moverlo.

—¡Cielo santo! —repitió el Artillero con desconcierto.

El dragón levantó la cabeza y abrió sus fauces: sus colmillos brillaban como diamantes azules.

—Ahora verás —gruñó el Artillero y, con un movimiento certero, desenfundó el pesado revólver.

El dragón ni siquiera lo miró.

PUM.

El revólver se estremeció en su mano.

PLAF.

El pecho del dragón estaba al rojo blanco; la bala se incrustó a la altura del corazón y se derritió, y unas salpicaduras de un color más oscuro le mancharon las escamas.

—Bien —dijo el Artillero.

PUM PUM PUM.

PLAF PLAF PLAF.

Tres balas más impactaron contra el pecho del dragón: era inútil, como lanzarle pelotas de ping-pong a un tanque. El dragón bajó la vista y examinó el chorro de plomo derretido que le surgía del pecho; y entonces notó la presencia del Artillero y escupió una llamarada.

El Artillero se volvió a toda velocidad y corrió para llevarse de allí a los chicos antes de que la bola de fuego los alcanzara. En ese preciso momento, la fuerza expansiva de la explosión le golpeó por detrás y, aunque sus dedos sólo lograron rozar la espalda de George, el Artillero consiguió agarrar a Edie y acabó rodando con ella hasta el otro lado de la calle.

George se quedó desconcertado: ¿qué fuerza debía tener una llamarada para mandar a un hombre de bronce al otro lado de la calle como si fuera un arrugado vaso de papel?

Prefirió no pensar en lo que supondría que esa llama lo alcanzara, porque el dragón escupió otra bola de fuego, aunque esta vez de un color diferente: era una especie de violeta brillante como el color del alcohol de quemar... Tuvo tiempo de precisar tanto el color porque la llama no desapareció: dividió la calle en dos, como un muro ardiente que lo separaba de Edie y del Artillero.

Un camión adelantó a un ciclista y atravesó el muro de llamas, que volvió a cerrarse a sus espaldas. El conductor se volvió hacia George con una sonrisa en los labios y exclamó:

—¡Eh, eh!

Luego sacó la lengua y la agitó groseramente.

—¡Gilipollas! —contestó una voz femenina cerca de George. El chico volvió la cabeza y vio a una hermosa muchacha rubia cubriéndose las piernas con la falda que le había levantado el viento y tratando de no caerse de la bicicleta en medio del tráfico, que, inexplicablemente, parecía hacer caso omiso del dragón.

Pero el dragón no hacía caso omiso de George. Lo miraba fijamente. El chico estaba como paralizado. Se llevó la mano a la frente colocándosela a modo de visera para poder mirarlo y le pareció que había cambiado de aspecto. Seguía enfadado, porque los dragones son así, pero había algo más. A pesar de que la reverberación del calor que irradiaba el monstruo dificultaba la vista, le pareció verlo arquear una ceja. George no sabía qué significaba. Quizás estaba decidiendo cómo lo asaría... Y entonces volvió a sentir el sabor de la bilis en la boca, el picor en los ojos, ese pensamiento oscuro que parecía atravesarlo, eso en lo que no quería pensar, eso que en general olvidaba que residía en su interior, eso que no comprendía, eso que lo llenaba de ira.

—¿Qué pasa? —gritó.

El dragón levantó una ceja: esta vez no había duda.

—¿Qué estás esperando? ¿Instrucciones para freírme? ¿Al punto o muy hecho? Yo que tú elegiría muy hecho, ¡así acabarás antes!

Entonces el dragón ladeó la cabeza, lo miró y escupió una llamarada sobre sus garras delanteras, que fue moviendo alternativamente hasta convertir la llamarada en una bola. El dragón la hizo girar y miró a George.

Éste recuperó el aliento; tal vez no lo asaría, quizá todo iría bien.

Y entonces el dragón blanco levantó una de las patas delanteras y le arrojó la bola ígnea.

El tiempo casi se detuvo, o quizá simplemente se lo pareció a George, que, consciente de que su fin estaba cerca, se aferraba a sus últimas milésimas de segundo. El rayo ígneo se le acercaba trazando un arco y George, incapaz de despegar los pies del suelo, comprendió que no lograría esquivarlo. Llevado no por la lógica ni por la sensatez, sino por la inercia de una vida en la que siempre había sido elegido el último a la hora de formar equipo y había tenido que conformarse con jugar de portero, levantó los puños y golpeó la bola de refilón; oyó el crepitar de las llamas al golpearla, sintió un instante de calor abrasador y la bola se alejó girando a sus espaldas.

El dragón rugió y trató de atraparla con una garra, pero la bola siguió girando en línea curva, trazando una órbita que desafiaba la gravedad.

La bola se acercó entonces a George y empezó a girar a su alrededor cada vez a mayor velocidad, desprendiendo llamas hasta que el chico quedó encerrado en un cono de fuego.

Tras unos segundos George ya no veía más que llamas. Se había quedado solo, atrapado en el corazón de un tornado candente que le azotaba la ropa y los cabellos, y lo rodeaba como un atronador tren expreso repleto de gente chillando. George se tapó los oídos con las manos, cerró los ojos y añadió sus propios gritos al estrépito cada vez mayor.

Edie, al otro lado de la calle, más allá del muro de llamas violetas, abrió los ojos. Estaba cabeza abajo, atrapada debajo del cuerpo encogido del Artillero, como la víctima de un accidente automovilístico. Su casco se había desprendido y se tambaleaba en el pavimento como un cuenco negro. La chica movió la cabeza y vio que el Artillero tenía el rostro aplastado contra el suelo. Cuando luchó por zafarse, el soldado se volvió hacia ella y Edie dejó de patalear.

—¿Has visto lo que ha hecho ese chico? —le preguntó el Artillero. Algo parecido al asombro apareció en su rostro dolorido. Edie negó con la cabeza.

—No tenía escapatoria.

—El dragón le ha lanzado una bola de fuego que llevaba su nombre, pero él se las ha ingeniado para esquivarla.

—¿Te encuentras bien? —preguntó la chica.

—Sí.

Pero no parecía muy convencido y aún menos cuando se incorporó dolorosamente e intentó ponerse en pie.

En cuanto Edie recuperó la vertical vio que algo había cambiado.

El Temple Bar construido por las llamas se desvanecía poco a poco, como una vela que se apaga. Ahora todo el fuego se concentraba en un vórtice que giraba alrededor de una pequeña figura humana en la que reconoció a George. Y, delante del cono ardiente, con las garras apuntando al cielo, el dragón blanco controlaba y moldeaba el fuego, y el escudo que le colgaba del hombro proyectaba una cruz de color rojo sangre encima de la calle.

Edie se volvió hacia el Artillero que se tambaleaba apoyado en una rodilla. Una hilera de Hare Krishnas pasó entre ellos, cantando, sonriendo y tocando panderetas; no se percataron de su presencia y tampoco del cono de fuego.

—¿Puedes salvarlo? —preguntó la chica, señalando a George.

—Sí.

Pero seguía sin parecer muy convencido. Uno de sus brazos colgaba inmóvil a su lado, y todavía salía humo del lugar donde el dragón lo había golpeado. Al ajustarse el capote y acomodar las cadenas de la brida que le colgaba del hombro, se encogió de dolor.

—¡Estás herido! —exclamó Edie con recelo; era como si la hubiera traicionado.

—Sí —gruñó el Artillero, esta vez con absoluta convicción—. Ayúdame a quitarme estas malditas cadenas...

Edie se fijó en que tenía una mano inutilizada y, sin pensárselo dos veces, trepó encima de su rodilla y metió las manos debajo del capote. Su sorpresa fue mayúscula, porque lo que parecía metal tenía el mismo tacto que un tejido. Tiró de las cadenas.

—¿Qué vas a hac...?

—No hables. Hablas demasiado. Escucha.

Edie estaba a punto de protestar cuando vio la expresión del soldado: parecía ofendido, pero no estaba enfadado. Durante un segundo incluso parecía bondadoso.

—George tiene que encontrar al Fraile Negro. Está encima de un pub, al final del puente de Blackfriars.

Edie no dejaba de mirar el cono en llamas al otro lado de la calle.

—Tú lo acompañarás hasta allí...

—No, no lo acompañaré. Ni siquiera sé si esto funcionará, pero aunque funcione, yo no podré acompañarlo, pero tú sí. Tu problema son los dragones.

—¿Hay más de uno?

—Hay uno vigilando todas las calles que conducen a la City. Y el problema con respecto al Fraile Negro, o al menos uno de los problemas, es que se encuentra en la City. Así que no podrás ir por la calle...

—Podemos ir en metro...

—No —dijo, agarrándola del brazo—. No sé qué o quién es el chico, pero si es quien creo que es, el único lugar más peligroso que la calle para él es bajo tierra. Nunca te metas bajo tierra, ¿me has comprendido? Una vez lo hice, en el *parking*, y nos salvamos por pura casualidad, pero ¡no vuelvas a hacerlo!

Edie asintió con la cabeza.

—Así que si no podemos ir por la calle...

El Artillero se enrolló las cadenas alrededor del puño que no había resultado herido sin dejar de observar las llamas y el dragón.

—Antes de que construyeran las calles, aquí había un camino. Es un camino húmedo, pero debes tomarlo. Prácticamente nada puede salvarte cuando una mácula te tiene calada, pero hay dos cosas que los seres sobrenaturales y malignos han aborrecido siempre: el hierro frío y el agua corriente. Así que circula por el camino. Y una cosa más...

Edie señaló al otro lado de la calle. El dragón había bajado las patas delanteras y abierto un hueco en el cono de llamas con una garra. Divisaron a George en medio del fuego y entonces el dragón atravesó el muro ardiente y el hueco se cerró a sus espaldas.

Cuando sintió que una ráfaga de aire frío penetraba en el cono, George abrió los ojos, pero enseguida deseó no haberlo hecho: el dragón se erguía por encima de su cabeza... Si hubiera podido, George habría gritado, pero estaba sin aliento, así que apretó las mandíbulas y se quedó a solas con el dragón en el corazón del remolino de llamas.

Cuando alzó la vista vio la cabeza blanca del dragón recortada contra el círculo del cielo nocturno, en el extremo del cono. Y, detrás de la cabeza, distinguió las luces de un reactor que volaba por encima de Londres; el hecho de que aún hubiera reactores repletos de pasajeros ajustándose los cinturones y consumiendo comida de avión en pequeñas bandejas le pareció asombroso y sacudió la cabeza.

El dragón lo imitó.

George volvió a sacudir la cabeza para ver qué ocurría. El dragón lo imitaba, y George no pudo evitar soltar una carcajada, una combinación de carcajada y sollozo. El dragón hizo lo mismo, jadeando y moqueando como George. Cuando las luces parpadeantes del avión estaban a punto de abandonar el círculo de normalidad que veía por encima de su cabeza, George trató de despertarse. Pero no lo logró, y volvió a enfadarse.

—¡No eres real! —le espetó al dragón, que lo observaba con mucha atención.

»¡Eso es real! —dijo, señalando el cielo—. Eso es un avión y es real y la ciencia es real y los reactores y la comida de mala calidad y la pimienta y la sal y los cinturones y las malas películas con las partes interesantes eliminadas y los caramelos que te dan antes de aterrizar y el zumbido en los oídos, todo eso es real, ¡PERO TÚ NO!

La mirada del dragón cambió y de su garganta surgió un rugido que podría haber sido simplemente un chillido, pero que parecía el alarido de un conducto metálico y caliente tratando de articular una palabra.

—RRREAL...

El sonido resonó alrededor de George y éste se estremeció al ver que al fondo de la garganta del monstruo, detrás de la lengua rematada en punta, ardía una llama dispuesta a encender el magma líquido que borboteaba en su interior.

—¡NO ERES REAL! —gritó George, y le lanzó un escupitajo, porque era lo único que podía hacer para desafiar lo inevitable. La saliva chisporroteó y se evaporó instantáneamente en el pecho del dragón. George alzó una mano para protegerse del calor.

Y el dragón le lanzó un zarpazo con su garra, afilada como una navaja.

Nunca había sentido un dolor semejante. Era como si lo golpeara todo el inmenso dolor que debería haber sentido —pero que milagrosamente no sintió— al pegarle ese puñetazo a la diminuta cabeza del dragón del Museo de Historia Natural, sólo que con una intensidad mil veces mayor. Se encogió, transido de dolor.

Un rictus le separó los labios y los tendones del cuello se le tensaron como trallas, pero de su boca no surgió ningún sonido. El dolor le impedía gritar y era tan agudo que de pronto se apagó y se volvió distante, como si le ocurriera a otro. George empezó a perder el sentido y se alegró de ello, aunque sabía que no debería alegrarse. El temor y la ira se convirtieron en una pena inmensa y su corazón latió más lentamente y se marchitó bajo el peso abrumador de la tristeza.

Percibió que el dragón le estaba pasando por encima y lo último que vio antes de que su cerebro se centrara en sobrevivir y le anulara el sentido de la vista fue algo oscuro que atravesó la pared de fuego. Y el último fragmento de George que aún era algo más que dolor y oscuridad creyó reconocer la figura oscura y ansió recordar por qué llevaba un casco de acero.

El Artillero atravesó la pared de llamas de un solo brinco y aterrizó en el lomo del dragón. Antes de que el monstruo pudiera volverse y librarse de él, trepó por el cuello agarrándose de los pinchos; sus botas con tachuelas iban despidiendo chispas a medida que avanzaba hacia la cabeza de ese dragón que casi lo doblaba en altura.

El monstruo se agitó y soltó un rugido.

El chico que tenía a sus pies yacía inmóvil. El Artillero enrolló las cadenas de la brida alrededor del morro del dragón justo cuando éste hinchaba el cuello para lanzarle una llamarada a George.

—¡Ni se te ocurra!

Haciendo una mueca de dolor, ajustó la cadena y tiró con fuerza, amordazándolo. El dragón trató de meter una garra debajo de la cadena para arrancársela, pero el Artillero tiró aún con más fuerza, atrapando la garra debajo de la mandíbula del dragón y cerrándole las fauces.

El dragón procuró desprenderse del hombre que se había encaramado en su lomo, corcoveando e intentando golpear al Artillero con las alas, pero el soldado lo dominó como un vaquero domando un caballo salvaje.

Se aferró al lomo del monstruo con las rodillas y tiró con fuerza de las cadenas de la brida. A medida que fue aumentando la presión en el interior del cuerpo del dragón, las afiladas escamas que recubrían su lomo se fueron erizando bajo las piernas del Artillero: parecía una caldera a punto de reventar, un erizo que corcoveaba más y más. El Artillero se inclinó hacia atrás, tiró de las cadenas como quien tensa un arco y doblegó la cabeza del dragón.

Fue un error: se inclinó tanto que el dragón logró enroscarle la cola alrededor del cuello y empezó a tirar en varias direcciones con la intención de despedazarlo.

El Artillero vio que una pequeña figura corría entre las piernas del dragón y se inclinaba encima de George.

El monstruo se tambaleó hacia atrás y el Artillero los perdió de vista. La estrategia del dragón, sin embargo, fracasó, porque al tratar de estrangular al soldado, lo ayudaba a tirar con más fuerza de las cadenas, y eso le impedía abrir sus fauces y aliviar la presión interior.

Ambos cayeron al suelo y el Artillero perdió el control sobre las cadenas. Los colmillos apretados del dragón echaban chispas y uno de los eslabones de la cadena empezó a derretirse. El dragón se debatía tratando de abrir sus fauces y apuntó la cabeza en dirección a los niños.

El Artillero vio la tapa de una boca de alcantarilla; introdujo dos dedos en la anilla y la arrancó del asfalto.

—¡No lo lograrás, reptil del demonio! —exclamó.

Apartó la cabeza del dragón de los niños y la empujó dentro de la boca de la alcantarilla. Ambos cuerpos metálicos chirriaron y se retorcieron uno contra el otro. Y entonces se oyó un tintineo: el eslabón se había roto y las llamas acumuladas en la garganta del dragón escaparon por sus fauces formando un chorro de magma ígneo que se perdió en las cloacas debajo de la calle.

La onda expansiva de la explosión surgió de la boca de la alcantarilla y abrasó el rostro del soldado.

Bajo el asfalto, las llamas se diseminaron por las cloacas como un reguero de pólvora. Avanzaban a toda velocidad, aumentando de volumen y de intensidad, buscando más espacio para expandirse.

El Artillero, que seguía forcejeando con el dragón tratando de evitar que retirara la cabeza de la boca de la alcantarilla, vio aparecer las llamas por las alcantarillas a ambos lados de la calle.

Cien metros más allá, otra tapa salió volando impulsada por el chorro ardiente. Las ruedas delanteras de un camión rebotaron dentro del agujero y el contenido del paquete de patatas fritas que el conductor estaba comiendo se esparció en sus rodillas. Después la tapa aterrizó en la parte trasera del camión con gran estrépito.

El Artillero se volvió, buscando a los chicos.

Habían desaparecido.

17

A solas

Cuando recobró la conciencia, George ya estaba caminando. Edie lo arrastraba sosteniéndolo por la cintura y tropezando una y otra vez a lo largo de un callejón que se alejaba de la luz. George se dio cuenta de que le hablaba, pero el eco de los alaridos seguía aturdiéndolo, acompañado de los fuertes latidos de su corazón. Intentó echarle un vistazo a su mano herida, que también le latía con un dolor intenso y profundo, caliente y frío a la vez.

Edie se lo impidió, sacudiendo la cabeza, y el chico entró en pánico.

¿Estaría completamente destrozada? ¿Demasiado destrozada como para curarse?

Ciertamente, porque el dragón lo había herido con su garra al rojo blanco.

Seguro que estaba mutilada; por eso no lo dejaba que la viera.

Tiró del brazo, volvió la cabeza, intentó verse la mano, se detuvo... Pero ella siguió caminando, se enredaron y acabaron cayendo al suelo. El impacto le provocó un dolor agudo en la pierna, el eco de los alaridos se detuvo y volvió a oír el rugido de la ciudad.

—... Dijo que eras un imbécil... ¡Ayyy! —chilló Edie al golpearse contra el asfalto—. ¿Por qué?

El asfalto parecía viscoso y George estaba convencido de que era sangre... Su sangre. «Cuando te destrozan la mano, sangras», pensó. Lo había visto en los juegos de ordenador y al pensarlo sintió náuseas. Pero no era sangre, simplemente la mugre viscosa de una calle húmeda. Se soltó del brazo de Edie, y en ese mismo instante se dio cuenta de que la ausencia de sangre no era razón para sentirse aliviado. ¡Claro que no sangraba!: al atacarlo, la garra del dragón estaba al rojo vivo, así que sin duda lo había herido y sellado la herida al mismo tiempo.

Se apoyó contra la pared y echó un vistazo a su mano dolorida, y entonces empezó a temblar: su mano estaba perfectamente, podía abrirla y cerrarla, y eso le pareció increíble.

Cuanto más la movía, tanto más le dolía, pero no dejó de abrirla y cerrarla, porque, indudablemente, su mano aún estaba allí y no había sangre y durante un momento breve y maravilloso el futuro no le importó, porque, pasara lo que pasara, aún tenía dos manos. Y entonces se echó a reír, y rio, y luego no podía parar, y eso también le provocó dolor.

—¿De qué te ríes? —le preguntó Edie poniéndose de pie y, tras limpiarse las rodillas, dijo—: Vamos, en marcha.

George alzó las manos como si fueran el remate del mejor chiste del mundo.

Y de pronto dejó de reír.

Edie tenía la vista clavada en la mano del chico y retrocedió unos pasos. Cuando George se miró las manos con mayor atención, se dio cuenta de lo que no había visto antes: estaba tan feliz por no haberlas perdido que se había limitado a abrirlas y cerrarlas sin examinar el dorso.

Allí había una marca roja y violeta, una cicatriz grabada en la piel formando un zigzag.

Edie sacudió la cabeza.

—Tiene mala pinta.

George ocultó la mano en el bolsillo; parecía lo correcto. Encontró el trozo de plastilina y empezó a amasarlo con el índice y el pulgar.

—El dragón me ha dado un zarpazo.

Ella no reaccionó, como si el hecho de que alguien le dijera que un dragón le había dado un zarpazo fuera algo de lo más normal. En cuanto hubo pronunciado esas palabras, George volvió a echarse a reír, y las repitió, simplemente para comprobar lo delirantes que resultaban.

—¡El dragón me ha dado un zarpazo! —exclamó partiéndose de risa. Y entonces se levantó y, secándose las lágrimas de los ojos, se dispuso a tomar la callejuela en dirección al río.

—¿Adónde vas? —le preguntó Edie.

George se detuvo junto al bordillo, contemplando un cartel del metro cuyo brillo rojo y azul se destacaba contra el fulgor oscuro del Támesis que fluía más allá del tráfico del Embankment.

—A casa.

—No puedes —dijo Edie.

—Verás como sí.

—No podemos ir a casa y dejar todo esto.

—Yo sí —dijo George disponiéndose a atravesar el tráfico.

—No podemos simular que todo esto no está ocurriendo; tienes que ir en busca del Fraile Negro...

—Ve tú. Yo me voy a casa.

Edie pateó el suelo presa de la desesperación. George no sabía que las personas realmente pateaban el suelo presas de la desesperación, pero, a juzgar por la expresión de la chica, no parecía estar dando resultado: se diría que estaba a punto de estallar.

—Escúchame, pedazo de idiota, nosotros...

—¡Oye! Creía que habías sido tú la que había dicho que no había tal «nosotros». Pues tenías razón, ¿vale? Pero yo no seguiré adelante con esto... —dijo, llamando un taxi aparcado junto a la estación de metro de Temple. El taxista lo vio y esperó a que se abriera un hueco en el tráfico. Algo aleteó entre George y una farola, pero, al alzar la vista, vio que no era ni un dragón ni nada hecho de piedra o de metal; simplemente era un gran pájaro negro, así que se relajó.

Edie parecía desesperada y él se sentía culpable, aunque no sabía por qué, y si lo sabía, prefería olvidarlo. Sentía que su cerebro se derretía y la mano volvía a dolerle.

—Basta, estoy harto. Me voy a casa y me meteré en la cama y mañana, cuando despierte, todo esto... habrá acabado.

—¿Y yo, qué?

—No lo sé. Tú también deberías ir a casa. Todo el mundo debería ir a casa y esto debería acabar.

—No acabará.

—No lo sabemos.

Edie apretó las mandíbulas; sus ojos brillaban bajo la luz de la farola. A sus pies el pájaro negro tiraba de los restos de una hamburguesa envuelta en papel. Edie inspiró profundamente.

—Yo sí lo sé. Nunca se acaba.

—No lo sabes, no puedes saberlo. Sólo eres... una niña.

El taxi encontró un hueco, giró y aparcó junto a ellos. La chica apoyó una mano en el hombro del chico.

—Tú también no eres más que un niño. Lo siento, pero no puedes ir a casa. El Artillero ha dicho que...

El pájaro se acercó dando saltitos y abandonó la hamburguesa. George se zafó de la mano de Edie y se inclinó hacia el taxista.

—Al número treinta y siete de St. George's Square, por favor.

—De acuerdo, hijo, entra.

Edie trató de agarrarlo, pero el pájaro se elevó entre ambos agitando las alas; Edie dio un paso atrás y George se metió en el taxi.

—No lo hagas —imploró Edie—, es peligroso...

—Lo siento —dijo.

Cerró la puerta y Edie se quedó boquiabierta: no podía creer lo que estaba sucediendo. George intentó decirle algo para que se sintiera un poco mejor.

—Buena suerte.

—¿Buena suerte? —exclamó ella; era como si la hubieran golpeado.

George trató de decirle algo más adecuado, pero el taxi arrancó, así que se encogió de hombros y la saludó con la mano. Siguieron mirándose el uno al otro hasta que el taxi giró por el Embankment y George la perdió de vista.

George inspiró entonces profundamente, y se concentró para intentar soportar el dolor que sentía en la mano, aún metida en el bolsillo, mientras se dejaba caer contra el asiento con los ojos cerrados.

Si hubiera vuelto la vista hacia atrás habría visto que el pájaro voló perezosamente tras el taxi hasta que alcanzaron la gran mole oscura del puente de Waterloo; allí giró hacia el norte elevándose por encima de las imponentes columnas clásicas del edifico alargado que había junto al puente, en dirección a la estación de St. Pancras.

Edie se restregó los ojos y se metió la mano en el bolsillo. El disco de cristal aún estaba allí y sólo reflejaba las luces de la ciudad. No lo iluminaba ninguna llama de advertencia. Tanteó las monedas que tintineaban como metralla en el fondo de su bolsillo, agarró las más pesadas y se quitó un zapato. En su interior había un billete y lo extrajo cuidadosamente. Agarró las monedas y el billete, volvió a calzarse el zapato y se dirigió a la estación de metro de Temple.

18

El Caminante en el círculo

Junto al abrupto tejado gótico de la estación de St. Pancras y su fachada enladrillada hay otro gran edificio de ladrillo rojo, tan diferente del primero como lo es la noche del día. Lo único que tienen en común es el color de los ladrillos y el tamaño. Mientras que ante St. Pancras paseamos la mirada a lo largo de su fachada curva y luego la diriges hacia arriba para disfrutar de la exuberancia de sus torrecillas y pináculos, el otro edificio simplemente nos muestra su mole de ladrillo carente de ventanas y acurrucada a la defensiva, como esperando el ataque de algo desagradable.

Entre el edificio y la ancha Edgware Road hay una plaza de piedra y ladrillo, más parecida a un patio de torturas que a una zona de descanso, encerrada entre las gigantescas fortalezas de ladrillo que la flanquean. En el centro de la plaza hay una enorme estatua de un hombre cejijunto inclinado por encima de un compás, como si estuviera midiendo el globo terráqueo... o los escasos metros que hay a sus pies. En realidad no es una fortaleza, es una biblioteca, la Biblioteca Británica, delatada por un cartel con grandes letras ante una puerta y un enrejado de metal.

Y también hay un círculo.

El interior del círculo está bordeado de bancos de piedra. En el borde superior hay piedras redondeadas. Si uno las examina atentamente, verá que son figuras humanas toscamente talladas que parecen estar a punto de surgir de las piedras.

El ave negra no le prestó atención ni a la estatua ni tampoco a las piedras; voló por debajo de las rejas porque, claro está, no era un ave negra cualquiera. Para empezar, era un cuervo, y si decidió entrar volando por debajo del arco fue porque, además de poseer muchas otras características de las que carecen los cuervos normales, tenía estilo.

Giró a la derecha y voló por encima del círculo. El Caminante recorría el banco curvo una y otra vez; un delgado cigarrillo ardía a un lado de su boca y el humo lo obligó a cerrar un ojo.

El Cuervo se posó encima de su hombro, pero el Caminante no parecía sorprendido de que un gran pájaro negro aterrizara junto a su oreja.

El Cuervo se aproximó chasqueando el pico. El Caminante lo escuchó.

—¿St. George's Square, dices? Junto al río.

El Caminante se volvió y el Cuervo levantó el vuelo, flotando en el aire y aleteando lentamente, desafiando todas las leyes de gravedad. El Caminante señaló el conjunto de gárgolas de St. Pancras.

—Dile que esta vez no puede fallar, llueva o no llueva... O juro por la primera piedra y al cincel que la pulió que tendrá que responder ante mí.

En lo alto, por encima de su cabeza, la gárgola con cara de gato, el ala rota y el surtidor oxidado que surgía de sus fauces observó al Cuervo que se elevaba. Se agitó expectante y extendió las alas; cuando se dio la vuelta vio que las demás gárgolas apartaban la mirada.

Delante del edificio sin ventanas, lo único que quedaba de la presencia del Caminante era una colilla humeando ligeramente en el suelo de ladrillo del círculo de piedra.

Al otro lado de Euston Road, un hombre caminaba a lo largo de Judd Street con unos auriculares puestos. De pronto tuvo el impulso de quitárselos para poder oír si alguien lo estaba persiguiendo. Pero cuando se volvió no había nadie.

19

De camino a casa

George pagó al taxista; le quedó muy poco cambio de las diez libras que le entregó y cayó en la cuenta de que era todo el dinero de que disponía para pagarse los almuerzos del resto de la semana. Pero no le importó: estaba en casa.

—¿Te encuentras bien, hijo? —le preguntó el taxista al ver que se encogía de dolor al darle el cambio.

—Me he hecho daño en la mano —dijo George.

El taxista se encogió de hombros y George se estremeció al comprender que el hombre no veía la marca.

—Parece estar perfectamente. ¿Te has torcido la muñeca?

El chico asintió con la cabeza. Claro que el hombre no podía ver la marca. En el mundo real, no existía; todo estaba en su cabeza, de algún modo que él no alcanzaba a comprender. Sólo deseó que la mano dejara de dolerle.

—Sí. Me he hecho un esguince.

—Ponte Bálsamo del Tigre —le aconsejó el taxista—. Dile a tu madre que compre Bálsamo del Tigre. Siempre funciona. Buenas noches.

George contempló el edificio moderno encajado en medio de una hilera de otros más antiguos, como alguien que se ha colado en una fiesta. Introdujo los números correctos en el panel de seguridad, atravesó el vestíbulo pintado de gris y se subió al ascensor. Le dio al botón de más arriba y cuando la puerta se cerró le pareció que algo en su interior se relajaba y se sintió extraño, y entonces comprendió que la extrañeza se debía a que estaba a salvo.

Se sacó las llaves de casa del bolsillo; el dije del llavero era un pequeño avión de bronce, un Spitfire. Lo había hecho su padre; a ambos les gustaba hacer modelos de plástico, pero George siempre los rompía al jugar con ellos. Cuando cumplió los diez años, su padre le hizo uno «irrompible». George decidió que dejaría de pensar en su padre y de contemplar el avión.

El ascensor anunció que había llegado a la última planta diciendo «Última planta» en un tono que a George siempre le había sonado un tanto jactancioso. La puerta se abrió y, tras atravesar el estrecho rellano, George abrió por fin la puerta de su apartamento.

—Hola, mamá —dijo.

Todas las luces estaban apagadas, salvo la de la habitación de su madre. George recorrió el pasillo y se asomó. La cama, cubierta por una colcha blanca, reposaba sobre una alfombra también blanca. En las ventanas, unas cortinas blancas ocultaban la noche; las paredes eran blancas y la puerta blanca del armario estaba ligeramente entreabierta. Lo único que desentonaba con esa relajante ausencia de color era la fotografía en blanco y negro de su madre que había en la mesilla de noche, naturalmente también blanca.

George se acercó al armario, echó un vistazo en su interior y vio el hueco que solía ocupar la maleta; entonces supo que su madre no estaba en casa. Apagó la luz y se dirigió a la cocina. Ya sabía lo que encontraría en el microondas, lo sabía tan bien que ni siquiera encendió la luz. Despegó el mensaje que encontró en la puerta de la nevera y la abrió. La luz azulada iluminó el consabido mensaje:

> Lo siento, G. ¡Se ha presentado una audición! Kay se ocupará de ti. ¡Conecta el móvil y te lo explicaré! Te quiero. M.

Su madre solía presentarse a montones de audiciones. Kay era una amiga que vivía en el apartamento de abajo y también era actriz. De hecho, Kay era el motivo por el cual su madre se había mudado a ese apartamento tras divorciarse de su padre. Hacía años que ella y Kay eran amigas, y se suponía que Kay sabía «ocuparse de George»: ésa era la expresión que su madre empleaba para referirse a hacer de canguro. En realidad, hacer de canguro no le hacía mucha gracia a Kay, pero su madre se especializaba en conseguir lo que quería, así que le pedía que se ocupara de George con más frecuencia de lo que ambos hubieran deseado. La ventaja era que Kay lo dejaba tranquilo y él no la molestaba demasiado. Solía quedarse en el apartamento de su madre, pero para su gran humillación, dejaban un monitor para bebés conectado al apartamento de Kay.

—Es como si estuvieras en mi casa —decía Kay, aunque George sabía que la auténtica razón era que resultaba más cómodo, que de ese modo él no ocuparía su cuarto de invitados, que Kay usaba para hacer yoga y no para acoger a invitados. Kay se levantaba más temprano que él y subía para asegurarse de que comiera algo antes de ir al colegio. George no era uno de esos niños que se quedan solos en casa porque sus padres trabajan, pero, como casi todo, la situación le recordaba esa otra época en la que había tenido un padre, un jardín y un conejo, y no necesitaba canguros que lo cuidaran cuando su madre se dedicaba a su carrera.

George levantó el auricular del teléfono. Después del choque que le produjeron los acontecimientos de ese día, recuperar las rutinas habituales resultaba muy agradable, incluso tranquilizador. Llamaría a Kay, le diría que estaba en casa y que estaba bien; ella le preguntaría si quería bajar a tomar el té; él diría «No gracias», y después podría quedarse a solas hasta la mañana siguiente, cuando el sol volvería a salir, empezaría otro día y recuperaría la normalidad.

—Hola, Kay.

—Hola, G., te he oído entrar. ¿Estás bien?

De repente quiso decirle que no, contárselo todo, explicarle que le dolía la mano y relatarle la pesadilla que había vivido...

—Sí, estoy bien.

La repuesta surgió espontáneamente. Bueno, daba igual, ella lo invitaría a tomar el té y entonces se lo contaría...

—Estupendo. Oye, golpea el suelo si necesitas algo. Tengo invitados a cenar, pero intentaremos no molestarte con la música, ¿vale?

—Vale —mintió George.

—Hay pudin, te guardaré un trozo para el desayuno. Tu madre te ha dejado la cena preparada, ¿verdad?

—Sí.

—Que duermas bien, no te quedes pegado a la tele y baja si te sientes solo, ¿vale? Puedes dormir en la habitación del yoga... Es bastante confortable.

No lo era, pero decirlo formaba parte del ritual.

—Estoy perfectamente. Gracias.

—Buenas noches, superestrella.

—Buenas noches.

Al colgar se fijó en el parpadeo de la luz del teléfono: había mensajes. Los escuchó con la esperanza de que fueran de su madre, pero eran todos de Killingbeck insistiendo en que George había abandonado la excursión, y que era muy importante que su madre lo llamara esa misma noche o como muy tarde a la mañana siguiente para comentar la gravedad de...

George borró el mensaje.

Después se dirigió a la nevera, la abrió y echó un vistazo a lo que había. Luego cogió la mantequilla de cacahuete y la mermelada, y el pan que su madre guardaba en la panera blanca que había sobre la encimera blanca, y se preparó un sándwich. Acto seguido se sirvió un vaso de leche con cacao y atravesó la alfombra blanca de la sala con el sándwich y la leche; pasó junto al busto de bronce de su madre, la ventana oscura y el balcón y se metió en su habitación.

Cuando encendió la luz vio que su habitación estaba completamente desordenada, era como si hubieran entrado ladrones; por supuesto, no era así. Ése era el aspecto habitual de su habitación: un lugar desordenado y lleno de color. En los estantes de las paredes estaban sus juguetes, sus modelos y sus maquetas, los que había hecho él, los que había hecho su padre y los que habían hecho juntos: soldaditos y gnomos y ogros y caballeros y astronautas y ejércitos de esqueletos y Spitfires y Tiger Moths y Totoros, y en los estantes superiores estaban los objetos adultos realizados por su padre en el taller: los vaciados, los modelos de arcilla y los animales imaginarios que solía hacer para George cuando todavía era muy pequeño. Incluso había pequeños bustos de George: su padre los había llamado «bocetos en arcilla». Estaban todos donde debían estar: en los estantes superiores de su habitación, donde no les ocurriría nada bueno ni malo ahora que el taller de su padre había dejado de existir.

Regresó a la habitación de su madre comiéndose el sándwich. Agarró el teléfono inalámbrico y se metió en el armario, allí donde solía estar la maleta. Hacía ya mucho tiempo que había adquirido esa costumbre. Durante alguna de las ausencias de su madre debió de haber descubierto que encajaba a la perfección en el hueco que dejaba la maleta. Le agradaba el aroma de su ropa, porque le recordaba a ella. Esa noche todo olía a tintorería. Aún le gustaba la sensación de seguridad que le proporcionaba el interior del armario, pero era consciente de que si su madre lo descubría comiendo en el suelo del armario se sentiría muy pero que muy avergonzado. Como dijo su madre en cierta ocasión: «La mantequilla de cacahuete y la ropa de Prada son una mala combinación.» George contempló la habitación blanca y devoró su sándwich. Se sentía más tranquilo, pero la mano seguía doliéndole, así que decidió que se tomaría una aspirina cuando terminara de comer.

George marcó el número; el teléfono sonó y sonó y, cuando ya creía que saltaría el contestador, su madre contestó.

—¿MIGUEL? —gritó.

George oyó el ruido de una fiesta o un bar: vasos que

tintineaban, gente hablando y riendo, música. No tenía idea de quién era Miguel. Las voces que oía hablaban en algún idioma que no era el suyo.

—Hola, mamá.

—¡G.! Creía que eras Miguel, cielo. Estoy en Madrid. Es como una película de suspense, te gustaría.

Supuso que se refería a la audición, no a Madrid. Además, las películas de suspense no le gustaban demasiado.

—¿G.? ¿Estás bien? He intentado llamarte. ¿Has recibido mis mensajes, cariño? —Su voz se apagó ligeramente, pero aun así la oyó decir «Deja de hacer eso. Es mi hijo», y soltar luego una risita gutural—. Así que estás con Kay, ¿no? ¿Qué tal tu día? —le preguntó a continuación.

Toda la locura y el terror que había vivido ese día bullía en su interior. George quería contárselo todo, quería que su madre le dijera qué debía hacer, que lo escuchara y le dijera que sólo había sido un sueño. Lo deseaba con un dolor dulce y triste que invadió su garganta como una oleada.

—¿Estás bien, cariño?

—No —contestó George en voz baja.

—No te oigo, cariño, estoy rodeada de gente. ¿Estás bien?

George quería contárselo todo y que ella le diera sentido, que la mano dejara de dolerle. Quería que lo escuchara.

—Estoy bien.

—Genial. Te quiero.

—Vale.

George colgó y se comió otro bocado. Daba igual lo que quisiera, porque ella era incapaz de escucharlo. Ésa era una de las numerosas razones por las que optó por ser un solitario y no contar con los demás, para que no lo defraudaran. La idea le causó un gran cansancio, pero sabía que era correcta.

Cerró los ojos. El sándwich cayó al suelo. Un momento después el vaso se derramó y la leche formó un pequeño mapa de Madagascar en la alfombra blanca. George no notó nada. En un intento de recuperar la tranquilidad su cerebro se había desconectado.

20

Un lobo nocturno

Por una vez, el Caminante no estaba caminando. Estaba de pie en la plataforma abierta de un autobús Roadmaster, agarrado a un barrote. El viento le agitaba los mechones que le sobresalían de la capucha. El Cuervo volaba unos metros por detrás, para no llamar la atención.

El revisor le pidió el billete. Y a continuación le dio las gracias, aunque el Caminante no le había entregado ningún billete.

El revisor empezó a subir la escalerilla que llevaba al segundo piso; fruncía el ceño, como si se hubiera olvidado de decir algo. Entonces se detuvo.

—Por favor, pase al interior, señor. Es peligroso...

—No pienso hacerle daño —dijo el Caminante sin mirarlo, y el revisor asintió en silencio, como si ésa fuese la respuesta adecuada.

—Muy bien —dijo.

El revisor desapareció escaleras arriba sin saber por qué se sentía un tanto raro y aliviado, pero ya no pensaba en el Caminante, puesto que tenía tanta capacidad para hacerse olvidar como para no dejarse ver. Por eso había podido caminar durante tanto tiempo tras las mismas personas sin que éstas notaran su presencia, a pesar de haber conservado el mismo aspecto que tenía cuando lo habían visto de niños. O cuando sus tatarabuelos lo habían visto.

El Cuervo se cansó de volar. Se posó en su hombro y escondió la cabeza debajo del ala, pensando que no valía la pena pasar desapercibido cuando el Caminante se las arreglaba para que nadie los viera.

—Lupus Street, del latín *lupus*: «lobo» —dijo el Caminante al ver el nombre de una calle—. Casi hemos llegado.

El Cuervo ni se movió; con esa impasibilidad resultaba difícil saber si tenía algún interés en aquello. De hecho, no lo tenía. Como era todavía más viejo que el Caminante, desde su punto de vista el latín no dejaba de ser una de esas lenguas modernas recién llegadas, vistas y no vistas, que se ponían de moda durante un tiempo y después desaparecían.

21

El huésped sin invitación

El timbre de la puerta despertó a George, no sólo porque sonaba muy fuerte, sino también —y sobre todo— porque no dejó de sonar. George se puso de pie, pasó por encima del húmedo mapa de Madagascar y conectó el intercomunicador.

Como era ese tipo de apartamento con ese tipo de interfono, una borrosa imagen en blanco y negro apareció en la pantalla: era el rostro de Edie.

—¡Eh, deja de tocar el timbre! —le gritó George.

Edie despegó el dedo del botón.

—¿Cómo me...?

—Cállate —siseó la chica, mirando a un lado y después al otro.

Luego susurró:

—¿Hay una puerta trasera?

George estaba bastante adormilado, y le dolía la mano y la cabeza.

—Un momento. ¿Cómo me has encontrado?

—Oí cómo le dabas la dirección al taxista. Bien...

George trataba de encontrar alguna razón que mostrara que era imposible que Edie supiera dónde encontrarlo; de ese modo podría creer que en realidad ella no estaba allí, y volver a la cama.

—¿Cómo sabías qué timbre tocar?

Edie se impacientó. Metió la mano en el bolsillo tratando de extraer algo.

—Fácil. Tenía que ser la última planta, la que tiene una gárgola en el balcón.

—No tenemos una gárgola —gruñó George.

La chica acercó el disco de cristal al visor. Brillaba tan intensamente que dejó un rastro luminoso en la pantalla.

—¿Lo ves? Ahora hay una gárgola paseándose por el balcón y olisqueando.

George oyó un ruido que provenía del balcón de delante de la cocina. Algo se arrastraba, resoplaba y silbaba, y volvió a invadirlo un terror visceral.

—Un momento.

El chico se deslizó hasta la puerta y se asomó al salón. Más allá del busto de bronce de su madre, detrás de la puerta corredera del balcón, algo se movía. Entonces la luz del balcón, que se activaba cuando detectaba algún movimiento, se encendió, y George vio claramente que no era un gato, ni un ladrón: era la gárgola de rasgos felinos y el ala rota y el surtidor en la boca escudriñando la sala con sus ojos de piedra y arrastrando las garras por encima del cristal de la puerta, como si buscara algo. Las garras empezaron a acercarse al pomo.

George regresó corriendo.

—La veo.

Edie alzó la vista, asintió con la cabeza y volvió a guardar el disco.

—Así que como está en la parte delantera del edificio, me pregunté si hay una puerta trasera. ¡Oh! —exclamó.

George vio que miraba el disco fijamente.

—¿Qué pasa?

—El cristal ha cambiado de color. Creo que viene alguien más.

El Cuervo dobló volando la esquina y llegó a St. Georges Square justo antes que el Caminante. El ave se elevó hasta casi alcanzar la altura del tejado y se posó en la barandilla del balcón del apartamento de George. La gárgola seguía rascando el pomo, pero cuando percibió la presencia del ave se volvió. El Cuervo le devolvió la mirada sin pestañear y después se dejó caer de la barandilla como una piedra.

El Caminante llegó hasta la puerta y, justo cuando se disponía a subir los escalones del porche, el Cuervo aterrizó en su hombro. El Caminante, sin embargo, hizo caso omiso de él, se acercó al panel de números y lo escudriñó.

Edie había desaparecido.

Una joven pareja también subió al porche. El hombre llevaba una botella de vino envuelta en papel. La mujer apretó el timbre y dijo:

—¿Kay? ¡Sentimos llegar tarde!

La puerta se abrió y los tres entraron, pero si alguien les hubiera preguntado, la joven pareja habría jurado que sólo habían entrado ellos.

Montaron en el ascensor y apretaron el penúltimo botón. El único indicio de que, en lo más profundo de su subconsciente, quizá sabían que estaban compartiendo el reducido espacio del ascensor con un hombre alto y encapuchado que llevaba un abrigo verde y un ave posada en el hombro es que de repente dejaron de hablar y se mostraron menos alegres que hacía sólo unos instantes.

El ascensor anunció que habían llegado y la pareja salió, observada por el Caminante.

—Os dejáis el vino —dijo cuando la puerta se estaba cerrando.

—¡Me he dejado el vino en el ascensor! —dijo el joven.

—Mira que eres tonto —contestó la chica.

El Caminante se guardó la botella en el bolsillo y el ascensor anunció la llegada a la última planta. Cuando salió al rellano, vio que la puerta del apartamento de George estaba abierta de par en par. El Caminante se encogió de hombros y el Cuervo cruzó volando el umbral.

La mayoría de las aves se asustan si tienen que volar en un espacio cerrado, pero el Cuervo recorrió el apartamento volando lentamente y observándolo todo: la blancura de las estancias principales, el desorden de la habitación del chico... y su ausencia.

Se posó en el busto de bronce de la madre de George, lo manchó con sus excrementos y vio que la gárgola seguía en el balcón al otro lado de las puertas de cristal, agitando la cabeza.

La gárgola soltó un silbido, desplegó las alas y remontó el vuelo hacia el cielo nocturno. El Cuervo regresó junto al Caminante, que se paseaba por el rellano.

—¿Se ha marchado? —preguntó.

El Cuervo se posó en su hombro, y el Caminante entró en el apartamento y cerró la puerta.

George salió del *parking* subterráneo situado en la parte trasera del edificio; Edie ya estaba allí y le mostró el disco de cristal, que no dejaba de fulgurar.

—Corramos —dijo.

—Vale.

Y, sin mediar una palabra más, ambos echaron a correr a lo largo de la estrecha callejuela, atravesaron una calle, tomaron un camino que desembocaba en una avenida ajetreada que reseguía el río y continuaron corriendo por la ancha acera.

—Tengo flato —dijo Edie, torciendo el gesto.

—Yo también.

Pero no se detuvieron, ni se fijaron en los edificios o las personas; lo único que querían era escapar de sus posibles perseguidores. Edie sabía que lo más importante era no detenerse, que por delante siempre había un hueco para escapar y que no debían tomar un callejón sin salida para que no los alcanzaran.

Entraron en Parlament Square y tuvieron que cruzar la calle para evitar las barreras que bordeaban el ornamentado edificio gótico de la derecha. Cuando llegaron al centro de la plaza, George se detuvo y trató de recuperar el aliento. Ella le tiró del brazo.

—¡Date prisa!

George jadeaba.

—Aquí estamos en peligro. ¡Mira! —dijo señalando los edificios que rodeaban la plaza: estaban rodeados de estatuas; la esfera del Big Ben los contemplaba como si fuera una segunda luna—. Aquí hay demasiadas cosas.

—Máculas —jadeó el chico.

—Demasiado de todo. Ven, hemos de permanecer junto al río.

George la siguió a través de la calle; le dolían todos los músculos. El tráfico denso encerrado entre las barreras de protección obstruía el paso y les impedía alcanzar la prolongación del Embankment, más allá del Parlamento.

Edie empezó a encaramarse a la barrera y esta vez fue George quien la detuvo, indicando el paso subterráneo bien iluminado a su izquierda.

—¡Por allí! —dijo, pero Edie negó con la cabeza y saltó por encima de la barrera.

—No. Nunca bajo tierra.

—¿Qué?

—Nunca bajo tierra. El Artillero dijo que era peligroso.

—Venga ya...

—Para ti —añadió.

George pasó por encima de la barrera y esperó a que se abriera un hueco en el tráfico.

—¿Adónde vamos?

Ella no lo oyó, y si lo hizo, decidió no contestarle.

—Edie, ¿adónde nos dirigimos? —volvió a preguntar.

—Así que ahora es «nos», ¿no?

El chico recordó lo mal que se sintió dejándola abandonada cuando tomó el taxi; y ahora se sentía aún peor.

—Supongo que sí —respondió.

—¿Por qué?

—Porque has venido a buscarme.

—¿A buscarte...? Pero...

Antes de que pudiera seguir hablando, Edie vio un hueco en el tráfico y cruzó la calle. Él la siguió abriéndose paso entre los faros y los bocinazos. Un Porsche encendió los faros y tocó la bocina, negándose a frenar. La chica cruzó justo por delante del coche y George tuvo que detenerse. Le pareció ver a un hombre vestido con un traje de raya diplomática gritándole enfadado desde el interior de su vehículo; después desapareció y George alcanzó la otra acera.

No lograba ver a Edie, sólo los bancos de hierro y el muro del Embankment y las luces de la orilla opuesta reflejadas en el río.

—¿A buscarte? —Edie estaba detrás de él y George suspiró aliviado.

—A salvarme.

—Ah, ¿sí? —dijo la chica mirándolo fijamente.

—Sí. Me has salvado.

—Bien, supongo que debo considerarlo como un «gracias» —contestó, encogiéndose de hombros.

George no sabía por qué lo sacaba de sus casillas, pero cada vez que la miraba a los ojos sentía una rabia infinita, y también cada vez que ella le dirigía la palabra. Lo único cierto es que había sido ella quien advirtió que la gárgola lo había descubierto, y George no sabía por qué. Tal vez por eso le resultaba tan irritante.

—Supongo que sí —repuso el chico, y también se encogió de hombros.

—Hemos de seguir —dijo ella, pero él no se movió.

—¿Adónde?

—El Fraile Negro. ¿Lo has olvidado?

George negó con la cabeza. La mano volvía a dolerle.

—¿Cómo llegaremos hasta él? —preguntó.

—Vamos.

Siguieron avanzando, pero a una velocidad que permitía la conversación.

—El Fraile Negro se encuentra en el extremo del puente de Blackfriars. Seguiremos junto a la orilla del río hasta alcanzarlo.

—Vale... —No sabía cuál era la palabra adecuada para describir la situación y optó por una esperanzadora—: Estupendo.

—No, no lo es. El Fraile Negro está en la City y todas las entradas a la City están vigiladas por dragones como ese que nos encontramos.

Al recordar la cabeza del dragón que lo miraba fijamente sintió un retortijón en la tripa, y cuando pensó en el zarpazo, el dolor de la mano se intensificó.

—Eso es terrible.

—Lo sería si el Artillero no me hubiera dicho cómo evitarlos.

George finalmente formuló la pregunta que aún no había hecho.

—¿Dónde está el Artillero?

—A buenas horas —dijo Edie con amargura.

—Edie. ¿Dónde está? ¿Qué te pasa?

La chica se detuvo y George chocó contra ella. Cuando se volvió, vio que ella tenía los ojos húmedos.

—Te salvó. Se montó encima del dragón pese a que estaba malherido y te salvó. A lo mejor nos salvó a ambos. Y me dijo qué debía hacer y cómo llegar hasta el Fraile Negro, y ¿sabes por qué? Porque estaba bastante seguro de que el dragón lo mataría, pero eso no impidió que interviniera. Y tú te limitaste a hacer caso omiso de ello y echaste a correr, y hasta ahora no se te ha ocurrido preguntarme por él. ¡Eres un egoísta!

George no podía dar crédito a sus oídos. Era como si le hubieran pegado un puñetazo. El Artillero no podía estar muerto.

—No puede estar muerto —dijo.

—¿Y tú qué sabes? Estabas demasiado ocupado llamando un taxi.

—No —contestó, recordando las palabras del Artillero—. Si logra regresar a su plinto antes de medianoche se... se recargará. Se curará. No pasará nada. Las cosas funcionan así. Si está en su plinto antes de medianoche...

—George. —Su voz apagó la esperanza como si fuera un cubo de agua fría—. Le costaba caminar, incluso antes de saltar encima del dragón. No creyó que se recuperara y creo que sabía lo que estaba haciendo. Mejor que tú, ¿verdad? Se estaba sacrificando para salvarnos.

—Pero yo no...

—No quiero saber lo que «no hiciste». No gastes saliva y piensa en lo que tú deberás sacrificar si logramos encontrar el Corazón de Piedra.

—¿Qué? —George seguía tratando de no sentirse culpable.

—Recuerda lo que dijo la Esfinge: «Tu remedio reside en el Corazón de Piedra, y la Piedra Corazón será tu alivio: has de encontrarlo, hacer un sacrificio y satisfacer el agravio que has creado colocando encima de la Piedra del Corazón de Londres lo necesario para reparar lo que has roto» —declamó—. ¿O acaso lo has olvidado?

—No.

—Bien. Porque sería una pena si lograras llegar hasta la piedra y él se hubiera sacrificado para ayudarte y tú siguieras sin saber qué hacer, ¿no?

—Un momento. Si soy tan insoportable, ¿por qué has vuelto?

—Porque el Artillero me dijo que cuidara de ti. En realidad, dijo que ambos deberíamos cuidarnos mutuamente, pero como tú eres tan inútil como un delfín en bicicleta...

Edie le dio la espalda y siguió corriendo, y él estaba demasiado ocupado tratando de seguirle el paso como para pensar en una respuesta, así que dedicó las escasas energías que le quedaban en pensar en el Artillero.

Lo peor de todo fue recordar que el Artillero no había hecho lo que las personas suelen hacerse las unas a las otras: no le había vuelto la espalda. Pero George, en cambio, sí le había vuelto la espalda a él. La pena y la culpa son una mala combinación y cuanto más lo invadían, tanto más triste y desprotegido se sentía ahí fuera, en esa calle oscura que reseguía el fluir tenebroso del río, intentando seguirle los pasos a Edie.

22

El Artillero a solas

El Artillero estaba sentado con la espalda apoyada contra la pared posterior de la iglesia. Tenía muy mal aspecto. Las cadenas de la brida humeaban en medio de la acera. El soldado mantenía la vista clavada en Fleet Street. El dragón, que ya no estaba al rojo blanco, se estaba encaramando a su plinto; era evidente que estaba demasiado cansado para volar y, pese a tener cuerpo de león, se parecía cada vez más a un lagarto.

—Bueno, no puede decirse que haya sido un acontecimiento cotidiano —dijo Diccionario, sin darse la vuelta. Al igual que el soldado, no despegaba la mirada del monstruo, que seguía encaramándose a su plinto.

—¿Cómo dices? —tosió el Artillero.

—Que no es algo que se vea todos los días —dijo Diccionario tras una breve pausa.

—¿Crees que se ha dado por vencido?

—En absoluto. No está en su naturaleza darse por vencido. Es un vigilante y no abandonará su puesto: si se pone a perseguir a un intruso corre el riesgo de dejarle vía libre a otro.

—No me digas.

—Él está hecho así.

—Y lo que está hecho debe respetar las intenciones de su hacedor, ¿verdad?

—Es lo que me han dicho, lo siento en los huesos.

—¿Así que tienes huesos?

Diccionario hizo una pausa. Después agitó la cabeza y soltó una especie de alarido.

—Siento que tengo huesos.

—Sé a qué te refieres.

El Artillero se puso dolorosamente de pie y se colgó las cadenas del cinturón.

Al oír el tintineo metálico, el dragón alzó la cabeza y los miró; una sombra rojiza le empañaba los ojos.

—Lo ha oído —comentó Diccionario.

—Pues entonces la próxima vez me reconocerá —gruñó el Artillero.

—¿Adónde te lleva tu camino?

—No lo sé —dijo, desperezándose y dando algunos pasos inseguros—, pero, al igual que la sierpe, debo estar en mi plinto antes de medianoche, de lo contrario...

Diccionario dirigió la mirada hacia el reloj que sobresalía de la fachada de los Tribunales como el cartel de un pub.

—Faltan menos de tres horas para la medianoche.

El Artillero apartó la mirada del dragón y la dirigió a Diccionario.

—Será mejor que me ponga en marcha. Sólo son un par de kilómetros, pero me parecerán interminables después de la paliza que he recibido.

—¿Y los niños?

De repente el Artillero volvió a sentarse. Estaba exhausto, pero no quería que se notara. Diccionario lo miró, prácticamente sin moverse. Un pájaro gris se le posó en la cabeza y sus excrementos le mancharon la chaqueta.

—¿Y los niños, Artillero? —repitió con dureza.

—Lo que ha de ser, ha de ser, y yo debo recuperar el aliento y estar encima de mi plinto antes de medianoche —dijo el Artillero. Y mirando por fin a Diccionario a los ojos, añadió—: Los niños están solos.

—No si les envías una paloma.

El Artillero volvió a alzar la cabeza, procurando aclararse las ideas. Debería haber pensado en ello.

—¿Y bien? —dijo Diccionario—. ¿Acaso no es así como se comunican los miembros de la hermandad de los vitratos militares?

—Supongo que si funcionó en las trincheras, no tiene por qué no funcionar en Londres —murmuró el soldado—. Tienes razón, pero necesitaré hacerme con...

Diccionario alzó la mano y el pájaro gris se posó en ella. Entonces bajó de su plinto y se acercó al Artillero. El soldado extrajo un trozo de lápiz y un papel de su bolsillo. El esfuerzo lo agotó.

—¿Quieres que lo haga yo? —preguntó Diccionario.

El Artillero permaneció apoyado contra la pared con los ojos cerrados, sosteniendo el ave mientras Diccionario escribía. Después sujetó el diminuto rollo de papel a la pata del ave y le susurró al oído:

—Todos los Jagger. Todos los soldados. Cuidado con las gárgolas. Eres un mensajero, no la merienda de una mácula —dijo. Y entonces alzó las manos y el ave gris se elevó al cielo, mientras el Artillero la seguía con la mirada.

—Gracias, Diccionario.

Éste se limitó a devolverle el lápiz y el papel. El Artillero se puso de pie.

—He de ponerme en marcha.

Diccionario lo observó mientras se alejaba trastabillando. El soldado se volvió.

—Si no...

Diccionario asintió con la cabeza.

—No serán sólo los Jagger y los vitratos-soldado quienes vigilarán a los niños, Artillero. Te doy mi palabra.

—Tu palabra bien merece la pena.

—Eres muy amable. ¡Que Dios te acompañe! —dijo Diccionario, inclinando la cabeza.

23

La búsqueda en el fango y la Feria de la Escarcha

No había mucha gente en el tramo del Embankment donde se encontraban los chicos. Edie había dejado de correr. Más allá, George distinguió una silueta conocida recortada contra las luces del río.

—Genial. Estamos caminando en círculo.

—¡Y todo porque te fuiste!

George no supo qué responder. Se acercaron al Obelisco de Cleopatra sin despegar la mirada de las esfinges, pero no ocurrió nada.

—¿Crees que deberíamos...? —carraspeó George.

—¿Qué? ¿Detenernos para saludar? No hay tiempo. El Artillero dijo que eran medio máculas, y con eso me basta.

Pero George la vio rozar los flancos de las esfinges al pasar.

—¿Por qué lo has hecho? —le preguntó cuando las hubieron dejado atrás.

—Para demostrarles que no les tengo miedo —replicó la chica, como si eso tuviera sentido. De pronto giró a la derecha y se sentó en un banco de hierro, frente al río. Los extremos del banco tenían forma de camello agazapado, quizá como una prolongación del estilo egipcio prevaleciente en la orilla.

—¿Qué haces? —preguntó George al ver que se quitaba los zapatos.

—Preparar un batido de plátano —le contestó en tono irritado—. ¿A ti qué te parece que estoy haciendo?

—Quitándote los zapatos.

—Bingo. ¡Eres un auténtico genio!

—No comprendo.

—Quítate los zapatos.

—¿Por qué?

—Porque las cosas funcionan así. Si te digo que te quites los zapatos, hazlo, así no perderemos tiempo discutiendo. ¡Y date prisa o ese dragón percibirá nuestra presencia!

George volvió la cabeza y dirigió la mirada hacia donde Edie señalaba. Junto al Embankment —pero lo suficientemente cerca como para inquietarlo— había otro dragón: sostenía un escudo blasonado con una cruz roja, era de color plata y más pequeño y grueso que el que vigilaba Temple Bar, pero muy musculoso y con las fauces llenas de dientes afilados.

George se sentó en el banco y empezó a desabrocharse los zapatos. Edie se estaba quitando los leotardos.

—Quítate los pantalones.

—¿Qué?

De repente oyó un siseo a la altura de las rodillas y el banco corcoveó: el camello había tratado de morderlo. George cayó hacia delante, alejándose de la criatura malévola. Edie se agarró al banco con ambas manos.

—¡Ha intentado morderme!

George se apoyó contra una farola, al borde del muro que había junto al río. Y entonces algo se retorció bajo su mano. George se apartó justo a tiempo de evitar que el pez de hierro que adornaba la base de la farola le atrapara la mano.

—¿Qué está ocurriendo?

—Son máculas pequeñas. Larguémonos antes de que llamen la atención de alguna de las más grandes. Hemos de pasar junto a ese dragón para llegar hasta el Fraile Negro, y debemos hacerlo antes de medianoche. Eso fue lo que dijo el Artillero.

George levantó la mirada hacia donde se encontraba el dragón; que lo tenían ya mucho más cerca, pero no parecía haberse movido.

—¿Cómo vamos a pasar?

—Sígueme —dijo ella, dirigiéndose hacia una verja que se abría en el muro que había junto al río.

En un abrir y cerrar de ojos, George la vio saltar y desaparecer tras la verja. Él agarró sus zapatos y la siguió.

Edie estaba al pie de una escalera de piedra, tanteando el agua con un pie.

—¡Debes de estar de broma!

—No —dijo, y se metió en el río hasta las rodillas—. Estoy mojada, tengo frío y quisiera acabar con esto lo antes posible.

—¿Tendremos que nadar?

Edie agarró los zapatos por los cordones y se los ató al cuello.

—Puedes nadar, si quieres. Yo vadearé, me parece que la marea está bajando —dijo, avanzando con una mano apoyada contra el muro—. Espero que no haya cristales rotos por aquí.

George se metió en el agua; sus piernas se hundieron en el fango hasta la pantorrilla. Era un fango frío y viscoso, lleno de guijarros y ramitas. Al mirar hacia la derecha, George cayó en la cuenta de que entre él y la orilla sur de Londres no había más que agua y sintió que bajo la superficie se ocultaba algo indómito y peligroso. Era como caminar al borde de un precipicio, sólo que, en lugar del vacío, lo que amenazaba con tragarlo era una resaca oscura. George mantuvo una mano apoyada en el muro para no caerse.

—¿Cómo sabes que la marea está bajando?

—No lo sé.

—¡Ah!

Avanzaron chapoteando y pasaron bajo una escalerilla que conducía a un viejo vapor permanentemente anclado en la orilla. Al pasar entre el muro del río y el oxidado casco del vapor, oyeron música y risas en la cubierta. Una colilla encendida aterrizó en el agua.

—Piensa en cosas positivas —le aconsejó Edie.

—¿Cuánto falta?

—Un puente más.

George siguió avanzando. Recordó uno de los paseos que había hecho con sus padres junto al río: George se había asomado por encima del muro y, en la ribera fangosa, había visto personas con palas y cubos buscando cosas.

—Cuando baja la marea, la gente acude aquí y busca cosas —dijo.

Edie soltó un gruñido.

—Es como buscar cosas en la playa, pero aquí no hay playa, sólo fango —explicó George.

Esta vez Edie ni siquiera se molestó en contestarle con un gruñido. George frunció el ceño y se preguntó si tendría tanto frío como él.

Y entonces la chica cayó al agua y desapareció.

George no se lo pensó dos veces y se zambulló tratando de encontrarla, pero sólo tocó agua.

Tanteó bajo la superficie en busca de algo que ya no estaba allí. Edie había desaparecido de la faz de la Tierra.

—¡Edie!

Sus manos rozaron un objeto, y tiró rápidamente de él para sacarlo a la superficie, pero no era más que una bolsa de basura llena de cortezas de frutas y envoltorios de plástico. La arrojó lejos y volvió a sumergirse.

La resaca empezó a arrastrarlo hacia el centro del río.

—¡Devuélvemela! —gritó, agitando los brazos en el agua helada.

Más tarde, cuando recordó el incidente, no supo por qué había gritado ni a quién; lo único que sabía era que allí fuera había algo. George golpeó entonces la superficie del agua con la mano como tratando de despertar a Edie.

—¡EDIE!

Entonces algo chocó contra su pie. George lo agarró y era ella, y tiró y ambos alcanzaron la orilla escupiendo agua. Edie parecía más pequeña y sus cabellos empapados le rodeaban el rostro embarrado.

—¿Estás bien?

—Entera. —Eso fue lo único que acertó a decir al quitarse el fango de los ojos.

—¡Estás bien! —confirmó el chico con una sonrisa.

—Me ha absorbido —añadió ella, señalando el lugar donde había desaparecido.

George dejó de sonreír.

—No puede ser.

—Te digo que me ha absorbido, George. Algo me ha absorbido.

George empezó a tirar de su cinturón.

—Es demasiado tarde para eso. Te he dicho que te los quitaras. Ahora estás empapado...

—Cállate y agárrate a esto —le dijo, mientras le tendía uno de los extremos del cinturón—. Así, si vuelves a hundirte, resultará más fácil encontrarte.

Tras reflexionar unos instantes, Edie se enrolló la punta del cinturón alrededor de su muñeca.

—O nos absorberán a ambos.

—Creí que me habías dicho que pensara en cosas positivas —dijo George—. Yo iré delante.

—He sido una estúpida —reconoció la chica casi en tono de disculpa—. El cinturón es una buena idea.

Y, sin decir una palabra más, ambos avanzaron a lo largo del muro. Pasaron debajo de un pontón y un muelle que crujía bajo la presión del agua. En la calle, por encima de sus cabezas, un coche de policía pasó ululando; las luces azules salpicaron las ramas de los árboles del Embankment.

Edie tropezó, pero rápidamente recuperó el equilibrio.

Antes de que George pudiera preguntarle si se encontraba bien, ella dijo:

—¿Así que eres rico?

Al principio, él no comprendió la pregunta.

—¿Cómo dices?

—Que eres rico. La calle en la que vives, tu apartamento moderno y lustroso, como en los anuncios...

—No somos ricos. Mi mamá lo alquila.

—Hay que ser rico para alquilarlo.
—No somos ricos. Mi mamá es actriz.
—Las actrices son ricas.
George se acordó entonces de sus padres, del griterío y de las discusiones que tenían cada vez que llegaba un sobre de color pardo o blanco, de esos por los cuales había que firmar un recibo.
—No siempre.
Edie siguió caminando; sus palabras no la convencían.
—¿Cuántos dormitorios tienes?
—Dos. Y un tercero que es una especie de estudio.
—Vives allí con tus padres. ¿Cuántos hermanos o hermanas tienes?
—Sólo vivimos mi mamá y yo.
—¿Sois dos, y tenéis tres dormitorios? Eres rico. Y apuesto a que tu padre también tiene una casa.
—Está muerto.
—¡Ah! —dijo Edie, asimilando la información.
Siguieron caminando. El agua volvía a bajar, era como si una ribera fangosa surgiera poco a poco bajo sus pies. Ambos tiritaban de frío. George apretó las mandíbulas para evitar que los dientes le castañetearan.
—¿Y tú? —preguntó, ansioso por dejar de ser el centro de atención.
—También.
—¿También eres rica?
—No. Mi padre también está muerto.
—¡Ah!
Continuaron chapoteando. Se sentían muy solos ahí abajo, a sotavento del Embankment, bajo el dintel de la City, vadeando a través del fango helado.
—¿Así que vives con tu mamá?
—No —contestó Edie tras una pausa—. No está.
—Pues entonces, ¿dónde...?
—Vivo en hostales para niños fugitivos. Es una mierda, ¿vale?
—Vale.

—También me escapo de ellos —añadió en tono desafiante—. Estoy helada.

Siguieron avanzando un trecho.

—Cuando tengo hambre, pienso en comida —dijo la chica—. Trato de recordar cuando estaba ahíta, cuando ya no podía comer un solo bocado más.

—Pero así sólo te sentirás aún más hambrienta.

—No. Funciona. Inténtalo.

—No tengo hambre —dijo George.

—¡No seas tonto, hombre! Me refiero a que pienses en cuando tenías mucho calor.

—¡Ah!

Se cruzaron con un montón de envoltorios de pescado y patatas fritas.

—Estaba en un granero. En medio del heno. Con mi padre.

—¿Tu papá es granjero? Lo siento: ¿era granjero?

—No —dijo George, recordando—. Estaba haciendo un toro.

—¿Qué? —exclamó Edie con incredulidad.

—Era un artista. Le encargaron que hiciera un dibujo de un toro. Así que se puso en contacto con un granjero que tenía un toro, le dijo que lo encerrara en un establo y allí lo dibujó.

Durante un instante, volvió a sentir el aroma del heno tibio y del humo del cigarrillo de su padre. Después el recuerdo se desvaneció.

—Yo no debía estar allí. Pero mi madre tenía una audición. Siempre tiene audiciones; por eso mi padre tuvo que llevarme con él. Fue estupendo. Yo era muy pequeño... Hacía mucho frío y cuando el toro respiraba veías su aliento: parecían dos nubes blancas. Incluso tenía una argolla en la nariz... Era un toro de verdad.

—No parece un recuerdo muy cálido —masculló Edie.

—Lo es. Fue estupendo. Mi padre me envolvió en una manta y me hizo una cama en el heno; me quedé sentado junto a él y había termos con té y esa sopa de tomate de color anaranjado brillante que te mancha los labios; mi padre dibujaba y yo, también; pero estaba tan calentito en mi cama de heno que me quedé dormido. El aroma era maravilloso y cuando me desperté ya estaba oscureciendo; mi padre había terminado el dibujo y se había tendido a mi lado...

Lo recordaba todo: el brillo de la bombilla que colgada del techo convirtiendo el heno en oro y el enorme toro negro, grande como un coche pequeño, masticando pienso. Y su padre fumando. Siempre fumaba cuando trabajaba, pero sólo al aire libre. Cuando George tuvo edad suficiente para comprender que fumar no era muy buen método para tener unos pulmones sanos y seguir viviendo, su padre y él hicieron un pacto. Dejaría de fumar, a medias. Nunca fumaría en el interior y sólo lo haría mientras trabajaba. Y nunca en un pub. Y así recordaba a su padre: concentrándose, con el ojo derecho cerrado para impedir la entrada del humo que le ascendía por la mejilla, y ambas manos firmes, siempre dibujando. Y el sonido de la calada de alguien que fuma sin sostener el cigarrillo con la mano. Aunque fumar fuera muy malo, ese recuerdo siempre lo tranquilizaba.

Y no fueron los cigarrillos lo que acabaron con la vida de su padre.

—En todo caso, ése es el recuerdo más cálido que tengo —dijo, tratando de borrar el siguiente recuerdo que surgía de la oscuridad, de aquel lugar que él procuraba evitar siempre que podía.

—Una vez fui a una granja —dijo Edie—. En una excursión con el resto de la clase. Una cabra se me meó encima.

George sonrió, y entonces sintió que algo afilado le punzaba la planta del pie: dio un brinco para no cortarse, perdió el equilibrio y las manos de ambos se despegaron del muro.

—¡Lo siento! —exclamó.

Edie tropezó, aterrizó a cuatro patas y soltó el cinturón intentando mantener la barbilla por encima del agua. Tocó algo sólido enterrado en el fango, algo que parecía un viscoso trozo de madera, una antigua viga del muelle... Y entonces una extraña energía le soldó la mano al trozo de madera y no pudo despegarla y entonces...

—¡Oh, no! —dijo George.

La ondulada superficie del agua se aplanó en torno a Edie, la onda expansiva del pasado se extendió desde el epicentro, sus cabellos mojados se abrieron en abanico, sus ojos se cerraron y la brecha de dos siglos de anchura entre donde estaban y lo que ella estaba viendo la golpeó como un tren de carga cuesta abajo.

Estaba oscuro, pero no tanto como hacía unos instantes.

Había menos luces al otro lado del ancho río, pero muchas más flotando en la superficie, todas ellas más tenues. No había luces eléctricas reflejadas en las ondulaciones del Támesis, tanto porque la electricidad aún no se había inventado, como —y todavía más importante— porque en el río no había ondulaciones, sino inmóviles montículos blancos.

El río estaba helado y cubierto de nieve.

Las luces que veía eran farolas, antorchas y braseros, y al reflejarse contra el hielo, iluminaba a hombres y mujeres, los unos con sombreros de copa y bufandas en el cuello, y las otras con faldas amplias y largas que siseaban sobre la nieve y las manos ocultas en manguitos forrados de piel. Las llamas de las antorchas y los braseros brillaban en los ojos de todos, excitados por el acontecimiento. Todos parecían alegres, y los niños corrían alborozadamente y se deslizaban sobre el hielo mientras sus largas bufandas ondeaban al viento.

Una niña se lanzó sobre el hielo, y el sombrero le voló; tenía las mejillas arreboladas y la nariz, roja, y chillaba alegremente. Se detuvo agarrándose a un poste clavado en el hielo, y allí se quedó, riendo hasta que sus amigas la alcanzaron.

Del extremo del poste colgaba una pancarta donde ponía «FERIA DE LA ESCARCHA» en grandes letras azules y verdes, y más abajo, en letras más pequeñas: «TODO EL MUNDO SERÁ BIENVENIDO.»

Aquello parecía un sueño, y la bruma que surgía del hielo envolviéndolo todo le daba un aire aún más irreal: difuminaba la silueta de las personas y los objetos, creaba halos alrededor de las antorchas e iluminaba la calle que comunicaba el centro del río con el puente.

A ambos lados de la calle se sucedían tiendas y tenderetes de todos los tamaños y formas. Vistos desde atrás, parecían los inacabados restos de un naufragio, pero en la parte delantera de cada uno colgaba una farola de colores y un cartel pintado, rodeado de una multitud bulliciosa. Bajo las banderas y los banderines, los tenderos y los mesoneros de Londres se habían instalado en el hielo, y a Edie le pareció que por todas partes había alguien vendiendo o voceando o sirviendo bebidas calientes de las que surgían delgadas columnas de vapor que se sumaban a la fantasmagórica bruma.

Y las risas y los gritos y varias melodías diferentes competían entre sí. Edie oyó el son remoto de las gaitas y el repicar de los tambores, y más cerca, las notas de unos violines acompañados de algo parecido a un organillo.

A su izquierda retumbaban los golpes de tres picos que estaban abriendo una zanja en el hielo, resiguiendo la orilla. Los hombres que los blandían eran robustos, barbudos, de rasgos recios y calzaban botas. De sus cuellos colgaban insignias de latón que se balanceaban a cada golpe. Más allá, otro grupo de hombres había tendido una gruesa viga de madera encima de la zanja, y estaban muy ocupados cobrando unas monedas a las personas que, elegantemente ataviadas, tenían el privilegio de cruzar por encima del agua, hasta la nevada zona de ocio.

Edie vio que un hombre con una gran papada se negaba a pagar, como si considerara que pagar por atravesar noventa centímetros de agua fuera un insulto. Los hombres le mostraron sus insignias de latón y Edie oyó lo que dijeron y el tono de orgullo que emplearon:

—Somos los hombres del agua, señor, una antigua costumbre y tradición del río. Transportamos a las personas a través de las aguas peligrosas, señor.

El hombre de la papada estaba a punto de seguir protestando cuando a su lado una niña pequeña envuelta en una capa verde empezó a brincar y a señalar el hielo.

Edie se volvió y vio que todo el mundo se dirigía, como atraído por un imán, hacia un espectáculo que se desarrollaba entre los tenderetes, en medio del hielo.

Primero, un hombre que tocaba el tambor apareció seguido de otros que llevaban grandes antorchas humeantes. Después llegaron tres gaiteros con sus faldas escocesas; sus escarcelas de largas crines de caballo se balanceaban rítmicamente a su paso y, detrás, venían dos hombres más, también portando antorchas. Y, finalmente, un elefante blanco que avanzaba al compás de las gaitas hizo su aparición.

Edie estaba acostumbrada al horror y al dolor cuando vislumbraba el pasado, pero a veces no era así. A veces, muy ocasionalmente, disfrutaba de un espectáculo agradable. Pero nunca había visto nada parecido a eso.

Algo se aflojó en su interior e inspiró una bocanada de aire que parecía más limpio, casi refrescante, pese al aroma dulce y ahumado de las castañas asadas, o quizá debido a él.

—Es hermoso.

Oyó las palabras antes de reconocer la voz que las había pronunciado. Y entonces comprendió que era la suya.

El elefante que marchaba por el hielo era hermoso. Avanzaba lentamente junto a las personas boquiabiertas y las vistosas pancartas con una dignidad sobrenatural. En el lomo cargaba una especie de castillo con dosel que se balanceaba de un lado a otro. En cada esquina del pequeño castillo había una antorcha encendida, y en su interior una mujer muy bella envuelta en una capa de piel blanca y coronada con un turbante enjoyado saludaba a los espectadores.

Detrás de las orejas del elefante, un niño pequeño de rostro oscuro acurrucado en un abrigo de pieles sonreía y saludaba a los presentes.

El elefante no sólo era blanco, estaba pintado. Edie vio que alguien le había pintado guirnaldas de flores en los flancos y en el morro, e incluso rayas de colores en la trompa. Todos lo contemplaban embelesados y la bruma añadía aún más belleza al espectáculo.

Edie estaba como hechizada.

Y entonces le pareció que alguien la llamaba por su nombre. Alzó la vista y vio que alguien, alguien de menor estatura que un hombre, corría hacia ella alejándose de la multitud: era el único rostro que se destacaba contra un mar de espaldas.

Parecía gritar unas palabras con las manos delante de la boca como si fueran un megáfono, pero ella no comprendió qué decía, y después sólo logró oír un fragmento.

—¡... No mires al elefante!

Y entonces la belleza dejó de existir, el tiempo se partió en dos, el pasado dejó de fluir como un sueño y sus trizas la golpearon.

La figura que corría tropezó y cayó al suelo antes de que la bruma le impidiera verle la cara.

Un grito resonó a su derecha y Edie se volvió.

Otra figura se acercaba a la carrera, una chica que llevaba un sombrero y agitaba los brazos, gritando y sosteniendo un objeto brillante en la mano. Y detrás del brillo divisó una figura humana grande y robusta que se acercaba a través de la bruma.

El tiempo volvió a dividirse.

Ahora un hombre muy alto luchaba con algo que se debatía como un gato salvaje.

El «algo» logró liberarse y, de pronto, volvió a ser la chica que corría hacia Edie como si su vida corriera peligro.

El hombre se inclinó y extrajo un largo cuchillo de acero que llevaba oculto bajo el abrigo. El reflejo de las antorchas brillaba en la hoja y el hombre echó a correr detrás de la chica.

El tiempo volvió a dividirse una vez más y la chica corrió hacia Edie, y tropezó. Durante el forcejeo su sombrero se había deslizado ocultándole el rostro.

Entonces vio la zanja de noventa centímetros de ancho

llena de agua helada y comprendió que la chica no podía verla.

Trató de gritar para advertirla del peligro, pero el insoportable dolor del pasado que fluía a través de ella se lo impidió.

Entonces el tiempo volvió a avanzar y la chica estaba debajo del agua y los cabellos le cubrían el rostro como si fueran algas; su único ojo visible parecía mirar a Edie, y gritaba unas palabras, y Edie sólo alcanzó a comprender lo siguiente:

—¡Él no es lo que parece! Dile...

Entonces una mano la agarró de los cabellos para salvarla, pero no la estaba salvando: la empujaba hacia abajo y sólo se veían burbujas y agua negra; la chica consiguió emerger durante un instante, tratando de tomar aire, y Edie oyó su alarido como si lo percibiera con todo su ser. Y las palabras sonaban con el terrible apremio de las últimas palabras:

—¡... Puertas en los espejos...!

Entonces el hombre volvió a empujar el rostro hasta hundirlo debajo del agua por última vez; los cabellos se apartaron y Edie vio la cara distorsionada y blanca debajo del agua, los ojos aterrados, muy abiertos, la boca que no dejaba de gritar y el agua que la llenaba. No sabía por qué, pero la cara le resultaba familiar... Y entonces la boca enmudeció y los ojos se apagaron y algo oscuro se interpuso entre Edie y el «entonces», y estaba jadeando en el «aquí y ahora» intentando tomar aire y la Feria de la Escarcha y el elefante y la chica ahogada habían desaparecido. Mantenía la vista clavada en el río y las luces eléctricas otorgaban un contorno nítido a todos los objetos, incluso a la oscuridad.

George estaba a su lado; parecía descompuesto y preocupado.

—¿Qué ha pasado?

Con el corazón embargado por una tristeza inexplicable, todo lo que pudo decirle fue:

—Se me ha escapado.

—¿Qué? ¿Qué se te ha escapado?

Edie se acercó a la orilla tambaleándose y con la mirada fija al otro lado del río, como si pudiera conjurar el pasado y hacerlo aparecer una vez más. Después sacudió la cabeza y se secó la cara.

—No lo sé —contestó, y se dirigió al puente que atravesaba el río un poco más adelante—. Estaba contemplando el elefante.

24

Bordes irregulares

El Caminante se paseaba por la habitación de George examinando los juguetes, los modelos y los animales de arcilla. Se deslizó la capucha hacia atrás e hizo una mueca.

Tenía una boca de esas que siempre expresan desagrado: sus labios, tirantes, dejaban los dientes y las encías al descubierto, como si el mismísimo aire le resultara repugnante. Sus ojos eran de un color violeta oscuro, profundamente hundidos en las cuencas. Una pequeña barba le rodeaba la boca, pero llevaba las mejillas afeitadas. La barba acabada en punta, como la de una cabra. En una de las orejas llevaba un anillo de oro del que colgaba una única perla, y un gorro sin visera le cubría la coronilla.

Parecía un mago convertido en pirata. Pero no un mago bueno, ni tampoco un pirata bondadoso.

De repente agarró una figurita de arcilla que representaba a George cuando era un bebé y se la metió en el bolsillo. Después extrajo un largo puñal —de empuñadura curiosamente ornamentada— de la funda que llevaba colgada del cinturón, debajo del abrigo, abrió un cajón, sacó una camiseta y la olisqueó, y la echó a un lado.

Entonces avanzó unos pasos hasta el cesto de la ropa sucia. Extrajo una camiseta, la olisqueó y sonrió.

Después cortó un jirón de la camiseta, se lo metió en el bolsillo y abandonó la habitación.

Al atravesar el salón se detuvo ante el busto de la madre

de George. Tenía la cabeza y los cabellos inclinados hacia atrás. El Caminante le acarició sus hombros desnudos y la curva del cuello, y después fue deslizando la mano hacia abajo, donde las curvas sensuales acababan en un borde irregular, como si alguien hubiera cortado un trozo con un serrucho; el busto estaba ligeramente inclinado. Volvió a recorrer el borde irregular con los dedos y después abandonó el apartamento.

25

George se pone al mando

Una escalera de metal fijada al muro del terraplén se elevaba por encima de las piedras viscosas hasta las anaranjadas luces de las farolas. George ascendió hasta que una plancha metálica cerrada con un candado le impidió el paso. La habían instalado para evitar que la gente bajara al río. Se encogió y aprovechó la inclinación de la plancha para remontar los últimos peldaños de la escalera empujando con los pies y apoyándose en los brazos.

Inspiró profundamente y asomó la cabeza por encima del muro. Los brazos le dolían, pero no tenía intención de seguir trepando hasta asegurarse de que él y Edie no corrían peligro.

Miró hacia la izquierda y no vio ni rastro del dragón. Lo habían dejado atrás. A la derecha sólo estaba el río y el sendero que desaparecía debajo del puente, situado casi por encima de su cabeza.

Se volvió y le indicó a Edie que estaban a salvo, pero ella seguía mirando río abajo.

—¡Eh! —exclamó George.

La chica alzó la vista; parecía regresar de un lugar muy lejano.

—No hay peligro. Estamos en la City. No hay dragones —le explicó.

A continuación se encaramó al muro y llegó al sendero. Ella también empezó a trepar.

—Que no haya dragones no significa que estemos a salvo —puntualizó ella.

Su voz áspera parecía aún más ronca que de costumbre. George supuso que podía deberse al frío, y de pronto se dio cuenta de que estaba empapado y lleno de barro, y de que tenía mucho frío. Ahora que estaba en tierra firme, su cuerpo le informó de lo que acababan de pasar. Cuando estás asustado, el cuerpo funciona con el piloto automático y libera adrenalina para ayudarte a luchar —o, como en el caso de los chicos, a huir—. Pero, por desgracia, la adrenalina no es inagotable. George sentía que la suya se escurría a través de la suela de sus zapatos y, de pronto, sintió cuán incómodo estaba. Hasta las piedras bajo sus zapatos parecían de hielo.

Pero había algo positivo: algo había cambiado. Tal vez se debía al impacto que había sufrido cuando la chica le había dicho que el Artillero había muerto, o quizás al hecho de rescatarla cuando había desaparecido debajo del agua dejándolo nuevamente solo: en todo caso, desde que había decidido ponerse al mando se sentía menos descontrolado. No esperó que Edie lo aceptara, pero de momento él estaba al mando y le parecía estupendo. Su temor se había aligerado, porque ya no debía preocuparse sólo de sí mismo. Era bastante extraño.

Se sacó los zapatos de los bolsillos y trató de calzárselos, pero no pudo: sus pies parecían haber aumentado de tamaño, así que desistió, justo cuando Edie se deslizaba por encima del muro chorreando agua. Ambos temblaban de frío, ahora que la adrenalina dejaba de circularles por las venas.

Tenía muy mal aspecto, como si la humedad y el fango la hubieran apagado. Temblaba como una vela que se extingue. Sus labios estaban azules.

George sabía que tenía más frío que él y era consciente de que aún debía permanecer al mando.

—Vamos. Corramos.

Edie alzó la mirada: el brillo de sus ojos había desaparecido; ahora eran todo tristeza y frialdad. No dijo una palabra, no discutió ni protestó.

—¿Es ése el puente de Blackfriars? —preguntó George.

La chica asintió con la cabeza.

—Entonces corramos hasta allí y busquemos al Fraile Negro.

—No tengo ganas de correr —dijo Edie, poniéndose en cuclillas y tratando de abrigarse con los brazos. Su mano encontró el disco de cristal y lo examinó. Estaba apagado y mojado. Al verlo se acordó de la playa donde lo había encontrado. Incluso ese primer momento había sido subrepticio: lo descubrió entre los guijarros mojados y lo recogió sin pensar, pero una vez lo tuvo en la mano se dio cuenta de que tenía algo especial, y no quería que él lo viera, lo tocara o se lo quitara. Él no notó que lo había recogido, porque en ese momento estaba contemplando el mar mientras trataba de encender un cigarrillo. Se sentía incómodo porque la había llevado a la playa para decirle que su madre ya no regresaría y que de momento sólo estaban ellos dos, «hasta que las cosas se arreglaran».

En el tren que la había llevado a Londres, Edie se había sentado junto a dos familias felices que regresaban a sus casas tras pasar un día junto al mar. Una de las madres —que hablaba con un deje elegante— le dijo a la otra que lo que le gustaba de la playa era que nunca veías niños tristes. La otra rio y dijo que sólo aparecían cuando llegaba la hora de volver a casa. Edie tuvo ganas de gritar. Todas las cosas malas que había vivido le habían ocurrido en la playa (en todo caso, había sido en la playa donde se las habían contado por primera vez), ante un mar indiferente cuyas olas no dejaban de romper mientras el viento agitaba su superficie verdusca, dura e implacable como el pedernal líquido.

Era uno de los motivos por el que había tomado un tren a Londres cuando tuvo que escapar. Todos los demás se dirigían a lugares junto al mar. No fue a Londres por las luces, ni tampoco porque fuera la capital.

Fue porque estaba tierra adentro.

George le tocó el hombro, despertándola de su ensoñación.

—Vamos, Edie. Debemos seguir adelante.

—Dame un segundo —le contestó, en tono malhumorado por el frío—. Estoy helada.

George brincó alternando los pies. Durante unas Navidades muy frías, su padre y él habían ido a acampar al norte del país. Su padre le había dicho que debía permanecer en movimiento para no enfriarse, comprobar que no se le congelaban los pies, acurrucarse junto a él en la tienda para conservar el calor. Para George dormir en una tienda bajo la nieve, acompañado únicamente del silbido del viento y los ronquidos de su padre, supuso una auténtica aventura, una aventura en la que no corría peligro. Al recordar la calidez liberada por el cuerpo dormido de su padre las lágrimas le asomaron a los ojos y notó que se sentía muy solo, que tenía mucho frío y que corría peligro.

—Hablo en serio, Edie —le espetó—. Tienes que moverte, de lo contrario pillaremos una pulmonía o algo así.

Pero la chica se limitó a encogerse aún más. Tenía que conseguir que se moviera y de repente vio cómo hacerlo.

—Puedes quedarte aquí. Pero si quieres recuperarlo tendrás que correr —dijo, y le quitó el disco de cristal que ella aferraba con la mano.

Edie se puso de pie y echó a correr casi sin darse cuenta.

—¡Espera!

George volvió la cabeza para comprobar que lo seguía y continuó corriendo. El sendero avanzaba por debajo del puente. Los pilares que decoraban los entrepaños del puente estaban iluminados y el ansia por entrar en calor era tan grande que percibió la calidez irradiada por los focos al pasar bajo el arco de hierro pintado de rojo.

Desde la perspectiva de Edie, era como si George penetrara en la boca de un túnel.

—¡George!

El chico ya se sentía un poco mejor, porque al correr estaba entrando en calor, y porque ella lo seguía. Levantó el disco de cristal por encima de su cabeza para atraerla.

—¡Vamos! ¡Alcánzame!

Edie lo vio introducirse en el túnel apenas iluminado de debajo del puente. Al principio creyó que era un reflejo, pero después se dio cuenta de que el disco empezaba a brillar y a llamear. La luz rebotaba contra los barrotes de hierro que bordeaban el sendero junto al río y proyectaban sombras extrañas en el espacio cerrado del túnel.

Pero no fue sólo eso lo que le arrancó un grito de advertencia.

Unos pasos por delante de George dos figuras con casco se aproximaban a toda velocidad: sus piernas, sin embargo, permanecían inmóviles. Parecían estatuas deslizándose por el suelo y llevaban armas en las manos: lanzas o tal vez guadañas.

Uno sostenía el arma a la altura del tobillo, el otro la llevaba apoyada en el hombro, dispuesto a lanzarla. La silueta de sus armaduras era voluminosa y las grebas que les cubrían las espinillas reflejaban la luz.

Edie gritó su nombre en el preciso instante en que la figura delantera entró en movimiento impulsándose de un lado a otro sobre las piernas y abalanzándose sobre el chico que corría.

En cuanto George oyó el grito de advertencia, la figura delantera estiró el brazo y arrastró el arma por encima de los barrotes de hierro, produciendo un agudo traqueteo de madera contra metal.

Pero no era un monstruo, ni una mácula, ni una estatua; lo único que le interesaba era hacer ruido con su palo de hockey para divertir a su amigo, que bajó el palo que llevaba apoyado en el hombro y lo persiguió deslizándose sobre sus patines.

Cuando surgieron de debajo del puente, riendo y patinando, Edie cayó en la cuenta de que eran un par de jugadores de hockey sobre patines, de esos que juegan en la calle, y que se dirigían a casa.

Dejó escapar un suspiro de alivio y se apresuró a alcanzar a George.

—¡Eh!

El chico agitó la mano que sostenía el disco, giró a la izquierda y se metió en el túnel. El cristal seguía emitiendo su brillo de advertencia.

—¡No! ¡BAJO TIERRA, NO!

Pero él no la oyó.

Más allá de George, el túnel descendía y pasaba por debajo de la antigua ribera del río y la rotonda del final del puente.

Cuando entró en el túnel sintió que la temperatura aumentaba y se alegró: era como si hubiera atrapado el calor del sol.

26

Bajo tierra

Era un túnel largo y anónimo, como cualquier otro pasadizo subterráneo de la ciudad. Las paredes estaban recubiertas de paneles de estrías verticales y el suelo era un damero de piedras negras y amarillas, un espacio anodino que conduce de aquí hasta allí, al igual que todos los demás espacios cotidianos que uno olvida en cuanto los ha atravesado. Uno siempre imagina estar en un lugar específico, no en un limbo como ése. Y en esos lugares el único contacto humano suele ser el que estableces con la mirada cabizbaja de un músico callejero, el olor de una meada furtiva, o el rumor de unas pisadas a tus espaldas que podrían ser las de un atracador, porque un espacio poco frecuentado y que pasa desapercibido bajo la piel de la ciudad es el lugar ideal para un atraco.

Al mirar hacia atrás, George no pensaba en atracos, se limitaba a comprobar que Edie lo seguía y, como no miraba hacia delante, no vio la mano que lo agarró. Sin embargo, oyó el crujido que precedió el ataque.

Supo que era un atracador cuando la mano lo aferró del brazo, porque, al igual que todos nosotros, subconscientemente George siempre había supuesto que algún día se encontraría a solas en un lugar como ése y que aparecería un atracador. Pero no sabía de dónde había salido, porque unos segundos antes el túnel estaba perfectamente vacío.

La mano que se enroscaba alrededor de su antebrazo no pertenecía a ningún atracador. Surgía de la pared.

O más bien de una grieta que ella misma había practicado en la pared produciendo el crujido anterior y dejando escapar a continuación una oleada de calor que se expandió por todo el túnel, como si alguien hubiera abierto la puerta de un horno.

Durante un instante, antes de que lo invadiera el pánico, George tuvo un momento de claridad que le permitió examinar la mano y el brazo con objetividad casi científica.

No era un brazo humano, porque la mano tenía demasiados dedos y ninguno estaba articulado. Enseguida empezaron a enrollársele alrededor del brazo como un grupo de serpientes que competían entre sí: pulsaban, se encogían y aumentaban de largo y de grosor.

No era un brazo humano, porque carecía de piel. Nada lo recubría y lo que estaba al descubierto no era carne ni huesos, sino la tierra de la ciudad, la tierra y el fango viviente que sólo está a algunos centímetros por debajo de la capa de piedra y asfalto. George se quedó mirándolo fijamente, y vio que de la arcilla surgían fragmentos de guijarros y piedras más grandes que se retorcían y ondulaban en la superficie del antebrazo formando rastros pedregosos que se flexionaban y se entrelazaban como tendones.

Y no era un brazo humano porque ya medía ciento veinte centímetros de largo.

Por fin lo invadió el pánico, dejó caer el disco de cristal y trató de liberarse. El calor aumentó y el aire se volvió espeso como una sopa, dificultando la respiración.

—¡EDIE! —gritó desesperado. George intentó mirar por encima del hombro mientras al mismo tiempo le pegaba patadas al brazo.

De pronto se oyó un sonido rítmico: George volvió la cabeza y se quedó paralizado de nuevo. Algo se le estaba acercando a nivel del suelo, como un tiburón que pretendiera atacarlo desde debajo del pavimento agitando las piedras negras y amarillas y formando una ola en su avance.

Aunque el brazo de tierra seguía aferrándolo, George

logró apartarse y remontar la pared con los pies, desesperado por ponerlos a salvo. El sudor lo empapaba y el aire que lo rodeaba era tan caliente que su ropa mojada empezó a desprender vapor.

—¡EDIE!

Estaba atascado en el pasadizo en posición horizontal, procurando que sus pies permanecieran pegados a la pared.

Su atacante subterráneo cambió de rumbo y la ola empezó a ascender por la pared; la cosa salió a la superficie y apareció un único dedo de arcilla que se convirtió en un nudo de tentáculos: parecía un enorme erizo de arcilla agitándose en el extremo de otro brazo y trató de atrapar a George del tobillo; en un esfuerzo desesperado, el chico se retorció presa del terror y trató de ascender aún más arriba con la intención de alcanzar el techo del pasadizo, pero los tentáculos se aferraron a su pierna derecha con todavía más fuerza que la mano que lo sujetaba del brazo.

Edie entró corriendo al túnel y rebotó contra la pared antes de comprender lo que estaba sucediendo. Le pareció ver a dos George: uno permanecía inmóvil en medio del pasadizo y el otro parecía flotar en el aire formando un ángulo recto respecto al primero... O tal vez era un casi-George, porque la imagen era borrosa, transparente y casi invisible, como una voluta de humo sobre la que se proyectara una imagen. No lograba descifrar qué sostenía al casi-George, pero notó que forcejeaba y luchaba por zafarse.

Entonces vio que la parte superior del pasadizo se ondulaba y se partía como un techo fantasmal, y le pareció oír que a lo lejos alguien susurraba su nombre...

—¡Edie!

George vio que la masa sólida de color pardo se desprendía violentamente del techo y gritó más fuerte de lo que jamás había gritado en su breve vida: una vida que quizá no duraría más de un segundo.

Una columna de arcilla se descolgó del agujero del techo y empezó a girar lentamente, como si la amasara un ejército de manos invisibles. La parte inferior se ensanchó y la superior se convirtió en un cable grueso como un poste de telégrafo; después adoptó la forma de un cono y el cable se dobló e impulsó la base del cono hacia George.

El chico dejó de chillar y permaneció prácticamente inmóvil: sólo parpadeó para quitarse el sudor de los ojos y clavar la vista en el cono.

La base del cono era una boca, y en la boca había dientes, dientes que se movían y entrechocaban, dientes que en realidad no eran dientes, sino trozos afilados de pedernal y de vidrio, trozos de latas oxidadas y astillas de porcelana que no dejaban de girar en medio de esas fauces arcillosas, entrechocando y chirriando.

Lo que George veía era el interior de un lento remolino de fango que parecía una picadora de carne.

La mano y los tentáculos que le aferraban el brazo y la pierna se separaron y se retorcieron; el dolor lo traspasó cuando lo estiraron y escurrieron como un paño de cocina y comprendió que la boca estaba a punto de devorarlo como si fuera una mazorca de maíz. Los tentáculos aferraban su tobillo con tanta fuerza que al intentar zafarse sintió que le arrancaban la pierna y que el dolor era tan insoportable que estaba a punto de perder el conocimiento. Y, al mismo tiempo, comprendió que si se desmayaba, la picadora lo convertiría en picadillo. Entonces recurrió a la poca fuerza que todavía le quedaba para golpear el brazo cuyos tentáculos le aferraban la pierna.

Pero enseguida se dio cuenta de que era inútil, y supo que a veces lo único que te queda es la esperanza perdida, y golpeó el brazo con la mano y sintió la tierra mojada y los guijarros afilados y las raíces muertas y después otra vez el aire, y de repente sus pies quedaron libres y quedó colgando en el aire en posición vertical.

El aire se desplazó cuando la boca se abalanzó sobre el lugar que George había ocupado haciendo rechinar los dientes. El dolor de su brazo aprisionado se redobló al cargar con todo su peso, porque la otra mano de arcilla aún seguía aferrándolo. Sus pies bailoteaban a treinta centímetros del suelo y, cuando el cono dentado se retiró como una serpiente dispuesta a atacar, George le pegó una patada.

Una vez más percibió la tierra y las piedras y los escombros, y después el aire y esta vez vio lo que su mano había provocado: el cono dejó de ser un cono y se convirtió en un montón de arcilla y guijarros, como una palada de tierra que alguien hubiera arrojado bajo sus pies, encima del damero negro y amarillo.

Les asestó un manotazo a los dedos que seguían enrollados como una boa alrededor de su brazo, y también se disolvieron en cuanto los tocó; fue tan sencillo como sacudirse el polvo de las mangas.

George cayó al suelo y trastabilló.

Edie vio cómo el casi-George que flotaba y luchaba caía al suelo, y entonces ambos George se convirtieron en un solo niño. Edie se aproximó corriendo.

—¡Debes salir de aquí inmediatamente, George!

No sabía qué había visto, pero estaba convencida de que era algo malo y que estaba relacionado con el hecho de estar bajo tierra: no había duda de que ambos debían salir del túnel cuanto antes. Edie lo agarró del brazo mojado y tiró de él. George dio un paso, y después se detuvo.

—Un momento —dijo, agachándose y recogiendo algo del suelo; después ambos corrieron escaleras arriba y salieron al exterior... Y cuando el aire frío de la noche le golpeó la cara, George inspiró como el que bebe su primer vaso de agua fresca después de haber trabajado todo el día en una fundición.

La frialdad de la noche y el *shock* hicieron castañetear sus dientes de nuevo. George se quedó mirando a Edie.

—¿Qué? —dijo la chica.

Él le devolvió el objeto que se le había caído en el túnel y, cuando Edie lo miró, vio que el brillo era tan tenue que a lo mejor se trataba de su imaginación.

—Lamento habértelo quitado. Lo hice para que me siguieras, porque no sabía qué hacer...

Ella se metió el disco de cristal en el bolsillo y cerró la cremallera.

—Pues no lo vuelvas a hacer. Nunca.

—No lo haré.

Edie se estremeció y se frotó los brazos empapados; sus dientes volvieron a castañetear.

—Pero si lo haces, al menos míralo. Para eso está, pedazo de idiota. Has echado a correr sin ver dónde te metías.

George sintió dolor en el brazo y en el tobillo, recordó la tierra ondulada, los tendones de guijarros y la boca repleta de escombros afilados, y decidió que ya pensaría en ello más adelante. Ahora quería ponerse en marcha.

—Vale.

—Podrías haberte ahorrado un montón de problemas.

Él asintió con la cabeza, feliz de haber salido del túnel, de estar al aire libre y respirar con normalidad. Tal vez podría haber hablado de ello con Edie si ella lo hubiera visto... ¡Y sin duda tenía que haberlo visto! A lo mejor ella podría explicárselo.

—¿Sabes qué era eso?

—¿Además de algo horroroso y aterrador?

—Sí.

—No era un fantasma, sólo una pesadilla más.

—Pero ¿lo has visto?

De repente, para George era muy importante que Edie también lo hubiera visto.

—He visto algo. Como capas de tierra o... No sé. Trozos de cosas. Tú estabas allí de pie y después había otro George borroso flotando en el aire y luchando, y después... Es complicado.

—A lo mejor el Fraile Negro nos lo explicará.

Edie negó con la cabeza.

—Limítate a preguntarle acerca de la Piedra de Londres, como dijo el Artillero. No lo compliques.

—¿Por qué?

Ella se encogió de hombros y atravesó la calzada alejándose del río y frotándose los brazos para entrar en calor.

—No lo sé. Cada vez que hablamos con uno de esos vitratos sus respuestas son bastante confusas; no les demos la oportunidad de volverse aún más ambiguos. La Piedra de Londres es la clave, así que tratemos de obtener una respuesta sencilla.

27

El cenobita oscuro

George siguió a Edie hasta un pub de cuatro plantas y forma triangular cuyo ángulo más agudo se asomaba al río como la proa de un barco. A la altura del primer piso, por encima de un mosaico verde y dorado que formaba el número 174, la gran estatua negra de un fraile ocupaba el lugar del mascarón de proa; tenía las manos entrelazadas encima de su abultado vientre, ceñido con un largo cinturón acabado en borlas.

Los chicos se detuvieron debajo de la estatua. El pub estaba cerrado. Al alzar la vista sólo vieron su papada, sus gordas mejillas y su nariz sobresaliente. Les pareció que les sonreía alegremente, pero no podían asegurarlo, porque no le veían los ojos. Por encima de su cabeza había un reloj amarillo. George lo contempló con recelo.

—¡No puede ser! ¿Cómo van a ser las siete menos cinco? Tiene que ser mucho más tarde.

—Aquí siempre son las siete menos cinco, jovencito. Una hora cordial y prometedora; las tareas diarias ya han acabado, la velada se extiende ante nosotros como un banquete y uno puede elegir lo que más le apetezca; una hora para la calidez, la cordialidad y la conversación —dijo una voz sonora y meliflua por encima de sus cabezas, dejando entrever una risa alegre, como el repicar de las campanas.

—Hemos venido a conversar —dijo Edie, retorciéndose para verlo mejor.

El Fraile Negro inclinó la cabeza para contemplarla y la miró sorprendido.

—¿Me has oído?

—Y eso de la calidez sonaba bastante bien —añadió George sin dejar de moverse y frotándose los brazos para entrar en calor.

—¿Así que ambos me habéis oído? —dijo el Fraile.

—Ambos tenemos frío —dijo Edie.

—Y estamos mojados —añadió George—. Fríos y mojados.

—Pues que me aspen —dijo el Fraile—. Cuidado, voy a bajar.

Se desprendió de la fachada del edifico y se dejó caer al suelo; su casulla se hinchó como si fuera un oscuro paracaídas, y el Fraile aterrizó en la acera con un ruido que hizo honor a su considerable volumen. Estiró las piernas, se alisó la casulla y los contempló. Entonces se fijaron en que sus ojos estaban rodeados de arrugas risueñas, y concluyeron que parecía un fraile muy simpático y cordial: un alivio, porque en otras circunstancias, su tamaño habría resultado amenazador.

—¿A conversar? ¿Acerca de qué? ¿Y por qué? ¿Y de dónde y sin duda que además por qué, supongo?

Los chicos intercambiaron una mirada que en cualquier lengua se traduciría como «¿Eh?».

—Perdone, ¿cómo dice...?

—Disculpas aceptadas. Olvídalo —dijo el Fraile con una sonrisa.

George se preguntó si el Fraile estaría un poco chiflado. A Edie sólo le pareció fastidioso.

—El Artillero dijo que podría usted ayudarnos. Y una ayuda nos vendría muy bien.

—¿El Artillero, dices?

—Por favor —dijo George.

—Conozco a varios artilleros.

—Nosotros sólo conocemos a uno. Es un vitrato, como usted.

El Fraile los examinó e hizo una pausa; después soltó una risita y señaló la puerta del pub.

—Por favor. ¡Cualquier amigo del Artillero, de cualquier artillero, es amigo mío, etcétera! Estoy en desventaja: el mesón está cerrado por obras. Han decidido reformar los lavabos que se encuentran debajo del bar, y hay que decir que con el tiempo y el uso habían empezado a ser un poco pestilentes. Pero, por favor, entrad. La hospitalidad siempre ha sido nuestro lema, sea la hora que sea.

George intentó abrir la puerta, pero no pudo. Edie agitó el pomo, pero la puerta siguió cerrada.

—Está cerrado con llave —le dijo al Fraile en tono de acusación.

—Bien, el amor se ríe de los cerrajeros.

—¿Qué?

El Fraile se acercó.

—No hay puerta que permanezca cerrada a los puros de corazón —dijo pegándose al pomo. Y la puerta se abrió—. Como podéis ver.

—Ha usado una llave —comentó Edie en voz baja.

El monje dejó escapar un suspiro teatral y se encogió de hombros como un mago desilusionado.

—Bendita sea tu vista aguda; no hay duda de que tendremos que vigilarte.

A continuación se hizo a un lado y ambos entraron en el pub. Era un local estrecho y lleno de ángulos. En medio de la oscuridad reinante se veían formas extrañas y reflejos que parecían aproximarse y alejarse a medida que los faros de los coches pasaban junto a las ventanas. El reflejo de las farolas de la calle hacía brillar las botellas y las copas que había detrás de la barra.

Las escaleras y otros artilugios desparramados por el suelo revelaban la presencia de los paletas, y, como una mortaja olvidada, una sábana blanca protegía la barra del polvo.

La puerta se cerró a sus espaldas. El Fraile Negro pasó junto a ellos con una agilidad inesperada en alguien de sus dimensiones.

—Cuidado con el desorden de los paletas; venid hacia aquí, encenderemos la luz de esta habitación, nos calentaremos y veremos qué puedo hacer por vosotros, porque está claro que hemos de hacer algo para que dejéis de moquear.

Cruzaron un arco bajo situado a la izquierda y los invitó a sentarse en un banco en un espacio oscuro y abovedado; de pronto el Fraile abandonó la estancia y desapareció escaleras abajo.

—¡Moquear! —dijo Edie.

—Ya —repuso George, encogiéndose de hombros. Volvía a estar congelado y la ropa se pegaba a su cuerpo como si fuera una venda empapada.

—No pretenderás que confiemos en una cosa que dice que moqueamos.

Los dientes le castañeteaban en la oscuridad, pero, antes de que George pudiera decir algo más, oyeron un traqueteo y el Fraile apareció arrastrando un objeto pesado que hacía resonar toda la estancia cada vez que golpeaba contra uno de los peldaños de la escalera.

El Fraile volvió a cruzar el arco obstruyendo con su volumen el paso de la luz de las farolas. Y depositó en el suelo un bidón de gas y un calentador bajo en forma de torpedo.

—Los paletas intentan secar el sótano. Estoy seguro de que no se considerarían buenos cristianos si os negaran el calor cuando más lo necesitáis —exclamó dejando caer al suelo un montón de ropa—. Ropa seca. Algo parecido a toallas. La gente se deja cosas —explicó—. El peligro de beber demasiado en un mesón como éste es despertarse en casa con un dolor de cabeza horrible y sin un abrigo, ¿comprendéis?

Se rio de su propio buen humor.

—La tragedia cotidiana del hombre cordial, sin duda. Ponéosla. Os proporcionaré intimidad mientras os cambiáis. Tal vez un poco de comida sería...

—Sí —se apresuró a decir Edie, y entonces George se dio cuenta de que hacía rato que no probaba bocado.

Ella se arrodilló y agarró unas cuantas toallas.

—Son paños de cocina. Son diminutos.

—Menos mal que hay muchos —dijo George. Entonces se arrodilló junto al calentador e hizo girar el botón que había en la parte superior del bidón de gas. Notó que algo se movía a sus espaldas y empezó a volver la cabeza.

—Me estoy cambiando —dijo Edie.

—De acuerdo. No miraré —contestó, intentando localizar el cuadrante del calentador a la luz de las farolas—. Estoy tratando de encenderlo.

—¿Sabes cómo funciona?

George descubrió un enchufe en el extremo de un cable; junto a su rodilla, en la pared, había una toma de corriente, así que lo enchufó. Un ventilador se puso en marcha en el interior del torpedo.

—En el estudio de mi padre había uno igual. Lo usaba en invierno. Un momento.

George giró un conmutador, pero no pasó nada. Edie soltó un bufido burlón.

—Creía que habías dicho que sabías cómo funcionaba.

George contó hasta diez y después presionó un botón. Se oyó un clic, se encendió una chispita y, con un gran rugido, el calentador se encendió. En su interior, el ventilador impulsaba un círculo de llamas sobre una rejilla metálica que se fue calentando hasta ponerse al rojo vivo; el calor aumentó con rapidez. Las llamas cambiaron de color: del azul al rojo y después al blanco, y el chico retiró la mano para no quemarse.

—Estupendo —dijo Edie; casi estaba impresionada—. Fantástico.

Las llamas empezaron a iluminar el recinto. Era un espacio abovedado de unos dos metros de ancho y cinco de largo, completamente revestido de mármol marrón con vetas negras. Por todas partes había columnas y pilastras y espejos y elaboradas lámparas y estatuas. Por encima de sus cabezas, la bóveda reflejaba el brillo de miles de pedacitos de mosaico dorado, perfilados por delgados dameros negros y blancos. En el centro del techo había una rosa de los vientos en forma de estrella y, alrededor de la cornisa inferior, había varias citas, y ninguna parecía guardar relación con las demás. George se encontraba frente a una que rezaba: «NO CORRAS QUE TENGO PRISA», y en otra leyó: «LAS GALAS SON UNA PAYASADA.»

—Eh —dijo Edie poniéndose una larga camiseta masculina.

—Lo siento —dijo George desviando la mirada—. Este lugar es bastante extraño, ¿no te parece?

—Así es.

—Es como estar en una iglesia o algo así.

La chica tendió la falda y los leotardos que llevaba en una silla, delante del calentador.

—¿Quieres secarte y cambiarte?

George retrocedió y Edie se colocó delante del calentador contemplando la decoración mientras se secaba el pelo con un paño de cocina. George se fijó en que llevaba el disco de cristal en la mano.

Tras desembarazarse de la chaqueta y la camisa, George se secó el pecho con los paños de cocina. Era muy agradable, y el dolor del brazo y del tobillo empezaba a parecerle más soportable. Poco a poco fue entrando en calor. Rebuscó entre el montón de ropa, encontró una chaqueta de lana y se la puso directamente encima de la piel. Estaba tan contento de estar seco que no le importó que fuera áspera. Le parecía confortable y real. Después se desprendió el cinturón.

—«NO LO ANUNCIES: DÍSELO A UN COTILLA.» —Edie leyó lo que ponía en la cornisa—. No sé qué significa, no tiene sentido. Pero te diré una cosa: este calor es maravilloso.

28

Un gesto con la muñeca

En el monumento a los caídos de la Royal Artillery hay otras estatuas. El Municionero se encuentra junto al extremo del cañón y lleva dos grandes cargadores a ambos lados de las piernas. Detrás de la recámara está el Oficial, con las piernas separadas y un abrigo plegado cubriéndole las manos.

Alrededor de la curva de Hyde Park Corner resonó el rugido del tubo de escape de una moto y el motorista aprovechó un paréntesis de calma en el tráfico para acelerar. Avanzaba a demasiada velocidad para apreciar el pequeño movimiento, pero tampoco lo habría visto en circunstancias más normales.

El Oficial hizo un gesto con la muñeca y abrió la tapa de su reloj de pulsera para mirar la hora. Después la cerró, volvió a ocupar su posición habitual y dirigió la mirada hacia el fondo de los jardines del palacio de Buckingham, hacia el cobertizo donde se supone que la reina conserva sus herramientas de jardinería. Aunque adoptó la posición de descanso, con las piernas separadas, su rostro permaneció tan inexpresivo como si estuviera firme en el campo de instrucción.

Lo único que revelaba sus pensamientos era un pequeño tic: se chupaba los dientes produciendo un chasquido de lo más irritable.

29

La impronta del hacedor

George se frotó las piernas con un paño de cocina y se puso unos pantalones de paleta salpicados de pintura. Eran demasiado grandes, pero introdujo su cinturón por las presillas y se lo ajustó.

—Me siento casi humano —dijo con una sonrisa, disponiéndose a enrollarse las perneras por encima de los tobillos.

—Sé a qué te refieres, jovencito.

El Fraile entró en la habitación, precedido por el sonido retumbante de su voz; se agachó al pasar por debajo del arco y depositó un paquete de patatas fritas, unos panecillos y una botella llena de un líquido verde encima de la mesa.

—Sentaos al calor de la lumbre y comed; cuando hayáis dejado de temblar, conversaremos. Pero primero bebed esto —dijo. Descorchó la botella y sirvió un chorrito del líquido verde amarillento y pringoso que contenía en dos vasos.

—¿Qué es? —preguntó Edie con suspicacia.

—Lo elaboran los monjes —dijo el Fraile—. Contiene hierbas, flores y algo más. Os hará entrar en calor. ¡Salud!

George bebió un trago y, más que calor, le pareció que por su garganta se estaba deslizando fuego líquido. Y se atragantó. Pero era un fuego dulce y picante, con sabor a miel y medicina y hierbas cuyos nombres ignoraba; cuando dejó de toser sintió que algo volvía a encenderse en su interior.

—Es bastante bueno —le dijo a Edie, que lo observaba para comprobar que no se había bebido algún veneno.

—Bien —dijo, y bebió un trago. No se atragantó, pero hizo una mueca.

—¡Puaj! —exclamó—. Es asqueroso. ¡Supongo que te parece gracioso!

—A mí me ha gustado —dijo George.

—Sabe a baño de pies para ancianas. Después de haberlo usado. ¡Ajjj!

Edie partió un panecillo, abrió una bolsa de patatas fritas con sabor a langostino y rellenó el panecillo. El crujido precedió a una amplia sonrisa.

—Bueno, al menos me he librado de ese sabor —dijo con la boca llena—. Pruébalo.

—No, gracias —contestó el chico; ahora el asqueado era él.

Ella se encogió de hombros, dio cuenta del panecillo y se dispuso a prepararse otro.

El Fraile tomó asiento en un banco que recorría una de las paredes de la habitación y les indicó que se acercaran.

—Ahora contadme qué ocurre, amiguitos. Decidme qué habéis estado haciendo para encontraros en semejante berenjenal.

—No es ningún berenjenal —protestó Edie.

El Fraile soltó una risita.

—Y no tiene ninguna gracia —prosiguió Edie, antes de devorar otro bocado de su nuevo sándwich.

—Tiene razón —dijo George.

—Desde cierto punto de vista, todo tiene gracia, os lo aseguro. Sólo se trata del punto de vista.

George comprendió la frustración de Edie. Acababan de sufrir una pesadilla y el vitrato se limitaba a reírse de ellos.

—Desde nuestro punto de vista es muy grave.

El Fraile le clavó la mirada. Después se pasó la mano por

la frente y la barbilla, y su sonrisa fue reemplazada por una expresión sombría.

—Por supuesto, por supuesto.

El Fraile inclinó la cabeza hacia atrás y echó un vistazo a su alrededor. Contempló los cuatro querubines que había situados en cada esquina, pero ninguno de ellos se movió. El Fraile agitó los hombros para desentumecerlos.

—¿Y por qué habría de ayudaros?

—Porque eres una de las efigies buenas.

—¿Lo soy? No lo sabía. Una «efigie» es lo que queman la noche del 5 de noviembre, y os aseguro que no me apetece lo más mínimo morir quemado. Se podría decir que he dedicado mi vida a evitarlo.

«Es evidente que al Fraile Negro le agrada el sonido de su propia voz», pensó George, bastante irritado. Tenía la sensación de que le habían estado hablando todo el día y nadie le había dado una respuesta concreta y directa: todo el mundo se había limitado a impulsarlo de una experiencia espantosa a otra.

—Ya sabes a qué me refiero —dijo George en tono áspero.

Edie se sorprendió al oír ese tono irritado. El Fraile arqueó una ceja.

—No es así, caramba. Lo único que sé es lo que me dices. ¿Quién te ha dicho que era bueno?

—Eres un fraile —interrumpió Edie.

—Y los frailes ayudan a los demás, ¿no? —dijo George.

—Sí. Los frailes toman partido por lo bueno —aseguró Edie.

—Pues dejad que os diga lo que soy —dijo el monje extendiendo los brazos como alguien que no tiene nada que ocultar. Las mangas de su casulla se deslizaron hacia atrás y revelaron sus brazos grandes y musculosos, que no parecían tan gordos como había creído George—. Soy lo que parezco, ni más ni menos. Soy tanto un fraile gordo como un alegre mesonero; soy el más jovial de los individuos y el que vigila en la bifurcación. También soy un hombre al que le agrada hablar con otros hombres a quienes les agrada hablar. Proporciono risas y felicidad, calidez y alegría, y absolución por los pecados pasados, presentes e incluso (pagando unos honorarios) futuros. En resumen, puedo aliviar vuestras necesidades y allanar vuestro paso por este valle de lágrimas. Ayudo a los necesitados y ofrezco el descanso eterno. Ya veis...

Edie se removió irritada y tiró de la camiseta cubriéndose las rodillas.

—Lo que veo y lo que oigo es que algunos vitratos tienen la fastidiosa costumbre de usar palabras que no comprendemos —dijo, intercambiando una mirada con George; éste asintió con la cabeza.

—¿Qué significa «descanso eterno»?

—Significa un alivio, una liberación de las penurias de esta vida, pagar el precio íntegro, como en el caso de un deber o una deuda...

—Oye —lo interrumpió Edie—, limítate a escuchar. Casi nos hemos dejado la piel intentando llegar hasta aquí. No es momento para una clase de idiomas.

El Fraile se limitó a sonreír y aguardó. Como no ocurrió nada, arqueó una ceja y siguió esperando.

—Dice la verdad. El fango del Támesis la absorbió y a mí algo... Me agarró algo allí fuera, en el túnel...

El Fraile arqueó la otra ceja y su sonrisa se volvió aún más amplia. George consideró que las personas que hablan en exceso cuando uno no quiere que lo hagan y después se callan y sonríen en vez de hablar son exasperantes, sobre todo cuando su sonrisa parece decir: «No será para tanto.»

—¡Eso ha sido lo que ha ocurrido! En el túnel. Las paredes me han agarrado.

El Fraile abrió los ojos y frunció los labios, simulando estar sorprendido.

—¿Las paredes, dices?

—Sí, las paredes —repitió George. De pronto se dio cuenta de que apretaba las mandíbulas, tal como solía hacerlo Edie. El monje se inclinó hacia delante y volvió a arquear una ceja.

—Resulta condenadamente complicado que te agarre una pared, ¿no te parece? —dijo, riendo.

—No ha sido gracioso, en absoluto —interrumpió la voz seca de la chica.

El Fraile siguió riendo y finalmente hizo un esfuerzo para controlarse.

—No, supongo que no. Dices que las paredes lo han agarrado. Supongo que deben de haber surgido unas manos y... ¿qué? ¿Han intentado atraparlo? —dijo, soltando otra risita.

La risa del robusto monje no le hacía ninguna gracia a George.

—Sí. Han intentado atraparme.

El Fraile dejó de reír y lo miró.

—¿Así que las manos han surgido de las paredes?

—Manos y tentáculos. Y una cosa como una boca, como una gran trompeta dientuda.

La habitación se sumió en el silencio, como si hubiera alguien más que el Fraile intentando escuchar lo que decían. El Fraile había dejado de sonreír, y lo único que se oía era el siseo del calentador de gas.

—¿Y eso os ha ocurrido realmente? ¿A los dos?

—Sólo a él —dijo Edie.

—Pero ella lo ha visto —añadió George.

El Fraile alzó la vista y observó las otras tallas y figuras que adornaban el techo del pub. Ninguna parecía animada, pero George percibió que intercambiaban unas palabras que él no podía oír ni comprender.

El Fraile Negro se frotó la cabeza y los ojos con ambas manos, como si tratara de despertarse; después miró al chico.

—¿De qué estaban hechas esas «manos» que te agarraban?

—De tierra.

—¿De tierra? —dijo el Fraile. Su sonrisa había empezado a desvanecerse.

—De barro. De arcilla. De guijarros.

—¿Y han logrado atraparte? ¿Te han tocado?

George asintió con la cabeza. Le mostró el tobillo y el brazo: el enrojecimiento estaba adoptando un tono morado. Hasta Edie se impresionó.

—Guau. ¡Algo te ha agarrado con mucha fuerza!

—Ya te lo había dicho. Creía que lo habías visto.

—He visto algo. Pero era fantasmal, como si se superpusiera encima de lo que veía. Como si...

Como no se le ocurrieron más palabras para describir lo que casi había visto, calló. El Fraile Negro se inclinó hacia George.

—Si te han agarrado, y ciertamente veo que alguien te ha tratado con mucha brusquedad...

—Alguien no, algo —insistió el chico.

—Ya, claro, querido muchacho, claro que sí. Pero si esta tierra te ha agarrado así, me pregunto cómo has escapado.

—Le he dado un golpe.

El Fraile parecía a punto de echarse a reír de nuevo.

—Así que le has dado un golpe y se ha detenido. Perdona, pero parece bastante improbable que los elementos hayan cobrado forma de un modo tan agresivo y un simple, perdóname una vez más, un simple muchacho haya podido zafarse de ellos con un golpe. No, me temo que ésta es una historia, una invención de otra persona...

—¡No es ninguna invención! Me estaban despedazando y los he golpeado así, y así y así y han quedado hechos trizas, se han convertido en un montón de fango y guijarros tirados en el suelo y... ¿Qué hace?

El monje había observado a George imitando lo ocurrido y cuando abrió la mano y reprodujo los golpes que lo habían salvado, el monje lo agarró y examinó las marcas rojas que el zarpazo del dragón le había dejado en la palma de la mano.

—¿Quién te ha hecho eso?

—¿El qué?

El monje hizo girar la mano del chico y ambos vieron la cicatriz.

—Eso. La marca del hacedor.

Aunque George estaba sentado delante de una estatua parlante, en cuanto formuló la respuesta, ésta le pareció absurda.

—Un dragón. Un dragón me ha dado un zarpazo. En Temple Bar.

Sin soltarle la mano, el Fraile sacudió la cabeza.

—Eso no es la marca de un dragón, jovencito, y cuando un dragón te da un zarpazo, no te deja una cicatriz; la herida permanece hasta que te quemas y te mueres.

—¡Le digo que ha sido un dragón! —exclamó George.

—¡No es verdad! —gritó el monje—. Es la marca de un hacedor, ¡y tú, pedazo de cebollino, no deberías llevar esa marca!

El chico se miró la mano.

—No sé qué es la marca de un hacedor.

—Y yo no sé qué es un cebollino —dijo Edie y, antes de que el monje pudiera proseguir, añadió—: Pero si significa mentiroso, se equivoca. Un dragón le dio un zarpazo y algo —dijo, desviando la mirada un instante—, algo malo le ocurrió en el túnel.

El monje miró a uno y a otro y de pronto se puso de pie. Estaba serio y la ausencia de su sonrisa resultaba intimidante.

—Quedaos aquí. No salgáis del edificio, no salgáis de la habitación, no toquéis nada y no digáis nada. Volveré.

Y, tras el repentino revuelo de su capa y su casulla, atravesó la puerta y lo último que vieron u oyeron fue el ruido de la llave en la cerradura y su sombra alejándose bajo las luces anaranjadas de la noche, más allá del cristal esmerilado de las ventanas.

George se miró la mano.

—No es más que una cicatriz.

Edie se acercó arrastrando los pies.

—Tiene cierta forma, ¿verdad?

—¡Claro que tiene forma!

—No, quiero decir que es una forma con significado. Como un ideograma chino, o un símbolo o algo por el estilo...

George cerró el puño y se metió la mano en el bolsillo.

—Bueno, sea lo que sea, me duele una barbaridad.

Edie dirigió la mirada a la puerta del pub.

—¿Te fías de él? —le preguntó a George.

—¿Por qué no habría de fiarme?

—No lo sé. Nunca me fío de quienes sonríen demasiado.

George echó un vistazo en torno a la habitación. Parecía estar repleta de rostros y estatuas que los observaban. De hecho, ya empezaba a hacer bastante calor. El techo abovedado provocaba una sensación algo claustrofóbica. El mármol marrón y negro parecía húmedo y malsano, como la grasa de cordero ahumada.

—Bien —repitió ella—, ¿te fías de él?

—No creo que sea el momento —dijo George señalando las figuras—. Las paredes tienen oídos...

—Sí, y ojos, y bocas y manos y pezuñas y garras y, un momento...

Edie se detuvo debajo de una lámpara de alabastro que sobresalía de la pared. Al principio le pareció una orla decorativa de la que colgaba una extraña lámpara de metal en forma de lechera pechugona, con dos bombillas colgando de un yugo que llevaba en los hombros.

—¿Qué pasa? —dijo George, intentando ver lo que Edie estaba mirando.

Ella recorrió el relieve de las letras que había en la parte inferior del soporte de alabastro. Ponía: «MEDIODÍA.»

—¿Lo ves? —dijo, señalando con la mano.

George vio que la orla tallada no era meramente decorativa. Era la figura de un fauno: mitad hombre, mitad cabra, pero tenía alas y colgaba cabeza abajo, con los ojos cerrados y los brazos cruzados sobre el pecho, durmiendo como un murciélago.

—Es un diablo —dijo Edie.

—Es un fauno. Mitad cabra, mitad hombre. Es mitológico —contestó George.

—Todo esto no parece muy de fraile, ¿no? Faunos, lecheras, esos querubines en los rincones... ¿Qué tienen que ver con un fraile?

—No lo sé. Pero el Artillero no nos habría enviado aquí si el Fraile fuera malvado.

—Si fuera una mácula.

—No es una mácula.

—A lo mejor también hay vitratos malvados.

Ambos se quedaron pensando en esa posibilidad.

—Ojalá estuviera aquí el Artillero.

30

Incapacitado

El Artillero tenía el rostro apoyado en el fango y ya no se movía. Había recorrido el Strand y cada paso había sido más doloroso que el anterior; cuando llegó a Trafalgar Square y giró a la izquierda, por debajo de las elevadas columnas del Arco del Almirantazgo, supo que sus problemas eran mayores de lo que había imaginado.

El calor de las llamas del dragón de Temple Bar ardía en su interior como una ponzoña que minaba toda su energía. Era la primera vez que sentía que estaba hecho de bronce. Le habían creado para vestir un uniforme y si se lo hubieran preguntado, habría dicho que se sentía como cualquier otro hombre, pero nadie le plantea ese tipo de preguntas a una estatua, ni siquiera las demás estatuas.

En sus entrañas, donde residía la ponzoña del fuego, se sentía flácido, casi líquido. Lo sólido se había ablandado y era como si su piel fuera una chatarra que se veía obligado a arrastrar, una chatarra metálica que podía reventar o romperse en cualquier momento. Aborrecía esa sensación que le recordaba el dolor de su concepción, el momento en el que algo que no era él, sino simplemente metal líquido, había adquirido su forma presente. Y, al recordar ese momento, comprendió que su muerte sería algo parecido y esa idea empezó a corroerle como la ponzoña del fuego del dragón.

El dolor que recordaba no era el del bronce líquido que su hacedor vertió en el molde con forma de artillero en la fundición. Era el dolor del metal que se enfría y adopta aquella forma, el dolor de volverse sólido. Era el dolor de la muerte de todas las cosas en que podría haberse convertido de no haberse transformado en el Artillero. Y, como la cifra era infinita, también lo era el dolor por la muerte de todas esas otras cosas.

Se tambaleó por el Mall y, al pasar junto al parque de St. James, que se extendía a su izquierda, divisó el brillo del lago a través de los árboles y consideró que si lograba llegar hasta allí y sumergirse en las aguas podría aliviar ese dolor que lo minaba y alcanzar Green Park y Hyde Park Corner, y llegar hasta su plinto antes de medianoche. Pero para cuando lo pensó la ponzoña ardiente ya lo roía con tanta intensidad que habría preferido tenderse en las frescas aguas oscuras hasta medianoche y dejar que acontecieran las consecuencias de no estar en su plinto a la hora señalada.

El dolor y las heridas eran tan profundos que el olvido, la parálisis y la ceguera dejaron de tener importancia.

Esperó que el chico estuviera bien. Estaba bastante seguro de que el Fraile no era tan negro como lo pintaban. Pero no tenía elección. Y además estaba esa chica extraña, el vislumbre, que tanto dolor albergaba en sus entrañas. Y ese dolor lo infligiría a los demás, pero, aun así, era la única en quien George podía confiar.

Tal vez el chico se merecía algo mejor.

Se sumergió en el lago espantando a una familia de patos dormidos que emprendieron la huida. Cayó sobre una rodilla y después se inclinó hacia atrás y tendió su cuerpo en el fango fresco bajo las aguas poco profundas del lago.

Pero no surtió efecto. El Artillero creyó que el agua empezaría a burbujear y a soltar vapor cuando entrara en contacto con su cuerpo, pero nada de eso sucedió.

Su idea no había funcionado.

Había agotado sus escasas fuerzas para llegar hasta el lago y ahora ya no le quedaban fuerzas para llegar al plinto a tiempo.

—Estúpido. —Eso fue lo último que dijo.

Entonces, haciendo un esfuerzo monstruoso, se puso a

cuatro patas y trató de salir del fango consciente de que no lo lograría, pero también de que no dejaría de intentarlo. Avanzó unos centímetros y entonces sus fuerzas se agotaron y cayó boca abajo, en el fango, al borde del agua. Volvió la cabeza de lado, el casco se le cayó y su mejilla se hundió en el barro.

Y entonces dejó de moverse.

31

Pequeña Tragedia

Edie estaba sentada delante del calentador poniéndose los leotardos. George le echó un vistazo.

—¿Ya están secos?

—Si estuvieran más secos, se quemarían. Ten cuidado, no vayan a quemarse tus tejanos.

George los tocó: estaban bastante secos. Se dirigió a un rincón oscuro del pub y se los puso. Edie desapareció detrás de la barra y el crujido delató que estaba comiendo más patatas fritas.

—¿Qué haces?

—Robo comida. ¿Quieres?

—No.

George oyó más crujidos y después un tintineo. Ella se asomó por encima de la barra.

—¿Qué has dicho? —preguntó.

—No he dicho nada.

—Sí, te he oído, yo... —dijo ladeando la cabeza y escuchando.

—¿Qué pasa? —preguntó él.

—Nada.

—¿Has oído algo?

—Eso me ha parecido. Es este lugar, los espejos y todos esos rincones oscuros. Es como si hubiera más personas aquí.

—Es que hay más personas de lo que creías —dijo una voz que ninguno de los dos había oído antes.

Era una voz londinense y picarona, como la de un niño muy anciano y un tanto fanfarrón. Ambos dirigieron la mirada hacia un nicho rodeado de columnas y vieron que una máscara colgada boca abajo les lanzaba una mueca. Después, una mano apartó la máscara y apareció uno de los querubines que antes estaba sentado en la cornisa. Su expresión era sonriente y traviesa, y su rostro estaba coronado por una melena rebelde.

—¡Caramba! —dijo George.

Tenía la impresión de que ese niño pequeño podría desaparecer en cualquier momento, porque no dejaba de observar la puerta como si esperara que se abriera y entrara el Fraile.

—Sí. Y también hay otros «aquí», si sabes verlos —dijo el querubín.

Edie estaba a punto de hablar, pero George le indicó que se callara.

—¿Cómo te llamas? —preguntó George.

—¿Yo? Me llamo Tragedia. O Pequeña Tragedia. Aunque también me llaman Diablillo.

—¿No deberías llamarte Comedia? —dijo George señalando su sonrisa.

—Claro que no. Por eso me dieron la condenada máscara, para ocultar mi rostro. ¡La comedia no necesita una máscara, créeme!

—¿Por qué? —preguntó Edie.

—¿Por qué qué?

—¿Por qué hemos de fiarnos de ti? Las personas enmascaradas suelen ocultar algo.

Pequeña Tragedia parecía ofendido.

—Edie —dijo George en tono de advertencia.

—Ahora no llevo ninguna, ¿no? —dijo el querubín agitando la máscara.

—No —reconoció Edie.

Pequeña Tragedia sonrió.

—¿Lo ves? Además, todo el mundo lleva alguna clase de máscara. No todos son exactamente lo que parecen.

—Ah, ¿no? —dijo Edie.

—No. ¡Jo! Si permaneces sentado debajo del techo de un pub durante cien años, ves de todo. Y oyes de todo. Y, después de un rato, incluso empiezas a pensar.

—¿En qué piensas? —preguntó George. Percibía que el querubín quería decirles algo, pero estaba convencido de que iban a tener que sacárselo con sacacorchos.

—Bueno, pues que todo esto es un cachondeo.

—¿Lo es? —preguntó George.

—Eso dice él. El Viejo Negro. Dice que todo esto es un gran cachondeo y que el truco consiste en reír el último, y también el primero. Reír cuanto podamos. —De pronto dejó de sonreír y adoptó una expresión preocupada. Entonces preguntó—: ¿Quiénes sois?

—¿Quién soy?

—No, quiénes sois, ambos. Porque, como he dicho, he visto muchas cosas, pero nunca al Viejo Negro sin una sonrisa (o simulando sonreír) como cuando le habéis dicho lo que habíais estado haciendo y cómo habéis llegado hasta aquí. Así que lo que me pregunto es: ¿quiénes sois?

George se encogió de hombros, se puso la chaqueta y empezó a amasar el trozo de plastilina que tenía oculto en el bolsillo.

—Soy un chico normal. Aunque hoy soy capaz de ver a vitratos como tú. Bueno, suponiendo que seas un vitrato...

—De lo que puedes estar seguro es de que no soy una mácula, ¡faltaría más! —exclamó el querubín, ofendido.

—Lo siento, no pretendía ofenderte. En fin, también puedo ver a las máculas y estoy metido en esta pesadilla, pero en general no soy más que una persona normal.

—Lo que te diferencia de los demás no es que nos veas tal como somos. He conocido a otros que también podían vernos antes que tú...

—¿Y qué les ocurrió? —interrumpió Edie.

—No lo sé. Ninguno de ellos se quedó por aquí mucho tiempo. Creo que los atraparon.

—¿Quién los atrapó?

—No lo sé, pero algo los atrapó porque no volvieron.

—Genial —dijo Edie—. Muchas gracias.

—Ojo, no estoy diciendo que los matasen. No necesariamente. Hay otras maneras de espicharla, hay otros lugares. Sólo digo que a lo mejor fueron allí.

—¿A otros lugares? —preguntó George. Las palabras de Pequeña Tragedia no tenían mucho sentido, pero estaba convencido de que el querubín de aspecto travieso se moría por contarles algo. O tal vez sólo disfrutaba con la idea de lo que no les diría. Pese a su nariz respingada y su mirada sonriente, tenía algo malsano.

—¿Qué otros lugares? —preguntó la chica.

El querubín hizo una pausa. De pronto su sonrisa picarona adquirió un deje más lascivo.

—Otros «aquí» —dijo, lenta y deliberadamente.

—¿Qué otros «aquí»?

El querubín le ofreció una sonrisa de complicidad y le indicó que se acercara.

—Te lo diré si me tocas.

—¿Qué? —dijo George.

—Ella es un vislumbre, ¿verdad? Si me toca lo sabrá.

—¿Sabrá qué? —preguntó George.

—Sabrá si me ha ocurrido algo malo. Y, si me lo dice, yo le hablaré de esos otros lugares. Incluso podría mostrarle cómo llegar allí.

Los chicos intercambiaron una mirada y ella carraspeó.

—¿Crees que te ha ocurrido algo malo en el pasado? —le preguntó Edie.

Pequeña Tragedia se tapó la cara con la máscara y después se descubrió. Y luego volvió a repetir la misma operación.

—¿Lo ves? Soy dos personas.

Hizo una pausa.

—Una es una máscara —aclaró Edie.

—Sé muy bien que es una máscara —dijo, como quien intenta explicarle algo muy obvio a alguien duro de mollera—. Me limito a mostraros cómo me siento. Como dos personas, dos tipos de persona, y no me parece correcto. Como si me hubieran hecho incorrectamente. Así que si me vislumbras, verás si estoy bien hecho o si ocurrió algo malo que yo ignoro —dijo, sonriendo.

Era una sonrisa valiente, como si estuviera tratando de no llorar. Edie se acercó a él.

—No me gusta vislumbrar —dijo—. Me hace daño.

Pequeña Tragedia extendió su brazo delgado y agitó los dedos.

—No lo hagas —dijo George.

—¿Qué? —dijo la chica, deteniéndose ante el nicho.

—Todas las demás estatuas, las esfinges, el Artillero, todas te tienen miedo. En todo caso les desagrada estar cerca de ti cuando vislumbras.

—¿Y qué? —preguntó Edie con aire desafiante.

—Que tal vez quiera tenderte una trampa al pedirte que lo vislumbres.

—¿Una trampa? Debes de estar de broma —gruñó el querubín—. Además, es un poco tarde para preocuparse por eso, ¿no?

George miró a Edie y ella se volvió hacia la puerta. Ambos recordaron el clic de la cerradura cuando el Fraile Negro se había marchado.

—¿Acaso dices que no podemos fiarnos del Fraile Negro?

—¿Fiaros del Viejo Negro? ¡Claro que podéis fiaros de él! Podéis confiar en que es capaz de cualquier cosa y también en que nunca es lo que parece...

Edie se estremeció al recordar las palabras que había gritado la chica justo antes de ahogarse: «¡No es lo que parece!»

—George...

Clic. La puerta se abrió. Pequeña Tragedia se llevó el dedo a los labios y habló atropelladamente:

—No he dicho nada y no he estado aquí.

32

Tierra de nadie

El rostro del Artillero estaba ladeado, tenía un ojo bajo el agua y el otro clavado en la oscuridad y en la delgada capa de bruma que se elevaba del césped del parque. Ya nunca volvería a ponerse en movimiento, pero seguía pensando, aunque a duras penas. Y, como estaba exhausto, no pensaba en su época como estatua, en lo que había soportado y visto de la vida y de Londres cuando era un vitrato. Sus pensamientos eran los primigenios, los del vitrato, el concepto de sí mismo que el escultor que lo hizo le incorporó. Y como el escultor, además de hacedor de estatuas, también había sido soldado, el Artillero recordó su vida, una vida en tiempos de guerra.

Ya no creía encontrarse en el parque de St. James. No oía el rugido distante del tráfico, sino el lejano disparo de los cañones y, más cerca, el disparo de los fusiles respondiendo al tableteo de las ametralladoras. Oyó la voz de hombres dando órdenes y a otros llamando a su madre. Oyó el rumor de pasos apresurados, el estallido de una granada y los gritos, cada vez más escasos, tras el estallido.

Se centró en el barro que tenía ante sus ojos y supo dónde se encontraba.

«Estoy en Tierra de nadie —pensó—, y nadie me sacará de aquí.»

Y nadie lo hizo.

Distinguió algunas siluetas más allá del fango. Una figura alta envuelta en un impermeable y un casco de acero igual al suyo se aproximaba a través de la bruma. Las botas del hombre aplastaron el fango que tenía delante de su nariz. Sintió que le tocaba el hombro y que alguien se chupaba los dientes con preocupación.

Después tuvo la sensación de que lo levantaban, de que se elevaba hacia el cielo, y comprendió que todo había acabado, y el ojo no obturado por el fango permaneció abierto, pero ciego.

33

El camino señalado

Un instante después de que Pequeña Tragedia desapareciera, la puerta se abrió y el Fraile Negro entró en la habitación, cerró la puerta y se quedó mirando a ambos niños.

—Tenéis un aire muy... culpable.

George se ruborizó, siempre le ocurría lo mismo. En el colegio, cuando alguien denunciaba algún delito, él siempre se ruborizaba, convencido de que parecía culpable, aunque no lo fuera. Estaba seguro de que el Fraile se daba cuenta de que habían estado hablando de él.

Pero Edie parecía completamente inocente; estaba de pie, junto al marco del pasadizo abovedado, entre los espejos que había incrustados en cada columna. Mientras el Fraile Negro contemplaba a George, Edie se sacó del bolsillo el disco de cristal. Le echó primero un vistazo rápido al Fraile y a continuación se concentró en el disco: estaba apagado. Edie dejó escapar un suspiro de alivio.

Pero entonces lo vio brillar en otra parte: en el espejo.

En su mano estaba apagado, pero en el espejo lanzaba destellos azules. Entonces percibió otro destello con el rabillo del ojo y vio que en el otro espejo el disco que sostenía en la mano lanzaba destellos verdes. Volvió a mirarse la mano y el disco seguía apagado. Echó otra mirada a los espejos y vio que se reflejaban el uno en el otro y se multiplicaban hasta el infinito, creando un túnel de espejos idénticos en los que su mano y el fulgurante disco de cristal que sostenía se repetían. Entonces vio —o creyó ver— otra cosa al fondo de esos túneles espejados, algo que interrumpía ese laberinto de espejos.

Parecía un cuenco negro o algo aún más conocido, pero debía de ser un cuenco, porque a su lado había un cuchillo...

Antes de comprender qué era, qué podría ser, dónde lo había visto con anterioridad, la voz del Fraile la interrumpió:

—¿Tienes algo que confesar?

Edie se encogió de hombros y, al meterse el disco en el bolsillo, se oyó un leve crujido. George se acordó de los paquetes de patatas fritas que se había metido en los bolsillos y, como si le hubiese leído el pensamiento, Edie extrajo uno de los paquetes y se preparó otro sándwich con un panecillo que encontró encima de la mesa junto a la que estaba.

—He cogido algunas patatas fritas.

—No es eso lo que te hace parecer culpable. Venga ya. He de oír tu confesión si has de ser confesa.

El Fraile ya no sonreía. Se erguía frente a ellos, esperando. Edie le lanzó una mirada rápida a George, y éste se quedó contemplando el rostro oscuro del monje durante unos instantes; intentaba descifrar si se trataba de otra broma, pero la mirada del Fraile era dura.

—¿Qué significa «confeso»? —preguntó, tratando de ganar tiempo.

—Ser confeso significa obtener el perdón mediante la confesión y la penitencia.

—No hemos venido aquí para confesionarnos —dijo Edie, mientras se comía su tercer sándwich de patatas fritas.

—Confesaros —dijo el Fraile, y esbozó una sonrisa.

—Como quiera. No hemos venido para eso. Hemos venido en busca de ayuda y de información.

—Sí —dijo el Fraile—. He dado un paseo. Habéis venido por el río, lo que ya es bastante extraño, y habéis despertado algo subterráneo allí fuera, debajo de la calle. He tanteado las paredes del pasaje subterráneo. Habéis alborotado la arcilla como no lo había hecho nadie en muchísimo tiempo, mucho más del que llevo estando de pie encima de este edificio, por ejemplo. Tú, hijo mío, has despertado el hambre de las cosas no hechas. Ahora siéntate.

El Fraile tomó asiento en un taburete con las piernas separadas y las manos apoyadas en las rodillas. Les ordenó que se sentaran en el banco que había frente a él, con una autoridad a la que no fueron capaces de resistirse. George se sentó y amasó el trozo de plastilina. Edie se repantigó en el otro extremo del banco y encogió las piernas.

—Tal vez deberíais confesar cómo habéis llegado aquí y en qué cree vuestro amigo el Artillero que podría ayudaros.

George siguió amasando la plastilina.

—No sé por dónde empezar...

—Creo que tendrás que empezar por el principio.

—Lo sé. Se empieza por el principio. Se llega hasta el final. Y entonces uno se detiene —dijo George. Eso era lo que Killingbeck les decía siempre cuando tenían que hacer una redacción—. Pero el problema es que desconozco el principio...

—Y te preocupa el final.

—Me aterra —reconoció George.

—Quizás el terror sea una reacción comprensible, pero resulta bastante inútil, mi joven amigo. El terror te impide pensar y cuando uno deja de pensar, es muy fácil que las cosas malas lo alcancen. No, creo que será mejor que lo superes. Ya tendrás miedo más adelante, si esto acaba bien. Entonces podrás tener todo el miedo que quieras, porque sabrás que estás a salvo y que todo ha pasado. Si te aterras ahora y dejas de pensar, entonces las cosas que quieren aterrarte ya te habrán ganado. ¿Me comprendes?

—No —dijo Edie, malhumorada.

—Sí —dijo George.

—Me alegro de que estéis de acuerdo —dijo el Fraile.

—No lo estamos —contestó la chica.

—Sí lo estáis. Tú sólo eres alguien que dice las cosas que los demás no quieren oír. Sé que sabes que digo la verdad. Si no fueras capaz de pensar con rapidez, no estarías aquí.

Y si no fueras una persona resuelta (realmente resuelta) ya te habrías vuelto loca, ¿no es así?

—No —insistió Edie con testarudez.

—Precisamente —dijo el Fraile, volviéndose hacia George con una sonrisa de satisfacción en el rostro—. Yo empezaría el relato a partir del momento en que te diste cuenta de que las cosas que creías inmóviles empezaron a moverse. ¿O acaso siempre has sido capaz de ver el Londres de los vitratos y las máculas?

—Hasta hoy, no lo había sido —dijo George—. Mala suerte.

—Hablaremos de la suerte más adelante —dijo el Fraile—. Empieza por contarme lo que ha ocurrido hoy.

George se removió en el banco tratando de ponerse cómodo y entonces la cabeza del dragón que llevaba en el bolsillo —el fragmento que se había desprendido de la fachada del Museo de Historia Natural— se le clavó en la cadera. Y entonces empezó a hablar: recordó el vientre de la ballena y explicó que lo acusaron de algo que no había hecho, y que lo obligaron a esperar en el vestíbulo, debajo del dinosaurio, y que después salió afuera y le pareció que... Y entonces las palabras surgieron de su boca como un torrente y ya no pudo detenerlas.

Y tampoco pudo detener las lágrimas que se deslizaban por sus mejillas mientras hablaba: simplemente porque sólo eran lágrimas; ningún sollozo interrumpió el relato imperturbable de lo que había ocurrido ese día: el sacrificio del Artillero, el dragón de Temple Bar, Edie... Y al cabo de un rato las lágrimas ya se habían secado. Ni siquiera se dio cuenta de que se secó los ojos con un par de servilletas de papel que Edie le había alcanzado.

Mientras George relataba el aprieto en el que se había encontrado, Edie percibió que el temor y el desconcierto habían desaparecido de su voz, que era un poco más profunda e incluso airada. Era como si los cambios que había sufrido en el trayecto hasta allí hubieran quedado reflejados en su voz.

Edie permaneció en silencio, y se dedicó a observar al Fraile Negro. Estaba inmóvil y sonreía de manera alentadora. Gracias al comentario de Pequeña Tragedia acerca de que el Fraile no era lo que parecía, y sobre todo gracias a la advertencia de la chica que se ahogaba, Edie notó cosas que otros tal vez no hubieran visto.

Vio que algo cambiaba en su mirada a lo largo del relato de George, y se fijó en que la miró de reojo al saber del incidente de las esfinges, y en que cerró los puños cuando George describió la lucha en Temple Bar. El Fraile volvió a mirarla cuando el chico narró lo ocurrido en el apartamento de su madre y, durante la descripción del trayecto desde el río hasta el pub, su cuerpo se relajó, pero su rostro permaneció en tensión.

—Y después nos hemos encontrado con usted —acabó George—. Tengo sed. ¿Hay algo para beber?

El Fraile lo contempló durante unos instantes; después se puso de pie, como si hubiera tomado una decisión, se inclinó por encima de la barra y agarró dos botellas de Coca-Cola.

—Supongo que sabréis que no os conviene, ¿no? —dijo y, tras destapar ambas botellas con los dientes con un gesto que los chicos no consideraron muy propio de un monje, les tendió una botella a cada uno.

»No se os ocurra hacerlo —les advirtió—; hace falta tener dientes de acero para destapar botellas.

El Fraile volvió a sentarse y jugueteó con las tapas de las botellas.

—Bueno —dijo—, así que estás solo.

—Somos dos —dijo George.

—Correcto —contestó el monje, acercando las tapas de las botellas—; sois dos y estáis solos. Y el Artillero os ha enviado aquí, pero él no ha venido.

—Está herido y tuvo que acabar con el dragón antes de que éste acabara con George —explicó Edie.

—El dragón y George. George y el dragón —reflexionó el monje—. Parece casi perfecto.

Estaba recuperando el buen humor y la sonrisa volvía a arrugarle la cara.

—Muéstrame la mano, por favor.

George le tendió la mano mostrándole la marca roja en forma de zigzag que tenía en el dorso.

—¿Te duele?

—Un poco. Antes me dolía más.

—Estupendo. Estupendo —dijo el monje, y le soltó la mano—. ¿Así que ésa es la mano con la que rompiste la talla de la fachada?

—Sí.

—¿Qué pasó con la talla?

—Se rompió.

—¿Y después?

—Después el pterodáctilo se desprendió de la pared y todo empezó.

—Claro, claro, pero ¿y la talla? —dijo, relamiéndose los labios—. ¿Dónde está?

George contempló su rostro expectante y casi voraz. La talla se clavaba en su cadera.

—¿Por qué? —preguntó.

—¿POR QUÉ? —gritó el monje, y su cuerpo robusto se inclinó sobre George como una nube de tormenta—. ¿POR QUÉ? ¿Por qué me preguntas que por qué?

Edie se deslizó por encima del banco, acercándose a George.

—Porque no sabemos si fiarnos de usted.

—Comprendo —dijo el monje, suspirando como una locomotora; y entonces alzó la mirada hacia el techo y añadió—: Sospecho que Pequeña Tragedia se ha entrometido, ¿no es así, Diablillo?

Tras unos segundos la vocecita resonó desde el pasadizo:

—¿Me hablas a mí?

—Sí, Diablillo. ¿Has estado hablando con estos niños?

Hubo otra pausa, y se oyó que alguien se removía encima de la cornisa.

—Esto... ¿No?

—¿No? —retumbó la voz del monje.

—Bueno, puede que tal vez no sea un «no». Tal vez sea algo así como un «tal vez», ya me entiendes. Me han preguntado cosas, me han atosigado para que les conteste...

—Es mentira —dijo Edie—. No le hemos preguntado nada.

—¡No miento! —chilló la vocecita—. No puedes fiarte de ella, es un vislumbre, ¿no? Juro por la mano que me hizo que nunca debes fiarte de un vislumbre. Son entrometidos, interrumpen el flujo normal... Sabéis que es así, señoría...

—Miente —dijo George.

—¡Tonterías! —chilló Pequeña Tragedia—. Él es un... Bueno, no sé qué es, pero no es algo corriente, por así decir. Yo no....

—¡SILENCIO, DIABLILLO! —bramó el monje haciendo vibrar las copas de los estantes de detrás de la barra.

—Miente —repitió George.

—Naturalmente que miente —dijo el monje en un tono extrañamente afable y tranquilo—. Habéis oído hablar del padre de las mentiras, ¿no? Como es de suponer, tiene muchos hijos y ese diablillo, ese fanfarrón de Tragedia, es uno de ellos. Es tan incapaz de decir tres verdades seguidas como yo de inclinar la gran cúpula de St. Paul y usarla de cuenco para la sopa.

El querubín soltó otro chillido de indignación y después guardó silencio. El Fraile sacudió la cabeza y les indicó a los chicos que se aproximaran.

—Vosotros mismos elegiréis en quién confiar, amigos míos. En mi casa no se coacciona a nadie. Es un lugar hospitalario. ¿Qué os dijeron las esfinges?

A George le pareció que había pasado muchísimo tiempo desde que había hablado con ellas. Como si hubiera pasado toda una vida, como si hubiera ocurrido en una época más tranquila.

—Dijeron que si quería averiguar cómo evitar que las máculas me maten y dejen de perseguirme, debía encontrar el Corazón de Piedra y sacrificar algo.

—«Tu remedio reside en el Corazón de Piedra y la Piedra Corazón será tu alivio: has de encontrarlo, hacer un sacrificio y satisfacer el agravio que has creado colocando encima de la Piedra del Corazón de Londres lo necesario para reparar lo que has roto» —declamó Edie.

El monje la miró, impresionado. La chica parecía avergonzada.

—Tengo buena memoria. Pero no quisieron decirnos dónde se encuentra el Corazón de Piedra.

—A lo mejor nos lo habrían dicho si no hubieras utilizado tu segunda pregunta para preguntarles qué significa vislumbrar —masculló George.

—Era mi pregunta —replicó Edie.

—Sí, pero el Artillero podría habértelo dicho y entonces...

El Fraile les lanzó una mirada.

—¡Vaya por Dios! Realmente no sabéis en quién confiar, ¿verdad? Después de todo, preferís luchar en vez de pensar...

—No —dijo George—. Quiero que esto acabe y quiero irme a casa.

—Entonces dejad de pelearos y escuchad. Disponéis de menos tiempo de lo que pensáis y corréis un grave peligro. Así que escuchad. El camino es arduo, pero está indicado. Disponéis de un día para lamentaros y un día para reparar. Después... —añadió agarrando las tapas de las botellas y aplastándolas—. Después las piedras que habéis ofendido se elevarán y os triturarán, y vuestras vidas y almas serán aventadas en la gran era por los cuatro vientos, y una gran llama...

Al percibir la expresión horrorizada de sus rostros se detuvo. Cuando volvió a hablar lo hizo casi en tono de disculpa:

—No será agradable.

—¿Qué significa eso de «un día para lamentaros y otro para reparar»? ¿Significa dos días? —preguntó el chico.

—No. Significa que disponéis de un día para arrepentiros de lo que habéis hecho y tratar de reparar el daño que habéis hecho. Esas veinticuatro horas empezaron cuando rompiste la talla. ¿Supongo que no sabrás qué hora era?

—Alrededor de las cuatro menos veinte—dijo George al recordar que había echado un vistazo a su reloj y calculado cuánto tardarían los demás en salir del museo, justo antes de darse la vuelta y golpear la pequeña talla que sobresalía del muro.

—Entonces debes alcanzar el Corazón de Piedra antes de que haya transcurrido un día desde el momento en que cometiste el agravio, y ya es medianoche. La hora de la muerte y de la ignorancia, pero también la del renacimiento, porque sólo lo que ha muerto puede renacer. Tenéis tiempo hasta las cuatro menos veinte de mañana por la tarde antes de que...

—¿Empiecen a aventarnos y triturarnos? —lo interrumpió George en tono sombrío.

—Sí, y todo lo demás.

—Será mejor que no pregunte qué significa aventar, ¿verdad? —dijo Edie.

—No creo que a él le sirva de ayuda —dijo el monje—. Pero no os desaniméis. Como os he dicho, hay un camino, un camino señalado.

—Y si reparo el daño que he hecho, ¿se acabó? ¿Estaré a salvo?

El monje asintió con la cabeza, cerró los ojos y apoyó las manos en su vientre abultado.

—Sólo te asegurarás de gozar del Descanso Eterno si haces un sacrificio. Si te retrasas, sólo tendrás asegurado el Camino Arduo.

—¿Y si no logra encontrar el Corazón de Piedra? —preguntó Edie.

—Si no trata de encontrarlo, las máculas lo atraparán y harán que el Camino Arduo parezca un paseo en comparación con lo que le inflijan. Debe encontrar el Corazón de Piedra. Y no puede acudir con las manos vacías. Debe llevar lo que se rompió.

—La talla del dragón —dijo George.

—Si la tienes —dijo el monje—. Si no la tienes, será mejor que vayas a buscarla. ¿La tienes?

Por algún motivo inexplicable pero que sentía en lo más profundo de las entrañas, George negó con la cabeza.

—La recogí.

—Bien.

—Pero la dejé en el apartamento de mi mamá.

—¡Eres un idiota! —exclamó el Fraile Negro echándose hacia atrás.

—Ya lo tengo —dijo Edie, dirigiéndose al Fraile—. Dígale dónde está el Corazón de Piedra y mientras nosotros iremos en busca de la cosa que rompió, la llevaremos allí, y ¡asunto arreglado!

—Esto no se arregla tan fácilmente. En una ciudad como ésta hay muchas cosas que pueden ser el Corazón de Piedra. Es algo diferente para cada uno. Para cada uno el trayecto supone un nuevo sendero que nunca ha recorrido hasta entonces.

—Bueno, entonces ¿qué es el Corazón de Piedra?

—Según las palabras de las esfinges, podría ser cualquier cosa, cualquier lugar o cualquier persona. Las esfinges plantean acertijos incluso cuando responden. ¿Qué podría ser mejor para ellas que una respuesta con dos significados? Una con tres. ¿Qué es el Corazón de Piedra? ¿Quién podría saberlo?

Edie empezó a perder la paciencia. Se sentía cercada por las paredes.

—Eso suena a chino. ¿Cómo se llega al Corazón de Piedra?

—Edie... —la interrumpió George.

El Fraile Negro cerró los ojos, elevó la cabeza y habló como si recitara de memoria.

—El Camino siempre está señalado y éstas son las señales. Debe ascender por la Escalera de Caracol. Ésta lo conducirá al Recuerdo del Incendio. Allí donde el Recuerdo del Incendio está enjaulado atrapará una llama y ésta le indicará el camino al Corazón de Piedra —dijo, contemplándolos con satisfacción.

—¿Es otro acertijo? —preguntó la chica, exasperada.

—Es un mapa formado por palabras —dijo el monje.

—¿Por qué no se limita a decírnoslo? —preguntó George, que volvía a sentirse atemorizado y frustrado.

—Porque no sé el final, amigo mío. Sólo conozco el camino. Y el hecho es que es un camino arduo. Pero si tuvieras el fragmento, podría ayudarte un poco más.

El brillo ávido de sus ojos impidió que George metiera la mano en el bolsillo y sacara la talla de la cabeza del dragón. No podía explicarlo, no era más que un presentimiento.

—Tendremos que volver a mojarnos —le dijo a Edie.

—¿Cómo dices?

—Tendremos que regresar.

34

El hombre versátil

Cuando los niños salieron por la puerta del pub, el Fraile dijo:

—Si regresáis con el fragmento, quizá pueda acelerar vuestro eterno descanso. Traédmelo, niños, y veré qué puedo hacer.

—Gracias. Volveremos.

—Y no bajéis bajo tierra hasta que volváis, porque, de lo contrario, seréis presa de su voracidad.

—¿Qué voracidad? —dijo George.

—La de las cosas no hechas —dijo el monje, como si eso lo explicara todo.

Aunque quería marcharse, George se volvió:

—Eso fue lo que dijo acerca de lo ocurrido en el pasaje subterráneo. ¿Qué significa?

—Mira la marca que llevas en la mano, muchacho. Si es la correcta y eres un hacedor, o si lo serás, entonces habrás quebrado un antiguo vínculo al emplear manos hacedoras para estropear —dijo y al ver la expresión de incomprensión en el rostro de George, decidió proseguir—: Te has dejado llevar por la ira y has usado el don de tus manos, unas manos hechas para hacer cosas, al servicio de la destrucción. Todas las cosas que han sido hechas, estatuas, vitratos y máculas, sienten tu poder y la afrenta que has causado. Incluso las cosas que aún no están hechas te tenderán la mano y ansiarán la forma que podrías darles.

—¿Te refieres a la tierra?

—La arcilla percibió la marca que llevas en la mano y el don que tienes. Todo intenta adoptar una forma en un universo destinado a corromperse.

—¿Cómo sabes que soy un hacedor?

—¿Cómo sabes que no lo eres? Dices que tu mano desprendió la talla del dragón de la fachada del museo, y dices que esas mismas manos atravesaron la arcilla que te atacó en el túnel. Quizás eres el hacedor indicado por la marca. O tal vez seas otra cosa. Pero tus manos parecen tener poderes, ¿no?

Antes de que George se diera cuenta de lo poco que había comprendido, el Fraile los saludó con la mano.

—Que regreséis a casa sanos y salvos, mis pequeños amigos.

—Gracias —dijo el chico, y le dio un codazo a Edie.

—Sí, gracias por las patatas fritas y la estufa y todo lo demás —dijo ella y, casi sin resistirse, se dejó guiar por George. Ambos cruzaron la calle y avanzaron por la sombra que proyectaba el imponente edificio blanco estilo Art Déco desde cuyas alturas parecían observarlos varias estatuas de mujeres y de animales.

George saludó con la mano y el Fraile le devolvió el saludo.

—¡Corre! —siseó George al tomar por el Embankment.

—Te encontrarás con otro dragón si... —empezó a decir Edie.

—No, no es así —dijo, arrastrándola hacia la derecha por una estrecha callejuela bordeada de fachadas anónimas.

—¿Qué...?

—Luego te lo explico —gruñó el chico y echó a correr.

—Bueno —masculló ella en voz baja—. Así que no volveremos a mojarnos.

Ambos volaron calle arriba y giraron. George se dio cuenta de que ella podía correr con la misma velocidad que él. Pasaron junto a una oscura callejuela en cuyo extremo detectó la aguja de una iglesia elevándose hacia el cielo como una iluminada tarta de bodas. Siguió corriendo, atravesó dos calles más y pasó por debajo de un pasadizo abovedado. Se detuvo en cuanto hubieron atravesado el primer arco.

—¿Qué estamos haciendo? —jadeó Edie.

—No volveremos a casa de mi madre —contestó tratando de orientarse, ansioso por distanciarse del Fraile Negro.

—Pero has de ir a buscar la tall... ¡Oh!

George se había sacado la pequeña cabeza de dragón del bolsillo y se la mostró mientras seguían avanzando.

—Comprendo. Le has mentido al monje —comentó. Parecía impresionada.

—¿Te fiabas de él? —preguntó George.

—No. Pero eso no significa nada. No me fío de nadie.

—Me ha parecido demasiado ansioso cuando me ha preguntado si la tenía. Si es la clave para salir de esta pesadilla, no se la entregaré a nadie. Yo mismo la llevaré hasta el Corazón de Piedra.

Se encontraban en uno de esos oasis mágicos y tranquilos que se ocultan tras las calles más ajetreadas de Londres. Para empezar, la iluminación era de gas y resultaba más suave y más fantasmal que la habitual. Si no hubiera sido por el resplandor eléctrico de las pantallas de ordenador que brillaba tras las elegantes ventanas de los sombríos edificios de ladrillo que los rodeaban, podrían haber imaginado que al pasar bajo el arco habían retrocedido un siglo.

George avanzó hasta una verja y se encontró ante un amplio patio con un buzón rojo. Al percibir un movimiento, se detuvo.

—¿Qué pasa? —susurró Edie.

Una figura imponente envuelta en una capa atravesaba el espacio que los separaba del buzón. Llevaba un montón de papeles bajo el brazo y una larga peluca gris le cubría la nuca hasta los hombros. Se movía con determinación y tenía en el rostro una expresión de enfado que se acentuó cuando se le cayeron algunos papeles al suelo. Miró a su alrededor, como buscando al lacayo que debía recogérselos; después se agachó y los recogió él mismo.

—Es un juez —musitó la chica.

George decidió dar media vuelta antes de que los viera. La expresión adusta que había percibido bajo esa peluca le parecía bastante amenazadora.

—¿Qué? —preguntó tras haber dado la vuelta al pasar junto a un elevado edificio.

—Es un juez —contestó Edie—. He pasado por aquí durante el día. Aquí es donde están los jueces y los abogados. Si acudes aquí de día, los verás pavoneándose de un lado a otro, como si lo supieran todo acerca de todo. Van emperifollados y llevan pelucas y capas, y cosas así.

«Emperifollada» era una palabra empleada por su padre. Nunca la había usado y no sabía por qué se le había escapado. Era su manera de describir a las mujeres arregladas para salir. Por más que intentara evitarlo, fragmentos de su padre seguían surgiendo cuando menos se lo esperaba. Era como caminar por la playa cuando hay marea baja: nunca sabías con qué te encontrarías.

George giró a la derecha y, mientras pasaba bajo otro arco, decidió que el hecho de que un juez se paseara en medio de la noche —emperifollado o no— no lo preocuparía. Se detuvo a tomar aliento junto a un reloj de sol en el que ponía: «Sombras somos, y como sombras partiremos.» Se estremeció y siguió caminando a través de unos claustros hasta llegar a un espacio abierto en el que una iglesia se elevaba hacia el cielo, rodeada de árboles.

Se apoyó en la verja que rodeaba la iglesia, redonda y defensiva, más parecida a un bastión que a la casa del Señor.

Edie se dejó caer en un escalón y observó las sombras. Notó que George tampoco parecía muy relajado.

—¿Consideras que es un buen lugar?

—No lo sé. Es una iglesia.

—Pone que es un templo —dijo, indicando el cartel.

—Temple Church —dijo, leyendo—. Viene a ser lo mismo.

—Parece un castillo —dijo Edie mirando la pared curva coronada de almenas a través de los árboles—. No me parece un buen lugar, George.

—Lo sé —dijo y se estremeció—. Creo que no es necesario ser un vislumbre para comprenderlo. Parece embrujado.

Edie se preguntó si merecía la pena hablarle de los fantasmas. Que estaban allí, pero que no había por qué preocuparse. Que le había llevado mucho tiempo comprender que pululaban por el mundo como un eco que ha olvidado desvanecerse. No les harían nada a los vivos: ni podían, ni querían. No eran personas y no parecían tener cerebro. Sólo eran algo que se repite, algo que una vez existió y ahora ya no existía. Eran insustanciales, como el leve recuerdo de un aroma. No se parecían en absoluto a la realidad del pasado que la atravesaba violentamente cuando vislumbraba.

Casi había logrado hacer caso omiso de ellos.

Ni siquiera se molestaría en decirle que el juez al que se le habían caído los papeles era un fantasma. No tenía sentido, como tampoco lo tenía llamarle la atención sobre el envoltorio de hamburguesa que yacía a sus pies o sobre la irrelevante paloma que se había posado en los árboles, por encima de su cabeza. Para ella sólo eran parte del paisaje callejero, algo junto a lo que pasabas sin prestarle atención.

—Pues entonces larguémonos —dijo Edie poniéndose en pie—. ¿Adónde vamos?

—A un lugar seguro donde podamos pasar la noche y descifrar a qué se refería el Fraile Negro con eso de la Escalera de Caracol.

Edie volvió a sentarse.

—¿Quieres decir que no sabes adónde vamos?

—Estamos atrapados en la City debido a los dragones. Pero a lo mejor mañana por la mañana podemos ir a una biblioteca y buscar esa Escalera de Caracol. O comprar una guía turística o algo así.

—No tengo dinero para comprar una guía. Me lo he gastado todo en el taxi que me ha llevado a tu casa —dijo, sacando un puñado de monedas del bolsillo—. Sólo me queda alrededor de una libra.

George agitó las monedas que llevaba en el bolsillo y desprendió las que estaban pegadas al trozo de plastilina.

—Me quedan ochenta y cinco peniques. Tómalos, no tengo más. Pero cuando esto haya acabado...

Entonces recordó que tenía la cartera en su mochila, junto con el móvil, guardada bajo llave en el Museo de Historia Natural. El mundo de las excursiones del colegio, las aulas y los cajeros automáticos parecía muy remoto. Sintió una gran nostalgia por ese mundo más sencillo que, visto desde donde se encontraba ahora, no parecía más que un fino revestimiento. Era la misma nostalgia que había sentido al ver el avión cuando estaba atrapado en el cono de fuego con el dragón. Se dio cuenta de que daría absolutamente cualquier cosa por regresar a ese mundo rutinario y cotidiano. Pero ahora lo único que le quedaba eran las pocas monedas que tenía en la mano, y se las tendió a Edie.

—Cuando esto haya pasado, conseguiré un montón de dinero. Todo el que te debo y más.

—¡No lo he dicho porque quiera tu dinero! —exclamó Edie contemplando las monedas que brillaban bajo la luz de las farolas, y comprendió que su enfado no tenía que ver con el dinero, sino con el hecho de que George hubiese encontrado una salida. Al decir: «Cuando esto haya pasado» había dejado claro que «esto» era algo pasajero de lo que lograría zafarse. Pero Edie se dio cuenta de que, en realidad, «esto» era algo que la tenía atrapada. Y que seguiría atrapada incluso cuando él hubiese logrado zafarse.

Y entonces se preguntó por qué seguía con él. Antes de verlo correr a través de Hyde Park estaba sola y asustada, pero había sobrevivido. Y sobreviviría cuando él se marchara, pero volvería a estar sola. Tal vez por eso estaba enfadada.

Recordó la esperanza que la obligó a saltar del autobús y correr en pos de George, con la ilusión de que sería como ella, de que sería capaz de encontrarle sentido a las cosas, pero ahora comprendía que era diferente, que «esto» era algo de lo que —con suerte— él podría escapar. «Esto» era un estrato del mundo en el que había caído y si lograba encontrar la Escalera de Caracol, a lo mejor podría remontarla y escapar. El «esto» de Edie era algo fijo e inevitable porque formaba parte de su ser y de su visión del mundo, no algo en lo que había caído. Era como vivir en esa ciudad balnearia medio destartalada en la que en una época había estado su hogar, y donde solía observar a las personas felices y sonrientes que acudían en sus coches nuevos y brillantes a pasar el día en la playa y jugar frente al mar, de espaldas al sórdido laberinto de casas y tiendas a punto de venirse abajo. Siempre se llevaban sus risas y su alegría al marcharse cuando el sol se ponía. Eran como George.

Era un turista.

Ella estaba aquí in sécula seculórum.

Así que agarró el dinero, se lo metió en el bolsillo y cerró la cremallera para no perderlo.

—Con esto no tendremos bastante. No nos quedará más remedio que robar una guía.

—Pues entonces, en marcha —dijo George—. Este lugar me pone los pelos de punta.

Volvieron a recorrer el claustro, atravesaron el patio y salieron por la puerta en dirección al norte, alejándose del río.

Ahora que se habían marchado, la iglesia de Temple permaneció en silencio albergando sus secretos. Sólo la irrelevante paloma se movía entre los árboles.

La irrelevante paloma —que ni era irrelevante ni era una paloma— abrió un ojo y echó a volar por encima de los tejados hacia el norte, al igual que ellos. En su oscuro corazón de cuervo sabía que, de todas las direcciones que podría haber tomado, el norte era la que le daba más placer. Ignoraba el motivo, pero parecía la dirección más inquietante en la que podía volar un cuervo. Sólo era un pequeño detalle, pero para un ser tan viejo como el Cuervo esos pequeños detalles eran muy importantes: le ayudaban a no aburrirse tanto con la historia que se repetía una y otra vez.

Perseguidos por el lento aleteo del Cuervo, los chicos se encontraron de pronto en Fleet Street. Los autobuses nocturnos pasaban a toda velocidad en un intento de llegar al semáforo antes que los taxis y los coches.

Al ver las luces, los colores y los escaparates, George se sintió un poco mareado; quiso dirigirse a la izquierda, pero Edie lo detuvo.

—¿Acaso tienes prisa por enfrentarte a otro asalto con el dragón?

Él no le prestó mucha atención, pero aun así sus palabras lo fastidiaron.

—Tengo prisa y punto, ¿o acaso no has oído lo que ha dicho el Fraile? Si no resuelvo este asunto en menos de quince horas, «aventarán».

—Pues si quieres que te avienten, adelante. Temple Bar está en esa dirección.

George se detuvo. Vio los Tribunales y le pareció divisar la silueta pinchuda del dragón recortada contra la pared de la iglesia. Cruzó la calle y tomó otra en dirección al norte.

—Fetter Lane —dijo Edie, leyendo el cartel.

—«Fetters» son esposas que te ponen en las piernas.

—Lo sé —dijo ella—. Esta gente de la City no le pone nombres precisamente alegres a las calles, ¿no te parece? Incluso he visto una llamada Defensor de Pleitos Perdidos. La atmósfera era horrenda y la abandoné en cuanto pude.

Por encima de sus cabezas el Cuervo los aguardaba en un canalón y se dio cuenta de que tenía hambre. Los vio pasar y después voló hacia el noroeste pensando en el Caminante, pero al atravesar los límites de la City se le ocurrió algo mejor.

Giró y se dejó caer como una piedra hacia un edificio moderno revestido de piedra de color rosa. Era evidente que al arquitecto le gustaban los ángulos, porque el edificio estaba formado por un conjunto de líneas y puntos sin ningún sentido que ni siquiera resultaban decorativos.

Pero, en la fachada, a la altura de la acera, había un nicho parecido a la caseta de un centinela. El nicho estaba ocupado y el Cuervo se deslizó hasta el oxidado hombro de una estatua casi humana y le acercó el pico a la oreja, en la parte casi humana de la cabeza.

En Fetter Lane, George intentaba explicar su plan:

—Intento encontrar un parque o algo por el estilo, un sitio donde podamos dormir sin que nadie nos moleste.

—En los parques hace frío —bufó Edie—. Esto no es como «Hansel y Gretel», no nos acurrucaremos debajo de los árboles y las aves no nos cubrirán de hojas para que no tengamos frío. Los parques no sirven.

—Entonces ¿qué sugieres?

—Un conducto de ventilación. Por donde los edificios despiden calor. Te introduces en el conducto, te sientas en un trozo de caja de cartón, te metes periódicos viejos debajo de la ropa y te cubres con la tapa de la caja.

Llegaron hasta el cruce de una avenida.

—High Holborn —dijo Edie, leyendo el cartel—. Aquí no hay parques.

—Bien —dijo George. De repente sintió un gran cansancio; estaba harto de esa pesadilla, de tener miedo, de sentirse confundido y de que la chica le gruñera—. Pues entonces tendrás que encontrar un conducto de ventilación calentito —prosiguió—. Lo único que quiero es dormir.

—Estupendo —dijo ella, y empezó a caminar hacia la derecha.

—¿Por qué vamos por aquí?

—Porque es mejor que nos alejemos del borde de la City, ¿no? Así evitaremos encontrarnos con más problemas.

Siguieron caminando en silencio; ambos estaban tan cansados que todo les parecía remoto, incluso el miedo y las máculas. Lo único que los hacía seguir avanzando era la irritación que se provocaban mutuamente.

Pasaron bajo el alero de un antiguo edificio con entramado de madera; era tan peculiar que George se detuvo a contemplar las cuatro plantas de madera oscura, yeso blanco y ventanas emplomadas. Tenía un techo abrupto y chimeneas de ladrillo. Parecía una felicitación de Navidad.

En el centro, un arco conducía a un pequeño patio interior.

—Podríamos ir allí. ¡Mira! —dijo, señalando el centro de la calle. Un fusilero con un casco de acero estaba de pie en lo alto de un monumento conmemorativo de la guerra; tenía un pie apoyado en una roca, la mochila en la espalda y el rifle en la mano, y miraba atentamente al oeste—. Hasta tenemos un guardia en la puerta.

—No es el Artillero —dijo Edie, con la esperanza de que lo fuera.

—No, pero es un vitrato. Vamos, estaremos a salvo, ya lo verás.

Y lo hubieran estado, pero mientras se alejaban de la City para no encontrarse con problemas, los problemas —gracias al Cuervo— se acercaban a ellos.

Si George no hubiera dado un paso atrás para contemplar el edificio con entramado de madera, habrían estado a salvo, porque el Cuervo los había perdido de vista cuando fue a avisar al Hombre de la Rejilla. Pero cuando George dio un paso atrás y se plantó en medio de la calzada, el ave lo vio y entonces empezaron a ocurrir cosas.

El Cuervo se posó sobre el hombro del Hombre de la Rejilla y le dijo unas palabras al oído. El Hombre de la Rejilla cruzó entonces la calle produciendo una especie de repiqueteo y arrastrando los pies, y al oír el sonido del metal rozando la piedra, George y Edie percibieron que algo malo estaba por suceder.

Y entonces lo vieron.

El Hombre de la Rejilla parecía bajo y musculoso. Tenía las cejas tupidas y llevaba el cabello peinado hacia atrás. Pero no caminaba como un hombre, sino como esos robots de juguete que nunca llegan a separar ambos pies del suelo al avanzar. Eso era lo que producía ese sonido metálico.

Poco a poco dejaron de ver sus aspectos humanos y empezaron a ver los otros. George se fijó en que estaba formado por partes humanas, como si alguien hubiera cortado su cuerpo en pedazos y lo hubiera vuelto a recomponer, pero dejando un espacio entre cada una de las partes; era como si la estatua estuviera envuelta en una armadura de piel cuyas partes no estaban en contacto. La cara estaba dividida en dos y el corte atravesaba la nariz y la boca; otros dos cortes horizontales —uno a través del labio superior y otro por encima de las cejas— la dividían en seis trozos. Cada trozo se movía de manera independiente, de modo que parecía fruncir el ceño en dos etapas. Los pedazos del cuerpo, más mecánicos que humanos, también se movían de un modo asincrónico. De los trozos surgían tubos metálicos que parecían sostenerlos como si fueran pinchos.

El repiqueteo lo producían las gruesas rejillas de metal que sostenía en las manos, o, mejor dicho, la pelota de metal que golpeaba alternativamente con cada una de las rejillas.

Edie miró a George, pero él no le devolvió la mirada; se limitó a hablar en voz baja tratando de que el Hombre de la Rejilla no notara su presencia entre las sombras.

—Vete. Sólo me quieren a mí.

El repiqueteo se aceleró.

—Vamos —susurró Edie—. Corre.

Y se ocultó entre las sombras del pasadizo sin atreverse a correr para no delatar su presencia.

George le lanzó una rápida mirada al Fusilero, encaramado en su plinto.

—¿Supongo que no...?

El Fusilero no se volvió y George decidió que no tenía tiempo para convencer a la estatua de que se moviera, puesto que no parecía poder hacerlo. Así que echó a correr hacia el este. Los pies le dolían, pero tras diez pasos se olvidó del dolor y siguió corriendo.

El Hombre de la Rejilla aceleró, pero la velocidad no era lo suyo. El ritmo del repiqueteo aumentó y a continuación se detuvo abruptamente. George se dio cuenta, pero no dejó de correr.

A sus espaldas, el Hombre de la Rejilla lanzó la pelota al aire y la golpeó con la rejilla como un jugador de tenis. El golpe fue tan sonoro que George se dio la vuelta, y probablemente gracias a ello evitó que el proyectil le golpeara la pierna.

La pelota se aproximó rápidamente a la altura de los tobillos de George y, aunque el chico levantó el pie, no pudo evitar que la bola le rozara la suela del zapato; a esa velocidad, eso bastó para hacerlo caer. Consiguió amortiguar el golpe de la caída con la mano, pero el impacto fue suficiente para dejarlo sin aliento. Tenía la mejilla derecha pegada al pavimento y le dolía tanto que los dientes le castañeteaban.

El impacto y el dolor desplazaron el miedo y volvió a sentir esa sensación negra y pringosa con tal intensidad que pudo saborearla.

A sus espaldas, la pelota continuó su trayectoria y después se elevó trazando una parábola.

George se puso de pie y miró al Hombre de la Rejilla. Ya se había acostumbrado a que nadie notara lo que ocurría en su Londres.

Se restregó los labios y clavó la mirada en la estatua que tenía a sesenta metros de distancia. La estatua se limitó a devolvérsela, parpadeando con un ojo y después con el otro. Durante un instante le pareció estar en una de esas viejas películas del Oeste que tanto le gustaban a su padre. George escupió, convencido de que escupiría sangre, pero sólo percibió aquel sabor oscuro.

—Te deseo más suerte la próxima vez —masculló sin saber hacia dónde correr. Con gran alivio, vio que el Hombre de la Rejilla no tenía otra pelota para lanzarle y se quedó esperando su siguiente movimiento.

No se había fijado en que la pelota estaba regresando al punto de partida como si fuera un bumerán.

El Hombre de la Rejilla levantó entonces un brazo y

sonrió fragmentadamente. Parecía estar saludando; George creyó que se burlaba de él y también levantó el brazo.

—Vale, ya nos veremos... —dijo el chico agitando los dedos.

Como no tenía ojos en la nuca, no vio que el Hombre de la Rejilla había levantado una de sus rejillas como si fuera un guante de béisbol, dispuesto a atrapar la pelota en caso de que no diera en el blanco —es decir, en el cogote de George— en su camino de vuelta.

Como no tenía ojos en la nuca, no sabía que lo último que le pasaría por la cabeza iba a ser una bola metálica de dos kilos de peso.

Como no tenía ojos en la nuca... Pero Edie sí vio lo que se le venía encima y, tras salir del pasadizo, chilló a voz en cuello:

—¡George! ¡Detrás de ti! ¡Agáchate!

Él se agachó sin pensar y dejó que la adrenalina pensara por él. Notó una ligera corriente de aire cuando la pelota pasó junto a su oreja y vio la decepción en los ojos del Hombre de la Rejilla cuando la pelota chocó contra la rejilla que sostenía como si fuera el guante de béisbol.

El chico echó a correr en zigzag, tratando de convertirse en un blanco móvil mientras buscaba una callejuela para ocultarse anticipándose a otra andanada. Pero no hubo ninguna, y, tras introducirse en un estrecho pasaje entre dos edificios, sonrió aliviado.

Justo antes de oír la voz de Edie.

—¡NO! ¡Geooorge!

Ya la había oído gritar antes, pero nunca de ese modo, con tanto temor y dolor. Se quedó paralizado.

El Hombre de la Rejilla la había descubierto. En cuanto Edie salió de su escondite para avisar a George, un segmento de la cara del Hombre de la Rejilla se volvió hacia ella mientras el otro seguía observando a George, y entonces avanzó hacia ella.

Edie corrió hacia el patio y descubrió que estaba en un callejón sin salida; cuando se volvió, él bloqueaba la salida.

Se aproximó arrastrando los pies y haciendo entrechocar las dos rejillas, simulando que aplaudía.

Edie intentó escapar escurriéndose por debajo de su brazo, pero el Hombre de la Rejilla extendió uno de los tubos de metal y la placó como si fuera un jugador de rugby. Ella cayó hacia atrás y se golpeó la cabeza contra las piedras. Sólo perdió el conocimiento durante unos segundos, pero cuando volvió a abrir los ojos, ya estaba de nuevo en posición vertical. Intentó correr, pero entonces descubrió que sus piernas colgaban en el aire y comprendió que el Hombre de la Rejilla la estaba sosteniendo por la cabeza, presionándola con las dos rejillas. Edie se agarró de las rejillas para descargar parte del peso que tenía que soportar su cabeza; él cargaba con ella como si fuera una muñeca de trapo y su cuerpo oscilaba de un lado a otro. Cuando trató de pegarle una patada, él apretó más fuerte. Era como si le estuviera aplastando la cabeza en un torno, y por eso gritó, aunque no fue consciente de haberlo hecho.

George permanecía inmóvil en el callejón. El corazón le latía con tanta fuerza que parecía querer escapar de su pecho y huir. Entonces George vio que estaba en un callejón sin salida.

Se volvió, tratando de ver si podía alcanzar la cañería de algún desagüe por el que trepar y huir, e inmediatamente se despreció por haberlo pensado.

Edie volvió a gritar y George se despreció aún más por haber pensado en abandonarla, así que se detuvo.

El Hombre de la Rejilla se aproximaba; la chica colgaba de las rejillas, oscilando como el badajo de una campana.

George no sabía qué hacer.

—¡Suéltala! —aulló. Pero el Hombre de la Rejilla seguía avanzando. Edie apretó las mandíbulas para no gritar, no quería que el chico la viera así, pero las lágrimas la delataron.

»Suéltala —dijo el chico—. ¡Es a mí a quien quieres!

El Hombre de la Rejilla arqueó una ceja y después la otra. Su sonrisa estaba dividida en dos partes, la una tan horrenda como la otra. Agitó la cabeza de un lado a otro como un robot de mala calidad y abrió la boca, pero los sonidos entrecortados que barbotó resultaban incomprensibles. Parecía hablar en un idioma desconocido. Era como un italiano furioso tratando de gritar más fuerte que un escocés borracho con la boca llena de cojinetes.

—*Nonvoglio*lachicatequieroati*stronzo*pequeñobastardo.

—Le estás haciendo daño, ¡por favor, suéltala! —gritó George.

El Hombre de la Rejilla asintió con la cabeza y sonrió... Y George no podía soportarlo y tampoco podía correr porque Edie ya no gritaba sino que se esforzaba por aferrarse a las rejillas y evitar que el Hombre de la Rejilla le rompiera el cuello por error. Y tal vez hubiera podido echar a correr si Edie no hubiera estado clavándole la mirada.

Así que se lanzó hacia delante y le pegó una patada, pero en cuanto se puso a su alcance, la mácula lo arrojó al otro lado de la calle de un solo manotazo.

Edie intentó zafarse, pero el Hombre de la Rejilla le apretaba la cabeza. George se puso de pie.

—¡Suéltala, por favor!

El Hombre de la Rejilla la alzó por encima de su cabeza. Ambos sabían que le partiría el cuello, o que la arrojaría contra el pavimento, y también que no podían hacer nada para evitarlo.

—¡Corre, George! ¡Corre! —gritó con voz ahogada.

—¡No!

Entonces ocurrieron dos cosas a la vez. Un pájaro negro apareció de entre las sombras y les lanzó una mirada, primero a George y después al Hombre de la Rejilla. Luego se posó sobre el hombro de la mácula y chasqueó el pico; el Hombre de la Rejilla esbozó una sonrisa brutal y se inclinó.

De pronto, George oyó un sonido familiar: el estruendo de unas botas con tachuelas golpeando el suelo y, durante unos instantes, el corazón de ambos niños brincó de alegría porque creyeron que era el Artillero regresando de entre los muertos. Pero una voz desconocida, más aguda y avinagrada, chilló:

—Suéltala, pedazo de escoria mal construida.

El nervudo Fusilero estaba detrás del Hombre de la Rejilla, dispuesto a clavarle su larga bayoneta en la espalda. No era tan robusto como el Artillero, pero tenía su misma determinación.

—¡*Cheyirprobbeignotopileatolieyirsel!* —espetó el Hombre de la Rejilla, sin moverse ni un milímetro. El pájaro, en cambio, voló a un lado y se quedó observando desde una distancia más prudente.

—O te destriparé como a una sardina.

El ave chasqueó el pico y el Hombre de la Rejilla se puso en movimiento. El Fusilero, sin embargo, se le adelantó, soltó una exclamación, se lanzó hacia delante y le clavó la bayoneta en el hueco que tenía debajo de la columna vertebral; se la clavó a fondo, hasta la empuñadura, sacando chispas, como si la estuviese afilando.

El Hombre de la Rejilla se retorció y dejó caer a Edie. En cuanto cayó al suelo, George la arrastró hasta la pared y percibió el temblor de sus brazos.

Ambos observaron a las dos estatuas entrelazadas por la bayoneta, que seguía en la espalda del Hombre de la Rejilla. El Fusilero la sostenía con firmeza, pero la tensión que había en su rostro y el temblor de sus brazos —por no hablar de los tendones de su cuello, que sobresalían como cuerdas— indicaban que le suponía un gran esfuerzo conseguir que el Hombre de la Rejilla no se liberara.

—Detente. Regresa a tu plinto o acabaré contigo. Es casi medianoche y, aunque seas una mácula, no creo que seas estúpido... —siseó el Fusilero.

El Hombre de la Rejilla gruñó y después hizo algo horroroso: empezó a girar encima de la bayoneta como si fuera un cubo de Rubik. Primero rotó un segmento de la cabeza, después un hombro, después la coronilla y una pierna. Y entonces, con una última sacudida, ambos segmentos del torso giraron en direcciones opuestas a ambos lados de la bayoneta y el Hombre de la Rejilla quedó frente al Fusilero.

—¡Caramba! —dijo, sin dejarse impresionar—. ¡Qué feo eres!

El Hombre de la Rejilla alzó los brazos; las rejillas empezaron a girar cada vez a mayor velocidad y, cuando ya casi no eran visibles, las lanzó contra el Fusilero.

El ave chasqueó el pico en señal de aprobación.

—Lo siento, colega. Tú lo has querido —dijo el Fusilero.

PUM PUM PUM. Los disparos se incrustaron en el cuerpo del Hombre de la Rejilla; el retroceso desprendió la bayoneta y el Fusilero dio un paso atrás.

Pero el Hombre de la Rejilla no se pulverizó como el pterodáctilo. Cayó hacia atrás y empezó a desmoronarse, soltando un gruñido.

PUM.

La cabeza dejó de moverse y todos los segmentos se convirtieron en un montón de virutas de latón que se retorcían y se enroscaban como gusanos brillantes, anudándose entre sí hasta que lo único que quedó fue un olor a metal quemado y la marca de una quemadura en el pavimento.

El Fusilero apoyó la culata del arma en el suelo y contempló la marca, jadeando. Y también los dos niños y el ave negra. Como tenía más práctica que los demás, el Cuervo reflexionó con rapidez y optó por marcharse.

Desplegó las alas y se dispuso a salir volando, pero el Fusilero lo vio y, con un rápido movimiento, desprendió la bayoneta del fusil y la lanzó a través de la calle. Se oyó entonces un zumbido, un golpe y un graznido: la bayoneta se había clavado en el ala del Cuervo, atrapándolo contra la pared del edificio. El Cuervo no sentía dolor; simplemente, fastidio.

—No escaparás —dijo el Fusilero mientras cargaba el rifle.

El Cuervo soltó un graznido y procuró parecer amistoso y adorable, lo cual resulta francamente difícil si la naturaleza te ha dotado de plumas grasientas y ha decidido vestirte de negro, como el malo de la película.

—No te salvarás —dijo el Fusilero y disparó. El Cuervo se convirtió en una nube de plumas que podría haber servido para fabricar un elegante plumero.

El Fusilero recuperó su bayoneta y se colgó el rifle del hombro. Antes de mirar a George y a Edie, echó un vistazo a su alrededor para comprobar que no hubiera moros en la costa.

—Gracias —dijo el chico.

—Dale las gracias al Artillero y al viejo Diccionario —dijo el Fusilero. Cuando hablaba más bajo, su voz no parecía tan avinagrada.

—¿El Artillero está bien? ¿Lo has visto? —preguntó George recuperando el ánimo; pero el Fusilero negó con la cabeza y George volvió a sumirse en la depresión.

—No. Según la nota que me envió, calculo que no volveremos a verlo. Al menos, no en pie. Creo que está acabado. Nos mandó una nota a todos mediante una paloma. Dijo que estaba acabado. Nos rogó que os vigiláramos.

—¡Ah! —dijo George, y se le hizo un nudo en la garganta.

—Sí —resolló el Fusilero haciendo una pausa—. Era un tipo fenomenal, ¿verdad?

Antes de que George pudiera contestar, quizá porque aún no se veía capaz de hacerlo, el Fusilero preguntó a Edie:

—¿Estás bien?

Edie seguía temblando; su rostro pálido se había vuelto casi traslúcido. Tenía los ojos muy abiertos, pero sus oscuras pupilas se habían reducido a puntos.

—¿Edie? —dijo George.

Edie oía su voz como si viniera de muy lejos y tuvo que hacer un esfuerzo para volver la cabeza y contemplarlo.

—¿Te encuentras bien?

Se palpó las orejas y casi se sorprendió al comprobar que ambas estaban ahí pegadas a su cabeza. El cuello le dolía y se lo frotó.

—Debe de dolerte la cabeza después de que esas planchas para hacer gofres te la hayan aplastado —dijo.

—Estoy bien.

Pero no lo estaba. Y lo sabía. George podía verlo, pero era consciente de que discutiendo con ella no haría más que empeorar la situación. No tenía energía para discutir y ella necesitaba toda la suya simplemente para mantenerse en pie. Decidió vigilarla: parecía a punto de desmayarse.

El Fusilero se limitó a asentir con la cabeza.

—Buena chica. Bien, debéis poneros a cubierto rápidamente. ¿Tenéis adónde ir?

Ambos negaron con la cabeza; el Fusilero echó un vistazo a su reloj y frunció el ceño.

—Vale. Seguidme a paso ligero. Conozco un lugar donde podréis refugiaros. No sé qué habéis hecho, pero haber fastidiado a ese pájaro no ha sido una buena idea. Hemos de largarnos.

George contempló el remolino de plumas que se elevaba al cielo.

—¡Pero si lo has mandado al infierno!

—Que está bastante más cerca de lo que crees —gruñó el soldado secamente—. Así que pongámonos en marcha.

Entonces se colgó el rifle del hombro y añadió:

—Mejor será que no estemos aquí cuando regrese.

35

La Puerta Imposible

La iglesia de St. Dunstan's-in-the-West se encuentra en la acera norte de Fleet Street. Es la iglesia de la City que más cerca está de su límite oeste, de modo que George no pudo evitar lanzar una mirada inquieta hacia Temple Bar. La iglesia se destaca por numerosos detalles, pero el que el Fusilero señaló fue la puerta, una puerta absolutamente normal de estilo Georgiano con un bonito marco de piedra. Lo que la convertía en excepcional era su situación: estaba a media altura de una fachada lisa, bajo un pórtico, y, por lo tanto, era inalcanzable.

La vigilaban dos estatuas masculinas fornidas y barbudas, cubiertas únicamente por unas pieles de animal que llevaban enrolladas alrededor de la cintura. En una mano sostenían un garrote; la otra la tenían apoyada en la cadera. George consideró que se parecían a su profesor de geografía, tal vez por la barba, aunque sospechaba que se trataba de dos imágenes de Hércules. Ignoraba por qué había dos, pero en realidad le era indiferente. Dos campanas colgaban por encima de la puerta y George supuso que las hacían sonar cuando el reloj —que sobresalía de la fachada en ángulo recto por encima del pórtico— daba la hora.

—Detrás de la puerta, con esos dos vigilándola, estaréis a salvo —dijo el Fusilero.

—Pero ¿cómo vamos a llegar allí? —señaló George—. Es imposible.

—Claro. Es la Puerta Imposible, por eso ofrece seguridad —dijo el Fusilero; entonces ahuecó las manos y gritó—: ¡Eh! ¡Vosotros!

La estatua de la derecha entró en movimiento, como si despertara de un sueño; se desperezó, se asomó y un chorro de palabras con muchas consonantes y escasas vocales brotó de su boca.

—¿Qué dice? —preguntó George. Edie seguía como ausente, aunque había dejado de temblar.

—Que me aspen si lo entiendo. Suena a chino —contestó el Fusilero.

Le lanzó una sonrisa a ambos Hércules, señaló a los chicos, alzó los pulgares, le dio un golpecito a su reloj y se dispuso a marcharse.

—Faltan cinco minutos para medianoche. He de regresar a mi plinto. ¡Sed buenos, y si no podéis ser buenos, sed afortunados! —Y emprendió camino a Holborn haciendo resonar las tachuelas de las botas.

Edie estaba agotada, apenas se mantenía en pie y cuando el Fusilero desapareció tras una esquina, volvió a sentirse abandonada.

—Edie —dijo el chico—. ¡Edie, no querrás perderte esto!

Cuando Edie se volvió, oyó un crujido y, al levantar la mirada hacia el muro de la iglesia, localizó unas sombras que no había visto allí hasta entonces. Las sombras empezaron a formar un zigzag y, pese a estar medio entumecida, Edie cayó en la cuenta de que se trataba de la sombra proyectada por las piedras que estaban surgiendo del muro y que poco a poco se estaban convirtiendo en una escalera.

Alguien chasqueó los dedos y, cuando ambos chicos elevaron la mirada, vieron que uno de los Hércules les indicaba que se aproximaran mientras el otro escudriñaba el cielo en actitud vigilante.

—Ha dicho que estaríamos a salvo —musitó George, pero no parecía muy convencido.

Edie empleó la poca energía que aún le quedaba para sacarse el disco de cristal del bolsillo y examinarlo. Comprobó que estuviera apagado, que no indicara peligro alguno, y remontó la escalera; George la siguió. El primer Hércules la ayudó a superar el último peldaño y abrió la Puerta Imposible sin decir una palabra. Edie volvió a echarle un vistazo al disco y entró.

George no necesitó ayuda para subir y le sonrió al Hércules que sostenía la puerta.

—Esto... Gracias —dijo.

La estatua sonrió y se subió un poco la piel de animal que lo cubría; parecía avergonzado. George creyó oír que decía: «En taxi», pero no estaba seguro, así que esbozó una sonrisa y entró en la iglesia con paso indeciso.

El Hércules cerró la puerta lentamente, como si tratara de no asustarlos. Imitó a alguien que duerme y murmuró más palabras incomprensibles sin dejar de hacer gestos tranquilizadores.

—Creo que intenta decirnos que estamos a salvo —dijo George.

La puerta se cerró, y fue como si se cerrara una cámara estanca.

—Espero que tengas razón —dijo Edie.

Echaron un vistazo a su alrededor. Sujeta a la pared, por encima de la puerta, había una bombilla cubierta de telarañas, pero la tenue luz que arrojaba no hacía más que proyectar sombras, que ocultaban todo lo demás.

Era un recinto extraño. En el centro estaba el mecanismo del reloj y las campanas. Había vigas, contrapesos, péndulos y ruedas dentadas. Las máquinas proyectaban sombras de ángulos agudos sobre las paredes, junto a las que se amontonaban cajas, cestas y cantorales de lomos desencolados. Era evidente que el recinto también servía de almacén.

Edie pasó por debajo de una gran rueda dentada y abrió una cesta. Estaba llena de lámparas de aceite y cuando retiró la tapa de la siguiente, descubrió el montón de casullas y sobrepellizas de los niños que cantan en el coro. Edie se tendió encima de ellas y se acurrucó en la cesta como si fuera una camita.

—¿Qué haces, Edie?

—Dormir, necesito dormir —murmuró. Extrajo el disco del bolsillo y le echó un último vistazo—. Estamos a salvo. Duerme.

George trató de recordar qué había que hacer con las personas que habían sufrido un *shock*. ¿O acaso se trataba de una conmoción? Quizás había sufrido una conmoción; el chico deseó haber prestado más atención en la clase de Primeros Auxilios en el colegio. Tal vez dormir era lo peor que podía hacer.

—No sé si deberías...

—Cierra el pico —dijo Edie, abriendo un ojo.

—No, quiero decir que si has sufrido un *shock*...

—George. Cállate...

El chico se calló. Lo único que se oía era el tictac del reloj. De pronto, Edie se incorporó:

—... Aquí hay alguien más.

—¿Cómo lo sabes?

—Lo he oído.

George miró a su alrededor. Ninguna de las sombras parecía humana, pero todas eran lo suficientemente grandes como para abarcar a un montón de personas. George agarró una de las lámparas de aceite.

—Quédate aquí —dijo, dispuesto a usar la lámpara como si fuera un garrote. Entonces gritó en la oscuridad—: ¿Hola?

No hubo respuesta.

—George —dijo Edie.

—Estoy bien —mintió decidido a examinar el recinto.

Recorrió las cuatro paredes en el sentido de las agujas del reloj, después verificó el techo y la parte superior del mecanismo, se encaramó a una viga e inspeccionó la zona por si había alguien, pero sólo encontró polvo y caca de paloma.

—No hay nadie —dijo, aliviado—. ¿Edie?

No hubo respuesta; el chico bajó de la viga y corrió hacia la cesta.

Edie estaba profundamente dormida. Sostenía el disco de cristal en el puño y lo mantenía debajo de su mejilla. Primero pensó en despertarla, después decidió que la dejaría dormir, a lo mejor le haría bien; además, también quería descansar un poco.

Se sentó en el suelo, apoyó la espalda contra la cesta y se envolvió en la chaqueta, deseando que no hiciera tanto frío. Su ropa seguía húmeda y trató de recordar aquellos días cálidos en el establo, entre el heno, y a su padre dibujando el toro, pero el recuerdo no le proporcionó calor, sólo un frío aún más intenso.

Después inclinó la cabeza y durante un buen rato lo único que se oyó fue el tictac del mecanismo del reloj, el ruido del tráfico lejano en el exterior y la respiración de ambos niños.

De repente se oyó un cuarto sonido, una especie de contrapunto prácticamente inaudible al tictac del reloj.

George abrió los ojos y permaneció inmóvil.

—Edie —susurró, y le dio un golpecito a la cesta—. ¡Edie!

Pero ella no se despertó y siguió durmiendo aferrada al disco de cristal.

—Ese clic. Lo oigo.

—Es verdad —dijo una voz que procedía de un rincón oscuro cerca del que se había dormido George, el mismo rincón que había examinado exhaustivamente—. Lo has oído. O más bien me has oído a mí. Lo siento. No tenía intención de asustaros. Tal vez sería mejor que me presente. No pienso haceros daño.

La sombra se convirtió en la figura alta y delgada de un hombre que le tendía la mano con la palma hacia arriba, como si procurara indicarle que era inofensivo. Con los dedos de la otra contaba las cuentas de un rosario.

Tintineaba al moverse y cuando emergió de las sombras, George descubrió que ese sonido provenía del montón de relojes, llaves, utensilios de relojero y pequeñas latas de aceite que llevaba prendidos a su chaqueta. Parecía un árbol de Navidad. La chaqueta era un anticuado chaqué, tan remendado y desteñido que resultaba difícil decir si era verde o negro, así como determinar dónde acababan los remiendos y dónde empezaba el chaqué. Los remiendos estaban cosidos con delicadas puntadas, sin duda obra de un perfeccionista.

Bajo la pálida luz de la única bombilla, su rostro, más que viejo, parecía desgastado por el tiempo, y a primera vista tenía un aspecto bastante más joven de lo que mostraba un examen más próximo. Era un rostro de anciano que había conservado la juventud, un rostro que había permanecido joven durante mucho tiempo. El pelo —que llevaba recogido en una cola de caballo con un lazo violeta— no era gris: simplemente estaba cubierto de polvo, al igual que su ropa. Tenía la frente alta y una nariz larga que sobresalía de su rostro como un desafío.

De esa nariz colgaban unas gafas de joyero de un extraño color azul oscuro, a las que se añadían unas lentes de aumento articuladas de quita y pon que le otorgaban el inquietante aspecto de un ciego capaz de verlo todo, siempre que tuviera ganas de hacerlo.

Alrededor del cuello llevaba una bufanda de lana gris metida en un chaleco cruzado del que colgaban tres cadenas de reloj. Los pantalones, de raya diplomática, eran del mismo tono negro verduzco desteñido que el chaqué y también estaban muy remendados.

—Tuve un nombre. Hace tiempo. Ahora nadie lo sabe. Ahora me conocen como el Relojero. Encantado de conocerte. Me disculpo por el susto. Etcétera —dijo. A continuación juntó los tacones, inclinó la cabeza haciendo una pequeña reverencia y le tendió la mano que no dedicaba a contar cuentas del rosario.

—Hace un momento, cuando he examinado ese rincón, no estabas allí —dijo George en tono precavido sin decidirse a estrecharle la mano que le tendía. Después echó un vistazo a la cesta y vio que Edie seguía durmiendo y que el disco no lanzaba su brillante advertencia..

—Sí que estaba. Hace un minuto dormías. El rincón lo has examinado hace horas. No hay error. Estoy seguro. Soy muy detallista con la hora.

El Relojero hablaba en frases muy breves, tan breves que parecían meros fragmentos informativos. Su mano izquierda no dejaba de contar las cuentas del rosario. Cuando George se acostumbró al ritmo, notó que utilizaba el clic de las cuentas como una especie de puntuación entre cada frase y siempre las disparaba en breves estallidos, para no malgastar ni un segundo.

El chico intentó despertarse del todo y miró al Relojero.

—De acuerdo. Hace horas. No estabas allí —replicó George.

El Relojero tosió, como disculpándose.

—Sí. Estaba. Un truco desagradable. Me he ocultado. Más bien he hecho que no me vieras. Una vez más, disculpas, etcétera —dijo el Relojero, trazando una espiral con la mano como si tratara de crear un montón de etcéteras en el aire. Después volvió a tenderle la mano.

George la estrechó sin dejar de mirar el disco de cristal.

—Me llamo George.

—George. Buen nombre. Una buena persona, sin duda. He visto que cuidabas a la chica. Lo correcto. Es evidente que ha sufrido un mareo.

—Acaba de sufrir un *shock* —dijo George a la defensiva, irritado por la insinuación de que ella se había desmayado—. Es bastante dura.

—Claro que sí. Veo que es un vislumbre. Ésos no se desmayan. Duros como rocas. No quise ofenderte.

—Vale.

De repente se sentó delante de George cruzando las piernas como una máquina bien engrasada.

—Será mejor que no la despiertes —dijo en voz baja—. Ya ha sufrido un *shock*. ¿Por verme? ¿Porque soy raro? Quizás ha sido la gota que ha colmado el vaso. No hagamos un monte Pelion de un grano de arena. Etcétera. ¿Comprendes?

—Sí —dijo George, sin saber qué era ese monte Pelion ni dónde estaba.

—Buen chico. Tendrás chocolate, ¿no? Los chicos suelen tenerlo... —dijo, sonriendo.

George negó con la cabeza y sufrió un escalofrío. Un viento frío se colaba por debajo de la puerta, que tal vez fuera Imposible, pero dejaba pasar las corrientes de aire.

—Esto... No, no tengo chocolate.

El Relojero parecía decepcionado y lo contempló minuciosamente; al parecer no vio todo lo que deseaba, porque entonces agarró una lupa y lo examinó aún con mayor detalle. Luego se inclinó hacia atrás y empezó a desenrollarse la bufanda. Era muy larga, y a medida que la iba desenrollando George se fue dando cuenta de que también era muy ancha. Antes de que se la quitara del todo, la bufanda se le enredó en las gafas y le cayeron al suelo.

El Relojero agachó la cabeza y trató de encontrarlas cerrando un ojo.

—¿Qué le pasa a tu ojo? —preguntó el chico.

—Nada. —El Relojero guiñó el ojo abierto y sonrió. Tenía razón. Sin esas gafas siniestras, el ojo lo miraba con un verde pálido muy amistoso. Tenía además una expresión generosa, aunque la palidez de su color era tal que parecía desteñido o, como el rostro, desgastado por el tiempo. Al descubrir el rostro que antes se ocultaba tras las gafas oscuras, George llegó a la conclusión de que su expresión no era severa e incluso se diría que estaba dispuesto a sonreír de vez en cuando.

—Al otro ojo —dijo George.

—¡Ah! El otro da miedo. Te asustará. Lo oculto detrás de las gafas —dijo, y se las colocó, volviendo a esconder sus ojos tras las lentes azules.

Cuando su rostro se relajó, George se fijó en que también había abierto el ojo «que da miedo».

—Mira. Ya verás. En todo caso, a medias —dijo el Relojero; se quitó la lente azul que ocultaba el ojo normal y entonces dejó de parecer un personaje siniestro que lleva gafas oscuras de noche y se convirtió en una persona normal con un parche negro tapándole un ojo. Parecía casi alegre. Le guiñó un ojo a George y le tendió la bufanda.

—Te la presto. Por favor. Evitarás un resfriado. Tómala, por favor, etcétera.

Y entonces se puso a rebuscar en sus bolsillos.

—El chocolate no es un problema —dijo, rebuscando en sus bolsillos—. Por aquí debe de haber...

Le tendió una barrita de chocolate a medio comer, meticulosamente envuelta en papel dorado.

George comió un bocado y se dio cuenta de que estaba muerto de hambre. Disfrutó del sabor dulce y amargo, y dejó que el pedacito se derritiera un poco antes de masticarlo.

—¿Quién eres, si no es mucho preguntar? ¿Eres un vitrato?

—¿Vitrato? No. Tampoco una mácula, puedes estar seguro.

El Relojero observó a George con expresión bondadosa; parecía procurar encontrar palabras breves para explicar quién era.

—Soy un contable. Uno de los Extrañados. Por así decir.

Sonrió como si supiera que lo único que hacía era confundirlo. Y, claro está, lo estaba confundiendo.

—¿Los Extrañados? —preguntó George, comiéndose otro pedazo de chocolate.

—Los malditos. Hombres olvidados. Sometidos.

—No sé qué es un sometido.

—¡Ah! Una palabra antigua. Mis disculpas. Los sometidos cargan con maldiciones. Condenados a recorrer el mundo más allá de su vida normal. Te parecerá un disparate. Restos de antiguas creencias. Fragmentos de basura de religiones olvidadas. Etcétera.

—¿Estás condenado a recorrer la Tierra para siempre?

—Soy el Relojero. ¿Mi condena? Vigilar la hora. Y viceversa, como verás. No te alarmes, por favor... —dijo, y se quitó la lente azul que ocultaba el ojo aterrador. El chico no logró reprimir un sobresalto. No era un ojo: era la pequeña esfera de un reloj con dos agujas, una para las horas y la otra para los minutos, y el efecto misterioso y desagradable era mayor debido a que la esfera cambiaba del rojo al blanco al ritmo de los minutos.

El Relojero volvió a ocultarla detrás de la lente azul.

—Un ojo para vigilar, y un reloj como ojo. Es mi marca —dijo, en tono de disculpa.

George miró a Edie. La chica seguía durmiendo.

—¿Puedes decirme qué me está ocurriendo?

—¿En general? Ciertamente. Has encontrado el No-Londres.

—¿No-Londres?

—Un lugar con vitratos, máculas, etcétera. No visto por quienes habitan tu Londres. Pero tu Londres sólo es uno de muchos. ¿Y lo que tú ves como Londres? Sólo es el No-Londres de otro. Hay más cosas en el cielo y la tierra, Horacio... Sí. Y más cielos y más tierras. Y más infiernos. Algunos se deslizan. Otros caminan. Otros caen. Entre los mundos, ¿comprendes?

George recordó las palabras de Pequeña Tragedia, cuando le había dicho que había más «aquí» de lo que se imaginaba. La cabeza le daba vueltas.

—¿Es... es magia o algo así?

El Relojero parecía un tanto escandalizado. Negó con la cabeza y todos los objetos que colgaban de su chaqueta tintinearon.

—No es magia. La magia es una tontería. Todo hecho mediante espejos.

—Entonces, ¿puedo pasar de un mundo a otro? ¿Es eso lo que me está ocurriendo?

—No. Has caído en el No-Londres. No has pasado. Te han empujado. Tienes algo. Lo huelo. ¿Alguna vez has olido un pararrayos antes de que caiga un rayo? Es el mismo olor. Metal caliente y electricidad estática. Podría ser un don o una maldición. Tal vez ambas cosas.

—¿Estoy maldito? ¿Quieres decir que soy uno de los Extrañados?

—A lo mejor maldito es una exageración. Lo siento. Pero estás marcado, no cabe duda.

George sintió el dolor en la mano y se la metió en el bolsillo.

—¿Por qué habrían de maldecirme?

El Relojero se encogió de hombros.

—¿Has hecho cosas malas?

—No. No lo bastante malas como para que me maldigan.

—¿Algo malo? La gente suele saber por qué está maldita. Empieza por lo peor. Y después retrocede.

—No hay nada peor —insistió George—. No he hech...

Pero se detuvo cuando esa sensación de negrura le atenazó la garganta.

El Relojero lo contempló con el ojo de expresión bondadosa y asintió con la cabeza.

—Deja que surja. O no. No quiero entrometerme. Los secretos de un inglés son su castillo y todo eso. Pero tal vez te ayude.

—Dije algo. Algo malo.

—Improbable que te maldigan por decir tacos. Aunque sería adecuado. ¡Ja!

—No eran tacos.

De repente no pudo hablar ni respirar: se lo impedía una burbuja de aire que se había atascado en su pecho.

—No me digas nada. Asunto tuyo. Impertinencia. Único asunto mío es el tiempo. Hablo con otros tan raras veces que cometo errores. Disculpas, etcétera.

Le ofreció el último pedazo de chocolate; George quería aceptarlo, pero negó con la cabeza. El Relojero volvió a envolverlo en el papel y se lo tendió.

—Para la chica. Vislumbre. Hambre cuando despierte, sin duda.

George se lo guardó en el bolsillo de su chaqueta. De algún modo, después de todo lo que había pasado, tanta bondad le resultaba un tanto insoportable.

El Relojero sonrió y desvió la mirada, otorgándole tranquilidad. Se sumieron en un silencio sorprendentemente cordial.

36

Un frío de mil demonios

Si al caminar a lo largo de un arroyo de montaña encuentras un lugar donde la corriente ha atrapado algunos guijarros, es posible que distingas un agujero perfectamente circular generado por uno de esos guijarros que, atascado en un remolino, gira interminablemente en la base del agujero. El guijarro, aunque está atascado en un determinado lugar, acaba por horadar la piedra porque siempre se encuentra en movimiento.

El Caminante, un hombre atrapado por los acontecimientos de su propia vida, tampoco dejaba de moverse y el único alivio para esa condena era encontrar algún espacio circular resguardado en el que poder avanzar mientras dormitaba en ese estado intermedio que, para un hombre condenado a caminar eternamente, era lo más parecido al sueño a lo que podía aspirar.

Su espacio predilecto era el círculo de piedra de la plaza de la Biblioteca, junto a la estación de St. Pancras, y, durante las silenciosas horas de la noche, lo recorría sin descanso.

Sólo que esta vez no reinaba el silencio.

Sus pasos estaban acompañados por un ruido metálico, el de la interminable hoja de su cuchillo, que arrastraba a lo largo del banco de piedra. Mantenía los ojos cerrados, pero los abría cada vez que completaba un circuito, se detenía y volvía sobre sus pasos: así conseguía afilar la hoja por ambos lados.

Se enorgullecía del filo y dispuso de mucho tiempo para perfeccionar el modo de afilarla; casi lo hacía dormido.

De repente, algo aterrizó a sus pies. Como estaba acostumbrado a los ruidos nocturnos de la ciudad, mantuvo los ojos cerrados, tropezó con el bulto duro y helado, y cayó de rodillas. Entonces los abrió.

Hizo una mueca de dolor y desagrado, y volvió a ponerse de pie. Caminó alrededor del bulto, le pegó una patada y levantó una nube de astillas de hielo que giraba sobre su eje y de cuyo interior surgió un débil graznido.

El Caminante volvió a rodearlo un par de veces más y después lo tocó con el tacón de la bota. El envoltorio helado se partió y un Cuervo de aspecto lamentable apareció tiritando de frío.

El Caminante volvió a envainar su daga.

—¿Dónde diablos has estado? —preguntó, sonriendo fugazmente.

El Cuervo agitó las alas y se desprendió de la nieve que las cubría; entonces se posó en su hombro y metió la cabeza debajo de la capucha de la sudadera. No respondió a la pregunta porque a) era retórica y b) era una broma que el Caminante siempre repetía en esa situación.

El Cuervo se limitó a acurrucarse bajo la capucha tratando de controlar sus temblores. No era el sentido del humor del Caminante lo que necesitaba, era su calor.

37

Contarle cosas al Relojero

George y el Relojero estaban sentados en la penumbra observando a Edie, que seguía durmiendo. Y por fin —tal vez porque el silencio era cordial— George empezó a hablar:

—Le dije algo malo a mi padre.

—¡Ah! —exclamó el Relojero—. Como la mayoría de los hijos. Un día u otro.

—Algo realmente malo. Estaba enfadado y dije cosas malas que además eran mentira. Sólo trataba de hacerle daño, y lo logré. Él me dijo que no lo decía en serio y yo le dije que sí. Y le escupí. Era un niño, tenía diez años... Y él se marchó en su coche. Y había...

Dejó de hablar y de pronto empezó a examinar el muro de yeso descascarado. Lo único que se oía era la respiración de Edie y el clic de las cuentas del Relojero marcando los segundos.

—Tenía los ojos llenos de lágrimas y yo no le pedí perdón ni me despedí ni... No dije nada. Se secó la saliva pegada a la mejilla y dijo que sólo intentaba hacerle daño porque estaba sufriendo. Yo le juré que lo había dicho en serio y que siempre lo diría y mi padre adoptó una expresión muy extraña. Creí que iba a... Después se marchó —dijo George. Siguió examinando la pared y restregándose la nariz, dijo:

»No sé por qué te lo cuento.

El Relojero sonrió.

—Porque puedes. Todo el mundo puede contarle cosas al Relojero, porque sabe qué hora es.

—¿Cómo dices?

—Broma. Juego de palabras. Darle un tono menos grave a las cosas. Mala costumbre. Disculpas una vez más.

—¡Ah! —dijo George.

—Puedes contarle cualquier cosa a quien sabe qué hora es. Las horas pasan, pese a quien pese.

—Bien —dijo George, y le contó que su padre se marchó en el coche y que nunca regresó, porque al día siguiente algún conductor que estaba distraído había chocado contra él, y él había muerto instantáneamente, y lo único que había podido hacer fue disculparse, pero fue una disculpa tan vacua y vacía como un ataúd, porque no había nadie que la escuchara. Entonces, como ya le había contado lo más difícil, sus demás palabras fluyeron con rapidez.

Con tanta rapidez que sospechó que farfullaba, pero cada vez que le echaba un vistazo al Relojero, éste le sonreía con aire comprensivo. George le contó todo lo ocurrido, empezando por el Museo de Historia Natural y prosiguiendo con las palabras de las esfinges, la necesidad de encontrar el Corazón de Piedra y el sacrificio que debía hacer; le habló también del Fraile Negro y su mapa de palabras para encontrar el Corazón de Piedra, de la Escalera de Caracol que conducía a la Memoria del Incendio donde estaba enjaulado el recuerdo, y de que debía atrapar una llama que le indicara el camino hasta el Corazón de Piedra.

Y de repente sintió un gran cansancio y cerró los ojos, deseando estar en su casa, en la cama, allí donde todo parecía real.

Se despertó cuando el Relojero le rozó el hombro. No se había dado cuenta de que se había quedado dormido.

—¿Cuánto tiempo he dormido?

—Demasiado y tal vez no lo bastante. No importa. Un tiempo para la reflexión.

—No estaba reflexionando. Estaba dormido —dijo aterrado por haber malgastado el tiempo cuando debía haber estado tratando de descifrar las cosas.

—No importa. Dormir es bueno. Reflexionas automáticamente. Bien, en cuanto al Fraile Negro, ¿te preocupa? No es necesario que desconfíes así como así. Al menos no conozco ningún motivo. Pero es bueno desconfiar de todo el mundo. ¿Tu problema? La precaución es esencial. No te lo tomes todo al pie de la letra. Pero si estás interesado, he pensado algo.

—¡Claro que estoy interesado! Todo me suena a chino.

—¿Memoria del Incendio? ¿Corazones de Piedra? ¿Escaleras de Caracol? En Londres hay muchas cosas. Agujas en un pajar.

—Lo sé.

—Muchas cosas. Pero un solo Incendio. Un único Gran Incendio.

El Relojero le lanzó una mirada alentadora. George pensó en Londres y en fuegos, pensó en el bombardeo aéreo durante la guerra, después empezó a recordar las clases de historia... y comprendió.

—¿El Incendio de Londres?

—Indudablemente. ¿Evidencias que lo prueban? ¿Memoria del Incendio? ¿Monumento en memoria del Incendio?

George recurrió al recuerdo de clases pasadas. Habían dibujado un plano del Gran Incendio. Hombres con peluca demoliendo casas de madera y la peste negra que había azotado la ciudad antes del incendio. Y después recordó que había recortado el contorno de una gran columna de cartón...

—¡El monumento!

—Exactamente. El monumento en memoria del Incendio. ¿Y dentro del monumento? Escalera de Caracol que conduce a la parte superior. ¿Y allí? Urna. Urna en llamas.

—Eso —dijo George, sonriendo de oreja a oreja— es sencillamente genial.

Empezó a incorporarse pero el Relojero le indicó que se sentara.

—No está abierto al público en plena noche. Duerme. Mal momento para estar en la calle. Los Siervos de la Piedra caminan.

—¿Los Siervos de la Piedra?

—Sometidos condenados como yo. Sometidos a antiguos juramentos quebrados en la piedra de sangre. Sólo siervos de nuestro propio sino. Vigilamos la hora, ése es nuestro castigo. Vigílalos. Ellos te vigilarán a ti. Ahora duerme. Por la mañana puedes salir por la otra puerta. A través de la iglesia. Estará abierta. La usan los ortodoxos rusos. Madrugadores. Mejores que un reloj despertador.

El Relojero sonrió y siguió contando las cuentas con la cabeza inclinada. La manera de inclinarla le recordó al Artillero y entonces se le ocurrió otra pregunta.

—Perdona. Una cosa más. Cuando todo esto empezó, cuando el Artillero me salvó, dijo unas palabras.

—Sin duda. Un acontecimiento desconcertante. Merecedor de un comentario.

—Dijo que yo no sabía la que había armado.

—Un hombre perspicaz.

—No —dijo George—, quiero decir sí, pero él ignoraba todo esto, no sabía nada del Corazón de Piedra o lo que sea. Creo que se refería a otra cosa. Algo acerca de los vitratos y las máculas...

El Relojero asintió con la cabeza; su expresión era sombría.

—Vitratos, máculas. Hostiles. La paz siempre es precaria. Una desconfianza en equilibrio. ¿El Artillero mata a cuatro máculas? El equilibrio desaparece. Un guante ha sido arrojado.

—¿Qué quieres decir?

—No lo sé. No del todo. Pero ha ocurrido antes. La guerra entre vitratos y máculas siempre es una posibilidad. En el fondo. Por eso algunas estatuas caminan y otras, no. Las que no caminan son...

—¿Estatuas muertas?

—Exactamente. Víctimas de guerras anteriores. Verás: las máculas sólo son vacíos sin alma. Carecen de ella y necesitan llenar el vacío. Apetitos, envidia, etcétera. Aborrecen a las estatuas con alma. Aborrecen el significado. Lo desean, siempre aborrecen lo que no pueden tener. Pero no te preocupes: si la guerra ha de suceder, es imposible detenerla.

—¿Estás diciendo que quizás he iniciado una guerra?

—Sólo «quizá». Nunca dormirás si te preocupas por el «quizá». Sobre todo si no puedes controlarlo. Concéntrate en lo que puedes hacer. ¿Comprendes? Ahora duerme. Vigilaré.

Pero George no podía dormir, la nueva información se arremolinaba en su cabeza. Le dio vueltas y más vueltas intentando descifrarla, pero sus ideas no dejaban de repetirse, y sus temores y recuerdos se convirtieron en una pauta tan recurrente e inevitable que se volvió tranquilizadora y regular, y por fin se durmió.

38

La estatua muerta

El Hombre de la Rejilla mantenía la vista clavada en la otra acera. Una mano larga y huesuda se agitó ante él, pero él permaneció inmóvil. La mano tocó el hueco en su pecho y presionó el bronce empañado, como buscando un latido del corazón o un indicio de vida. La mano dejó de buscar y se convirtió en un puño desdeñoso que golpeó la metálica frente.

El Cuervo estaba posado en la cabeza del Hombre de la Rejilla y sus excrementos dejaron un rastro blancuzco sobre su ojo izquierdo.

—Exactamente. Aquí ya no hay nadie, sólo un montón de hierro —dijo el Caminante—, a diferencia de ti. Dios los cría y ellos no se juntan, por así decir. No has tardado mucho en recuperarte, ¿verdad?

Había varios aspectos del Caminante que al Cuervo le desagradaban. Que nunca se quedara quieto, por ejemplo. Y sus bromas maliciosas acerca de su capacidad de renacer. «La gente no bromea acerca de los fénix», pensó el Cuervo, y tras archivar la idea para rumiarla más adelante, agitó las plumas. No parecían nuevas: eran ya más viejas que la mugre.

—Bien —dijo el Caminante; era tan maleducado como para hablarle apresuradamente a un ave que sueña en milenios—. Necesitamos a alguien para encontrarlo. Alguien a quien le agraden los niños.

Había empezado a llover intensamente. El Caminante se subió el cuello del abrigo, frotó la piedra que llevaba alrededor del cuello, extrajo el jirón de camiseta del bolsillo y se lo tendió al Cuervo.

—Es hora de recurrir al Minotauro.

39

Un día de reparación

George se despertó sobresaltado. Edie lo miraba; estaba claro que se encontraba mejor, porque le daba empujones.

—¡Eh, estabas roncando!

—Se ha ido —dijo, tras echar un vistazo a su alrededor. Parecía decepcionado.

—¿Quién se ha ido? —preguntó ella en tono suspicaz.

Entonces se lo contó todo acerca del Relojero y lo que había dicho. Lo que le omitió fue todo lo que había dicho él: no la incumbía y además lo único importante era que se lo había contado a alguien.

—¿Cómo era ese Relojero?

George lo describió; empezó por su aspecto y su ojo en forma de esfera de reloj y acabó con su advertencia acerca de los Siervos de la Piedra.

—¿Y no son máculas ni vitratos?

—No —contestó el chico, consciente de que no sabía mucho más.

—Entonces, ¿qué son?

—Son Extrañados.

—Pues lo parecen.

—Significa condenado. Están condenados a recorrer la Tierra hasta que hayan reparado aquello que los metió en problemas. Y los Siervos de la Piedra tienen...

—Problemas con la Piedra.

—Sí —dijo, y sintió que el agua le llegaba al cuello.

—¿Y tú tienes problemas con la Piedra? —preguntó Edie, frotando el disco de cristal y recordando las palabras de advertencia de la chica que se ahogaba y gritaba: «No es lo que parece.» De repente se sumió en la duda. Había creído que la advertencia se refería al Fraile Negro, pero ¿y si la chica la advertía acerca de George?

—Sí. Pero no son los mismos problemas que los de los Siervos.

—«No son los mismos problemas que los de los Siervos», repitió Edie. Y entonces, ¿qué son?

—El Relojero dijo que eran seres que habían pactado con la Piedra. Yo no pacté. Yo, esto... Yo la agravié.

—Y el agravio es algo diferente, ¿no?

—Por lo visto sí.

Edie se sentía aprisionada. Quería salir al aire libre, alejarse del polvo y la oscuridad, y de la sensación desagradable de estar encerrada en una habitación con George.

—¿Cómo saldremos de aquí? Resultará más difícil a plena luz del día...

De pronto, George percibió los ruidos de la ciudad y se dio cuenta de la hora que debía de ser. El tráfico rugía y comprendió que debía de haberse quedado dormido otra vez, y durante más tiempo.

—Podemos salir a través de la iglesia —dijo apresuradamente, y se dirigió a la puerta que el Relojero le había indicado—. ¿Lo ves?

Abrió el cerrojo y Edie lo siguió. Desde el pie de la escalera surgía un cántico en un idioma extranjero.

—¿Qué es eso? —susurró la chica.

—Son rusos. Según el Relojero, ahora la iglesia alberga a los rusos ortodoxos.

—¿Qué son «ortodoxos»?

—No lo sé —dijo George, saliendo por una puerta situada detrás de una columna, en la nave de la iglesia—. Personas tristes, a juzgar por sus cánticos.

La parte delantera de la iglesia estaba ocupada mayoritariamente por personas ancianas y unos pocos jóvenes. Todos miraban hacia el altar. Estaban de pie, entonando unos cánticos que parecían gemidos de dolor y de disculpa, dirigidos por un sacerdote barbudo envuelto en una larga túnica negra. Fue el único que vio salir a los chicos de detrás de la columna y dirigirse a la puerta que daba a la calle.

Se detuvieron en la entrada y contemplaron el ajetreo de la ciudad. La desolación nocturna había sido reemplazada por multitudes de peatones y, en vez de autobuses nocturnos persiguiendo coches, las calles estaban llenas de taxis ocupados, atascados en el tráfico, en medio del diluvio.

—¡Genial! —exclamó Edie en tono malhumorado al contemplar la lluvia que caía del cielo plomizo—. ¡Sencillamente genial!

—No —dijo George—, es perfecto. ¿Recuerdas lo que dijo el Artillero? Las gárgolas no vuelan cuando llueve. Significa que no hemos de preocuparnos, porque no nos descubrirán. La lluvia nos protege. Vamos.

—¿Adónde? —preguntó la chica—. Tengo hambre.

—Al monumento —dijo George en tono animado.

—Sí, pero no sabemos a cuál —dijo Edie pensando que, en todo caso, aunque lo supieran, no era un monumento al que ella necesitara ir, y entonces se preguntó cómo y cuándo lograría averiguar si sus nuevos temores acerca de que George no fuera lo que parecía ser eran fundados o no.

—El monumento. El Relojero me ayudó a descubrir cuál era —dijo George—, y me describió las pistas ocultas en las palabras del Fraile Negro.

—No sé si debiéramos confiar en el Fraile —dijo Edie.

—Yo tampoco lo sé, pero el Relojero dijo que las pistas parecían tener sentido. Y que no se le ocurría por qué el Fraile no habría de ayudarnos.

—¿Por qué confías en el Relojero?

«Porque su mirada era bondadosa —pensó George—. Porque me comprendió cuando le hablé de mi padre.»

—Porque me dijo que no lo hiciera. Me dijo que no

confiara en nadie, ni siquiera en él, a menos que fuera un vitrato sin rastro de mácula.

Ella sacudió la cabeza, como si fuera lo más estúpido que había oído en su vida.

—A lo mejor era un truco, ¿no te parece?

—No —insistió George, convencido de estar en lo cierto—. Toma —dijo, alcanzándole el trozo de chocolate—. Lo dejó para ti. Dijo que tendrías hambre al despertar. Era esa clase de persona.

—La clase de persona que le regala caramelos a las niñitas ingenuas —contestó, pero agarró el chocolate.

—No creo que tú seas una ingenua.

—Claro que no —dijo Edie, después de meterse el chocolate en la boca—. Hace muchísimo tiempo que dejé de serlo.

—Pues entonces vamos, si es que quieres venir conmigo —dijo, echando un vistazo al reloj de la iglesia. Se estaba haciendo tarde. Los ojos de piedra de los Hércules miraban la calle fijamente, como si jamás se hubieran movido.

—¿Hay más chocolate? —preguntó la chica.

—No.

—¡Qué pena!

George se metió por un estrecho callejón, pero no se dio la vuelta. Tras recorrer unos metros, oyó la voz de Edie:

—¿Por qué vamos por aquí? Esta callejuela está empapada.

—Nadie coloca máculas en la parte posterior de los edificios, ni tampoco en los callejones.

—Bien pensado —concedió Edie—. ¿Se le ocurrió a tu amigo el Relojero?

—No, se me ha ocurrido a mí.

40

Amigos ausentes

Diccionario observó a los abogados madrugadores que iban entrando en los tribunales. Las palomas se posaron en su peluca y disfrutó de sus gorjeos.

—Mil perdones, señor Johnson. Una pregunta. Amable, os lo aseguro.

Diccionario bajó la vista. El Relojero lo estaba contemplando.

—¿Debo presentarme, quizá?

—No hace falta. Debéis de ser el Relojero. Desde aquí arriba pocas cosas se me escapan. Nunca hemos tenido motivos para conversar, pero os veo ir y venir, comprobando que los relojes funcionen mientras vais pasando las cuentas de vuestro rosario.

—Vuestra fama os precede. Un logro magnífico. Un hombre de muchas palabras, etcétera. Yo soy de pocas. Pero necesito saber.

—La búsqueda del saber es lo que nos diferencia de los rumiantes bovinos. Eso y la capacidad de disfrutar de una buena pipa y una buena taza de té. Si vuestras intenciones no son malvadas, no tengo inconveniente en conoceros e ilustraros, en la medida que la tenue luz de mi sapiencia pueda iluminar el tenebroso miasma que nos circunda.

El Relojero hizo unas breves reverencias.

—Eternamente agradecido. Estoy en deuda. Se trata del chico.

—¿Chico? ¿Qué pasa con un chico? ¿Qué chico?

—Uno poco común. Viaja con una chica. Un vislumbre.

Diccionario se estremeció.

—¡Ah! Ese chico. ¿Qué pasa con él?

—Lo conocí. Anoche. Buena persona. Tiene problemas. Busca el Corazón de Piedra.

—Y ha causado un montón de problemas tratando de encontrarlo. ¿Tal vez conozcáis también a un vitrato que responde al nombre de Artillero?

—Sí —contestó el Relojero con excitación—. Claro que sí. Bien, no. Pero me gustaría. Quiero ponerme en contacto con él. Informarle de las actividades del chico y de la chica. Necesita ayuda, creo.

—Es posible que el Artillero sea incapaz de recibir o dar ayuda. Me temo que se marchó de aquí en un estado que probablemente no le permitió llegar hasta su plinto antes de medianoche.

El Relojero se desplomó, como si fuera un títere al que acaban de cortarle los hilos.

—Pero... Ah, comprendo. Tragedia. Me gustaría... Una desgracia. Ojalá pudiera hacer algo.

Hubo una pausa, y luego un carraspeo. Y entonces se oyó que alguien arrancaba un trozo de papel de un diccionario muy antiguo.

El Relojero alzó la mirada. Diccionario volvió a carraspear.

—El Artillero tenía amigos, por supuesto. Yo soy uno de ellos. Pero dadas las circunstancias, quizá le convendrían amigos algo más marciales. Podríais hacer circular la noticia, por así decir. ¿Disponéis de una pluma o un lápiz? —preguntó, sosteniendo un diminuto trozo de papel—. A lo mejor podríais ayudarme a enviar un mensaje con una paloma.

41

En línea recta

El Cuervo voló por encima de un gran macizo acristalado y se dirigió al noroeste, a través de la lluvia. Bajo sus alas se extendía un confuso conjunto de edificios, producto de los estragos del tiempo, los incendios y los bombardeos aéreos. Techos abruptos y afilados chapiteles se elevaban hacia el cielo convencidos en su época de alcanzar alturas inimaginables, pero ahora imponentes bloques de oficinas y apartamentos se erguían por encima de ellos.

La corriente ascendente de un sistema de calefacción lo impulsó hacia arriba, y desde allí observó el paisaje que iba dejando atrás: había menos torres y más bloques, bisecados por el río que avanzaba sinuoso encerrado entre los muros de contención.

El Cuervo recordaba el río viviente, había visto sus curvas modificándose con el paso del tiempo: era como una serpiente que se arrastraba por la tierra a un ritmo demasiado lento como para que los hombres lo notaran. Ahora estaba contenido entre muros de piedra y cemento, convertido en un canal, casi muerto. Recordó la época en la que impulsaba ruedas de molino. Hoy la única rueda que había era esa enorme rueda de bicicleta invertida que habían instalado en el South Bank, y a la que la gente acudía dispuesta a disfrutar de las vistas que el Cuervo hacía siglos que conocía.

El Cuervo siguió volando con el jirón de la camiseta de

George en el pico. Delante de él, a lo lejos, vio un grupo más denso de edificios, iluminados desde el interior, que se recortaban contra los plomizos nubarrones. Apuntó hacia uno con contorno de pepino gigante y empezó a descender.

En línea recta entre el Cuervo y el pepino, a unos quinientos metros de distancia, se veía el borde oriental de un inmenso complejo de cemento y cristal: parecía una fortaleza formada por varios zigurates y delgadas torres puntiagudas. Dentro de los límites de esa ciudadela urbana y futurista había fuentes y pasarelas a distintos niveles. El Cuervo sabía que por debajo del extremo meridional del conjunto antaño pasaban las antiguas murallas de la ciudad. Y recordaba la época en la que esa pequeña iglesia blanca que ahora se encontraba aislada en una extensión de césped, en el centro del bastión de cemento, era el edificio más alto de la zona.

Giró alrededor de uno de los bloques y aterrizó en un rincón olvidado del complejo. La lluvia caía con fuerza sobre unos parterres de flores. En realidad, de flores había pocas; el parterre estaba mayoritariamente formado por plantas resistentes de colores casi tan anodinos como las pasarelas de cemento. Lo único destacable era un bosquecillo de juncos.

El Cuervo se posó en el suelo, delante de los juncos, y observó las puntas plumosas azotadas por el viento y el chaparrón.

Entre los juncos, una figura imponente esperaba medio agazapada. La lluvia recorría su cuerpo robusto y oscuro y le daba un aspecto lustroso en el que se reflejaba la luz de las farolas. Era una figura inconfundiblemente masculina; por debajo de la cintura, se diría que no era más que un hombre musculoso con las piernas flexionadas, dispuesto a abalanzarse sobre algún transeúnte desprevenido. Pero lo que realmente llamaba la atención era el predominio de músculos que se observaba por encima de la cintura. No era la musculatura de un hombre, sino el poder robusto y brutal de un toro. De sus enormes hombros surgía una cabeza de toro coronada con un par de agresivos cuernos, y el escultor había hecho tan bien su trabajo que el toro parecía a punto de soltar un gruñido amenazador, pese a que —aparentemente— ni se movía ni respiraba.

El Cuervo se posó en el hombro de la figura y, tras dejar caer el jirón de camiseta en el parterre, se acercó a la oreja bovina y chasqueó el pico.

Por encima de sus cabezas, el imponente edificio no consiguió retener el nubarrón, que, con la ayuda del viento, se desplazó decidido a empapar otras zonas de la ciudad. Cuando la lluvia amainó y apareció un trocito de cielo azul, el Cuervo salió volando hacia el sur.

Para quienes ven lo que está allí y lo que en realidad no lo está, no había ningún Minotauro. Sólo una pisada en el parterre, bajo los juncos, donde había apoyado su pezuña antes de emprender la marcha.

42

Después de los postres

George y Edie se abrían paso a través de una zona nueva de la ciudad. A ambos lados se elevaban grandes edificios modernos, pero la estrechez de las calles, su disposición y sus nombres delataban que el trazado de la zona seguía siendo el del antiguo Londres. Se metieron en una calle estrecha e inclinada llamada Pudding Lane.

—No sé por qué le habrán puesto el nombre de un postre —gruñó Edie.

—Porque aquí estaban las panaderías y los panaderos —le explicó George, feliz por encontrarse en una parte de Londres que conocía, aunque sólo fuera gracias a los libros de historia—. Aquí empezó el incendio.

—¿Qué incendio?

—El Gran Incendio. En 1666. Empezó en el horno de un panadero, aquí cerca.

—¿Así que sabes fechas y esas cosas? Debes de ser un cerebrito, además de rico.

—No soy rico, Edie. Y es una fecha fácil de recordar. Es un cigarrillo y tres pipas.

—¿Qué?

—Todo el mundo lo aprende así. El uno parece un cigarrillo y los seises, pipas. Ya sabes, como las que fuman los viejos.

—No conozco a ningún viejo. Y nadie me ha enseñado nunca nada acerca de un incendio.

—Bueno, si no me crees... —dijo George, saliendo de Pudding Lane y girando a la izquierda—. Mira eso.

Por encima de sus cabezas se elevaba una alta columna de piedra, dominando la pequeña plaza que culminaba en una suave loma. A George le parecía una versión casera de la Columna de Nelson. Tal vez se debía a que estaba rodeada de edificios y no había modo de alejarse lo suficiente para apreciar su tamaño; o quizá porque la base cuadrada sobre la que se apoyaba tenía una puerta en el centro en cuyo interior ardía una luz amarilla. En realidad se parecía más a un faro que a una columna triunfal. Y tampoco había figura alguna en lo alto de la columna de piedra gris. En lugar de eso, la cima estaba rodeada por una jaula cuadrada pintada de gris y blanco. Y de esta inesperada jaula surgía una urna dorada de la que salían inmóviles llamas de oro. Incluso en un día nublado como ése, el dorado se destacaba contra el gris de la ciudad.

Edie volvió a arrastrar a George hasta Pudding Lane.

—¿Qué pasa?

—¿Acaso te has vuelto ciego de pronto? ¿No has visto esos dragones?

—¿Dragones?

—¡Encima del plinto!

George se asomó y, en efecto, no había visto los cuatro dragones que habían tallado rudamente en las esquinas del plinto. Parecían aferrarse desesperadamente a las esquinas, como si se les hubieran cansado las patas y pudieran caer al suelo en cualquier momento.

—He de subir allí —dijo George—. Aún está lloviendo.

—No son desagües. Creo que eso de que «no vuelan cuando llueve» sólo se aplica a las gárgolas que son desagües. Éstas tienen un aspecto más... malvado.

Edie sacó el disco de cristal. Estaba opaco y le informó que pese a su proximidad y sus muecas desagradables, esos dragones no suponían una amenaza... De momento.

—A lo mejor son estatuas muertas —dijo George—. El Relojero dijo que muchas estatuas han dejado de moverse porque están muertas. Murieron en la guerra entre los vitratos y las máculas. —Entonces se dio cuenta de que estaba a punto de meter la pata y se calló.

—¿Qué guerra era ésa?

—Sólo es historia antigua —contestó el chico con rapidez; quería cambiar de tema, y le echó un vistazo a su reloj con cara de desesperación—. Será mejor que nos pongamos en marcha, no dispongo de mucho tiempo.

No pensaba decirle que, cuando el Artillero lo había salvado del pterodáctilo, quizás había desencadenado una guerra entre los vitratos y las máculas que no tendría nada de antigua.

—Mira el cristal. Es probable que no nos pase nada —dijo George.

Ella volvió a guardárselo en el bolsillo.

—Ya. —Ése fue su único comentario.

Al pasar junto a la columna, ambos avanzaron sin apartar ni un instante los ojos de los dragones.

—George —dijo Edie, señalando el cartel que colgaba junto a la puerta y donde se indicaba el precio de la entrada para visitar el monumento: «Niños una libra», ponía.

—No tenemos dos libras —dijo la chica—. Tendrás que ir tú solo.

—No tardaré nada —le aseguró George—. Espérame allí, a cubierto —dijo, señalando un edificio moderno revestido de lustroso mármol de color marrón.

Edie se estremeció, y George se quitó rápidamente la chaqueta y le dijo:

—Toma, póntela, así no tendrás frío. Yo estaré a cubierto subiendo esas escaleras y quizá tenga demasiado calor cuando llegue arriba.

El ofrecimiento la desconcertó, pero aceptó y deslizó los brazos en las mangas.

—Gracias.

—No hay de qué.

—¿Qué harás si deja de llover y uno de esos dragones no está muerto y se despierta?

George se encogió de hombros y fingió estar tranquilo, aunque ya había llegado a la conclusión de que ocultarle cosas a Edie no tenía mucho sentido. Parecía adivinarlo todo. De pronto se le encogió el estómago, pero hizo caso omiso.

—Allí arriba hay una jaula, como esas que usan los submarinistas para observar los tiburones.

—No me dedico a observar tiburones. Uno tiene que aburrirse mucho para hacer algo así.

—Estaré bien.

A esas alturas, Edie sabía que esas palabras se empleaban cuando uno quería convencerse de que todo iba bien: no era más que un modo de enfrentarse al miedo. Decidió dejar que creyera que se lo había tragado; al fin y al cabo le había prestado la chaqueta.

George contempló la columna y los nubarrones que pasaban por encima de su cabeza.

—Será mejor que me ponga en marcha. Puede dejar de llover en cualquier momento. Aunque no tengo ni idea de cómo me las arreglaré para atrapar una llama en medio de toda esta lluvia —dijo, y se dirigió hacia la puerta sin perder de vista los dragones.

—Buena suerte.

Edie se encaminó hacia su refugio, pero, cuando hubo dado unos pasos, se volvió y sorprendió a George observándola desde la puerta con una expresión curiosa en el rostro. En cuanto vio que lo estaba mirando, cambió rápidamente de expresión. Sin embargo, durante un instante, Edie vio las dudas y la vacilación que se ocultaban tras la valentía que había estado mostrando desde que habían abandonado Fleet Street. George le lanzó una sonrisa confiada y la saludó con la mano antes de entrar.

—¡George! —gritó Edie cruzando de nuevo la plaza. Nunca llegaría a saber por qué hizo lo que estaba a punto de hacer: abrió la cremallera de su bolsillo y le entregó a George el disco de cristal—. Te advertirá si las cosas cambian, ya sabes.

A él se le hizo un nudo en la garganta. Sabía cuánto significaba para ella.

—Edie...

—No lo pierdas —dijo, y se alejó saludándolo con la mano.

El chico la observó hasta que alcanzó el alero del edificio; después se metió el cristal en el bolsillo y empujó la puerta.

Dentro había un molinete y una pequeña caseta donde un hombre leía el periódico y bebía té de un termo. Apenas lo miró cuando él depositó la moneda encima del mostrador. Le dio una entrada y un folleto y volvió a su lectura murmurando algo así como:

—Nada de travesuras.

George carraspeó, se dirigió al centro del plinto y alzó la vista. Iluminada por varias bombillas, una escalera de caracol de piedra ascendía por el interior de la columna bordeada por una estrecha barandilla pintada de negro. En el centro, sesenta metros más arriba, una luz más clara brillaba desde el interior de la puerta abierta. Pese a las bombillas, el recinto parecía muy viejo y muy remoto. Y aunque llovía, olía a piedras secas.

George examinó el disco de cristal y empezó a remontar los peldaños de tres en tres, contándolos mientras ascendía.

Para cuando había contado treinta, Edie empezó a preocuparse. No se trataba de una preocupación por algo concreto, pero dado que las estatuas habían empezado a desprenderse de los edificios y a perseguirla, y dado que un monstruo metálico había tratado de aplastarle la cabeza con dos rejillas, consideró que tenía razones suficientes para preocuparse. En realidad, más que preocupación lo que sentía era un hueco, una ausencia repentina. Una vez tuvo dolor de oído y fue horroroso, y casi insoportable. Su madre le leyó un cuento y después otro. Al cabo de un rato se olvidó del dolor, pero todos los cuentos tienen un final y los que le leía su madre no eran una excepción. Cuando llegó al final del último, el mundo real regresó y el dolor, también. Y ahora sentía exactamente lo mismo que había sentido en el intervalo de tiempo que transcurrió entre el instante en que se dio cuenta de que el cuento que había conseguido que se olvidase del dolor había acabado y el momento en que tuvo la certeza de que ese dolor regresaría con más intensidad.

Comprendió que echaba en falta el disco de cristal, más de lo que había esperado. Debía de ser eso. Era imposible que echara de menos a George, en quien —se dijo— ni siquiera sabía si confiaba.

Pero si no confiaba en él, ¿por qué le había prestado el disco? Se arrebujó en la chaqueta y sintió que había algo en el bolsillo; cuando metió la mano descubrió que era la cabeza del dragón. Sus ojos inexpresivos se clavaron en los suyos y volvió a meterlo en el bolsillo, temiendo que podría despertar a los dragones cercanos mediante un procedimiento que ella no comprendía.

«¡Ojalá tuviera el disco!», pensó. Hacía mucho tiempo que lo tenía y no había descubierto para qué servía hasta que había llegado a la ciudad... Claro que tal vez se debía a que en la costa no había máculas, o al menos no las había donde ella se había criado.

Una sombra oscura se interpuso entre ella y el cielo. Edie levantó la cabeza: no era un dragón o una gárgola, sino simplemente un pájaro.

Volvió a quedarse inmóvil. De pronto dejó de llover. Sabiendo lo que sabía, Edie tenía razones para sentirse alarmada; sin embargo, lo que estaba a punto de sumirla en el terror no tenía nada que ver con sus temores.

Estaba detrás de ella.

Algo a sus espaldas estaba surgiendo de las sombras, como si la oscuridad estuviera tomando forma.

43

Detrás de Edie

La vida transcurre en círculo; si Edie no le hubiera prestado el disco de cristal a George, no habría estado pensando en la playa ni en el día que le dijeron que su madre ya no volvería. Si hubiera tenido el disco en la mano, tal vez habría percibido algo. Pero no fue así, y no supo que había algo a sus espaldas hasta que una mano le tapó la boca y la arrastró hasta las sombras que rodeaban la plaza.

George estaba sin aliento y había perdido la cuenta de los peldaños que había subido; cuando alcanzó la puerta, en la parte superior de la escalera, y salió tropezando al exterior ascendían a trescientos y pico; soplaba una brisa húmeda y las nubes amenazadoras cubrían el cielo, iluminadas por los traicioneros rayos de sol invernal. Hacia el este, el Támesis fluía bajo la silueta familiar del puente de la Torre. Hacia el norte, por encima de los edificios más antiguos y mugrientos, se elevaban rascacielos modernos y brillantes. El que tenía forma de pepino se erguía por encima de una confusa masa de tubos de acero que George reconoció como el edificio Lloyds.

Al girar hacia el oeste vio un montón de grúas entre los edificios acabados y a medio construir, y entonces su mirada se detuvo en la cúpula de la catedral de St. Paul. La vista habría sido perfecta de no ser por un edificio negro que se interponía entre George y el templo. Se trataba de un rascacielos envuelto en un característico enrejado de metal en el que se reflejaban los tímidos rayos de sol que se filtraban a través de las nubes.

Cuando hubo recuperado el aliento, George consideró que todos esos tejados parecían tristes y abandonados, como si fueran las partes innobles de los edificios, las que nadie veía excepto desde un lugar tan elevado como el que George ocupaba. Entonces se dio cuenta de que las gotas de agua que transportaba la brisa provenían de la jaula que rodeaba el extremo de la columna: había dejado de llover.

Contempló la urna dorada que albergaba las llamas inmóviles, iluminada por el sol y recortada contra una nube oscura. Un pájaro pasó volando y después se posó en la urna. George consideró que, con esas llamas, la urna parecía un cardo inmenso o tal vez una alcachofa, y que el pájaro ciertamente no estaría cómodo entre todos esos pinchos, por muy dorados que fueran.

Entonces recordó que había dejado de llover y pensó en los dragones acurrucados bajo sus pies y en sus sonrisas de tigre, y extrajo el disco de Edie.

Estaba opaco, pero zumbaba y vibraba entre sus manos. George clavó la mirada en la ciudad que se extendía a sus pies.

El pájaro descendió entonces de la corona de llamas y se interpuso entre el disco de cristal y el sol. Su sombra pareció detener el zumbido y la vibración. Sin pensarlo, George volvió a poner el disco al sol y, durante un instante, cobró vida de nuevo. Pero el pájaro volvió a proyectar su sombra sobre el pedazo de cristal y, cuando George se dispuso a desplazar el disco hacia la luz del sol, el pájaro se apresuró a tapársela. George miró al pájaro.

Era un cuervo.

Y aunque parecía imposible que un cuervo pudiera esbozar una sonrisa, el chico tuvo la sensación de que el cuervo le lanzaba una mirada burlona, como diciendo: «Inténtalo otra vez.»

Volvió a intentarlo; hizo ademán de desplazar el disco a

la izquierda, pero lo desplazó a la derecha. El Cuervo siguió sus movimientos como si estuviera conectado al disco mediante un hilo. Entonces George supo qué cuervo era; se dio cuenta de que se mantenía en el aire desafiando la gravedad y recordó adónde lo había mandado el Fusilero y, por lo tanto, de dónde había regresado.

El Cuervo parecía asentir con la cabeza, era como si estuviera adivinándole los pensamientos.

Ante la evidencia de que el Cuervo no quería que los rayos de sol tocaran el disco, George se empecinó en conseguir lo contrario. Giró alrededor de la columna y el Cuervo se deslizó por el aire, impidiendo que el sol alcanzara el disco.

—¿Qué quieres? —le gritó el chico.

El Cuervo soltó un graznido que a George le pareció malicioso.

—¡Lárgate! —gritó George.

Sostenía el disco con el brazo estirado, acercándolo a los barrotes de la jaula. El Cuervo se lanzó hacia delante, introdujo la cabeza entre los barrotes y trató de arrebatárselo.

—¡Ni lo sueñes! —exclamó. Brincó hacia atrás y su espalda chocó contra el monumento. George ocultó las manos para evitar que el Cuervo se apoderara del disco. El Cuervo se aferraba a los barrotes moviendo la cabeza de un lado a otro, como preguntándose cuánto tiempo tardaría en alcanzar su objetivo. Con el sol a sus espaldas parecía más negro que nunca, era como un agujero en medio de la luz.

George descubrió que en el muro, justo detrás de él, había un estrecho reborde. Depositó el disco encima y cerró la mano, como si aún lo sostuviera. El pájaro siguió el movimiento de su mano empeñado en proyectar en ella su sombra.

El chico se volvió a toda velocidad. Un rayo de sol iluminó el disco que George había dejado en el reborde del muro: el disco zumbó y vibró, y de repente se encendió y quedó envuelto en llamas.

—¡Sí! —exclamó George.

El pájaro soltó un graznido de sorpresa.

El disco vibrante acabó cayendo al suelo de la jaula. El Cuervo intentó agarrarlo, pero los barrotes se lo impidieron. George se abalanzó sobre el disco llameante, pero decidió dejarlo en el suelo y se puso en cuclillas con la mirada clavada en el cristal rodeado de llamas.

No sabía qué ocurriría. Tal vez se formarían algunas palabras con letras de fuego. O tal vez un mapa. O algo parecido a una bola de cristal. Pero no vio nada.

Sólo un opaco disco de cristal rodeado de un anillo de llamas.

Entonces las llamas empezaron a apagarse y el disco adoptó su aspecto normal: el de un culo de botella desgastado por la arena y el mar.

Estaba tan decepcionado que cuando las llamas se extinguieron alargó el brazo sin pensar y agarró el disco con la mano de la cicatriz.

El zarpazo del dragón le había provocado un dolor increíble, pero esto era mucho peor. El dolor del zarpazo le había afectado sólo en la mano. Éste, en cambio, empezó cuando cerró el puño y se extendió por su muñeca y a lo largo de su brazo. Era como si un espino creciera a gran velocidad y le clavara las espinas en el antebrazo, el codo y el bíceps. Y entonces, en vez de seguir aguijoneándole el brazo y la piel, el dolor penetró en su cuerpo, a través de la axila, como si el espino intentara arraigar en sus entrañas. No podía respirar, el corazón le latía con fuerza y se sintió descompuesto, más descompuesto que nunca. Lo único que impidió que vomitara era el dolor que le estrujaba las entrañas.

En cuanto empezó a comprender el mensaje de las llamas atrapadas en el disco, se agitó y se estremeció. De pronto, el dolor y los temblores desaparecieron y, durante un instante, supo lo que Edie sentía cuando vislumbraba. Y entonces algo lo golpeó.

Pero no era el pasado, como en el caso de Edie. Lo que lo golpeó fue el ahora.

Era como si una mano inmensa e inexorable lo obligara

a inclinarse por encima del disco. Tenía los ojos muy abiertos y descubrió que no podía parpadear, ni siquiera cuando empezaron a arderle. El disco reveló una imagen y después otra y otra más, provocándole dolor y náuseas, y lo que George vio era el panorama desde la punta del monumento, lo que se veía desde donde él se encontraba tirado en el fondo de la jaula.

Lo que veía era un trozo del río turbio enmarcado entre las rayas horizontales del revestimiento de cemento de un edificio de oficinas y la aguja de una iglesia.

De pronto, el panorama sufrió una sacudida hacia delante y hacia un lado: George contemplaba entonces la parte superior de un edificio de oficinas donde una precaria pérgola de madera cubierta de plantas moribundas rodeaba un inmenso bloque que liberaba vapor.

Tras otra escalofriante sacudida, vio la pared curva del edificio situado justo detrás: una moderna fachada de piedra y la curva contrastante de una hilera de edificios victorianos anexos.

Entonces, cuando el panorama volvió a sacudirse y avanzó volando por encima de Londres, vio algo que reconoció: la base de la Torre Negra, el edificio envuelto en un enrejado de acero.

Al reconocerlo, el dolor en sus entrañas aumentó y tuvo que esforzarse por no vomitar cuando la siguiente sacudida le mostró la catedral de St. Paul; después la visión se precipitó al vacío, rodeó la base de la Torre Negra y se detuvo en un punto enmarcado en llamas... Eso le indicó que era lo que andaba buscando.

La Piedra de Londres.

Sólo que no parecía nada mítico.

Ni mágico, ni especialmente histórico y ni siquiera interesante.

Lo que sí parecía era uno de los edificios más lúgubres, tristes y olvidados de Londres; un edificio que incluso carecía de la dignidad que en ocasiones otorga la antigüedad.

Junto a la acera había algo que emitía una luz tenue,

pero el resto del edificio, un destartalado bloque de oficinas de los años sesenta, estaba muerto y completamente a oscuras: ahí sin duda no había inquilinos.

George clavó la mirada en el último fotograma, tratando de controlar sus tripas acalambradas y los latidos de su corazón, e intentando comprender cómo era posible que su búsqueda acabara en un edificio en el que, con suerte, alguna empresa de importación-exportación del Tercer Mundo alquilaría una oficina durante un par de meses antes de quebrar para terminar abandonándola sin pagar el alquiler ni vaciar las papeleras.

44

Viejos amigos, nuevas traiciones

Cuando la visión proporcionada por el disco de cristal cesó y éste volvió a convertirse en un opaco culo de botella, George lo dejó caer y se apoyó en las manos y las rodillas intentando recuperar el aliento.

Cuando el dolor desapareció sintió un inmenso alivio, tan inmenso que ni siquiera se dio cuenta de que el Cuervo había introducido el pico entre los barrotes y estaba tirando de la punta del cordón de su zapato. Era un pájaro recio y su pequeño tamaño estaba compensado por su fuerza. Tras el tercer tirón, George cayó en la cuenta de que el Cuervo había logrado acercar su pie a los barrotes y aleteaba hacia atrás con determinación.

—¡Eh! —gritó, tratando de darle una patada con la otra pierna.

El Cuervo logró introducirle el pie entre los barrotes, y siguió tirando hacia atrás.

—¡Eh! ¡Detente! —volvió a gritar George, asustado ante la fuerza y la persistencia del pájaro. «Estoy histérico», pensó, e intentó darle otra patada, pero sólo le dio a los barrotes y un dolor nada imaginario y absolutamente real le recorrió el pie y el tobillo. Pero el pájaro hizo caso omiso, y siguió tirando de los cordones hasta que consiguió que la pierna flotara sobre el abismo. George intentó calmarse: no parecía que corriera un auténtico peligro de precipitarse al vacío, porque los barrotes lo impedían. Pero lo cierto es que tenía el muslo atascado entre los barrotes, colgando en el exterior. Se aferró con fuerza a la jaula y consiguió retirar la pierna; él, sin embargo, no lo soltó.

Algo cedió: era su zapato.

El Cuervo flotó en el aire con el zapato colgando del pico: parecía un pájaro que en vez de una lombriz del suelo se hubiera encontrado con una bota Doc Martens. El Cuervo escupió el cordón y trató de agarrar la pernera con el pico.

Para cuando el zapato cayó en el pavimento, el Cuervo ya había atrapado la pernera y volvía a tirarle a George de la pierna. George se aferró a los barrotes y tiró en dirección opuesta, pero el pájaro redobló sus esfuerzos.

—¡No lograrás arrastrarme a través de los barrotes, así que suéltame! —chilló. La cadera le dolía porque el pájaro seguía tirando.

Y entonces el dolor cesó... Porque los barrotes empezaron a separarse.

Algo se acercó volando y tiró de los barrotes, separándolos cada vez más y produciendo un horroroso chirrido metálico. Tiró de ellos con los ganchos que tenía en la punta de sus espantosas alas de murciélago y, a cada tirón, soltaba un resoplido por el tubo oxidado que tenía clavado en medio de su rostro de gato salvaje.

Era la gárgola con cara de gato de St. Pancras, la que había visto por última vez en el balcón del apartamento de su madre.

Al igual que el Cuervo, su fuerza parecía completamente desproporcionada a su tamaño. Gruñía y bufaba mientras tiraba y se esforzaba. George empezó a pensar que tal vez lograría separar los barrotes y, en ese caso, acabaría cayendo al vacío y aplastándose contra el pavimento.

La gárgola separó los barrotes, introdujo la cabeza entre ellos y le lanzó un gruñido. George intentó protegerse agarrando el tubo de metal que surgía del rostro de la gárgola como un cañón oxidado, y lo empujó tratando de hacerla caer.

—¡Vete! —gritó—. ¡No te tengo miedo!

La gárgola agitó la cabeza como un perro que ha atrapado una rata y George siguió empujándola fuera de la jaula.

—¡No te tengo miedo! —chilló, procurando convencerse a sí mismo—. ¡Sólo eres un canalón! ¡Un maldito y feo canalón hecho para asustar, pero a mí no me asustas!

George, tendido de espaldas, le lanzó otra patada con la pierna que le quedaba libre.

—¡Vete, canalón! ¡Vete de una vez! —exclamó, y le pegó una patada en medio del pecho con todas sus fuerzas.

Cuando la gárgola salió despedida de la jaula, uno de los ganchos se desprendió de los barrotes y se quedó colgada en el aire. George trató de liberar la pierna que el Cuervo le tenía agarrada, pero no lo consiguió.

La gárgola volvió a lanzarse contra George a gran velocidad. Tenía las fauces abiertas y chillaba. George se dio cuenta de que algo había cambiado: al patearla, le había arrancado el tubo metálico de la boca y ahora podía abrir sus fauces llenas de dientes y atacarlo con renovada ferocidad.

PUM.

Un disparo proveniente de abajo arrojó la gárgola a un lado.

PUM.

Un segundo disparo la apartó de los barrotes. A George le pareció que se quedaba colgando en el aire, como los personajes de tebeo que acaban pedaleando en el aire por encima de un precipicio.

La gárgola parecía sorprendida; abrió las fauces con expresión incrédula.

—Hasta luego, canalón —dijo George.

PUM.

El canalón se convirtió en una nube de trizas y polvo que se arremolinaron alrededor del monumento y que, poco a poco, arrastradas por el viento, se desplazaron hacia el noroeste, en dirección a la estación de ferrocarril, al otro lado de Euston Road.

El Cuervo dejó de tirarle a George de la pierna y miró

hacia abajo tratando de localizar de dónde provenían los disparos. George ignoraba cómo había conseguido localizarlos el Fusilero, pero estaba convencido de que se trataba de él.

El Cuervo volvió a concentrarse en George. Parecía decepcionado, y todavía lo pareció más al encogerse de hombros. Pero tiró de la pierna con ferocidad aún mayor. El chico trató de aferrarse a las placas metálicas del suelo de la jaula.

PUM.

El disparo alcanzó al Cuervo, que empezó a girar como una hélice, soltó un graznido y la pierna de George quedó libre.

PUM.

El Cuervo se convirtió en un montón de plumas negras y grasientas, y George echó a correr escaleras abajo a toda velocidad. Atravesó el molinete al pie de la escalera y salió por la puerta, convencido de que se encontraría al Fusilero y a Edie. Estaba tan contento que ni siquiera vio que su zapato estaba tirado en el suelo, en medio de su camino, y tropezó dolorosamente. Al caer se dio contra el bordillo y, cuando se volvió, vio la figura oscura y tranquila cargando su revólver de nuevo.

No era el Fusilero.

—Deberías fijarte en dónde pones los pies, jovencito —dijo una voz áspera que George había creído que no volvería a oír jamás—. No sabes con qué problemas podrías encontrarte.

Era el Artillero.

Edie se asomó por detrás del Artillero y le ofreció a George una amplia sonrisa; era la primera vez que la veía sonreír francamente y su rostro se iluminó como el sol.

Los ojos le brillaban de excitación y alivio. George también sentía un gran alivio de volver a ver al Artillero; sentía...

—Tranquilo —dijo el Artillero cuando el chico se puso de pie dispuesto a abrazarlo. El Artillero le tendió entonces la mano evitando que se pusiera en una situación embarazosa, y George se la estrechó, agradecido y excitado.

—¡Estás bien! —exclamó—. ¡Estás bien...!

—Tú también lo estás —gruñó el Artillero, rascándose la nuca—. Has luchado contra esos dos como un buen soldado. Diría que has adquirido cierto coraje.

—Me habrían atrapado —reconoció George—. En realidad, sólo luchaba por zafarme.

—A veces lo único que puedes hacer es luchar; pero mientras luchas, no te das por vencido, y eso es lo importante.

Edie seguía sonriendo.

—Ha aparecido de la nada y he creído que era una mácula, pero entonces he visto que era él, y después ha venido el pájaro y él se ha dispuesto a dispararle, y entonces ha venido la mácula, y ambos luchabais y no podía hacer puntería y después... ¡pum, pum, pum! —dijo Edie, imitando el gesto del Artillero—. ¡Ha sido impresionante!

George echó un vistazo a la jaula que coronaba el monumento y sonrió al Artillero.

—¡Ha sido un disparo genial!

—No ha estado mal.

—Podrías haber errado el tiro.

—Me pagan por acertar —dijo el soldado, guardándose el revólver en la funda—. Soy el Artillero.

A George le dolía la cara de tanto sonreír.

—Y no estás muerto.

—Pues no.

—La última vez que te vi estabas malherido —dijo Edie—. Parecías estar a punto de morir. Entonces el Fusilero dijo que en tu mensaje decías que...

—Creí que estaba muerto. Casi estiro la pata. El dragón no toma prisioneros y sus llamaradas me dejaron en la miseria. Logré llegar al parque de St. James y caí de cara en el fango. Casi me ahogo en uno de esos charcos. Creí que había llegado mi hora, la verdad.

—Pero lograste regresar a tu plinto antes de medianoche...

—No —dijo el Artillero, frotándose la barbilla—. Uno

de mis compañeros me encontró y me llevó a casa. El Oficial. Me salvó el pellejo.

—Y tú has salvado el mío —dijo el chico, atándose el cordón del zapato.

—¿Lo has logrado? —preguntó Edie—. ¿Has logrado atrapar una llama?

—Sí —dijo George señalando con el dedo—. Está allí, frente a una torre negra que está enjaulada en una especie de rejilla plateada dispuesta en diagonal...

—Cannon Street —dijo el Artillero—. Bien. Seguidme. Y, Edie, procura no perderte, ¿vale?

El Artillero se puso en marcha seguido por los chicos. A pesar de todo, Edie volvió a sonreír y, al ver su sonrisa, George le preguntó:

—¿Qué pasa?

—Edie. Me ha llamado Edie —dijo, tratando de reprimir la sonrisa y ruborizándose.

—Te llamas así, ¿no?

—En general me llama «ese vislumbre» o «ella».

—Ah, ¿sí? La verdad es que uno acaba por quererte —dijo el chico con una sonrisa nerviosa.

—¿Sí? —Edie parecía casi complacida.

Los chicos cruzaron la calle siguiendo los pasos del Artillero.

—Me alegro de que haya vuelto. Me alegro de que esté aquí —dijo Edie.

—Sí —contestó George—. Y también me alegro de que lo estés tú.

—Cállate.

—No, lo digo en serio. Te debo una.

—No es verdad.

Se detuvieron un instante para dejar pasar un taxi.

—Claro que sí. En serio, ¿por qué sigues conmigo?

—Porque regresaste para buscarme. Sin pensarlo. Cuando esa mácula me tenía agarrada de la cabeza. Por eso te di el disco de cristal.

George se sentía incómodo y dejó de sonreír.

—No volví por ti sin pensarlo, Edie. Al final sí, pero al principio pensé en salir corriendo...

Ella lo miró, asimilando sus palabras.

—Lo siento. ¡Ojalá hubiera sido más valiente! ¡Ojalá no hubiera pensado en huir y fuera más parecido a él! —exclamó, señalando al Artillero, que los esperaba con impaciencia al otro lado de la estrecha calle. El taxi giró y desapareció. Edie le tiró del brazo.

—Tal vez sea más valiente pensar en huir y quedarse. Y no sigo contigo sólo por eso —dijo Edie—. A lo mejor es porque me enfadé cuando las esfinges me plantearon otra pregunta. Si les hubiera preguntado acerca del Corazón de Piedra, habrías llegado aquí antes.

—Llegaremos antes si dejáis de parlotear y os dais un poco más de prisa —dijo el Artillero, chasqueando los dedos.

—No es sólo el terror y el miedo lo que te impide pensar —prosiguió Edie en voz baja—. También la ira, así que todas las cosas por las que has pasado, o, en todo caso, algunas de ellas, también son culpa mía. Si no hubiera hecho preguntas acerca del acto de vislumbrar, habrías llegado allí más directamente.

—O tal vez no hubiera llegado.

—No es cierto. Habrías llegado de todas maneras. Estaba escrito. La marca que llevas en la mano, el que seas un hacedor... No es una casualidad. Todo eso tiene un significado; no sé cuál es, pero lo tiene. Tu padre era un hacedor, ¿verdad? ¿Acaso aún no lo comprendes?

George no quería hablar de su padre, así que simuló no haberla oído.

—Oye, Edie, en serio, ¿cómo podrías no haber preguntado qué era eso de vislumbrar? Ser capaz de algo tan... No sé... Tan extraño y aterrorizador, ¿y no saber qué es? Eso volvería loco a cualquiera. ¡Tenías que preguntarlo!

—Basta de cháchara y vigilad el cielo —dijo el Artillero—. Tal vez sólo herí a ese cabrón.

—Sí —dijo Edie, corriendo junto al soldado—. Me parece que con herirlo no es suficiente... Si es que se trata del mismo pájaro al que el Fusilero hizo trizas la pasada noche.

—Puede que lo sea —dijo el Artillero—. No es posible matarlo, como tampoco es posible matar a la Memoria, y eso es lo que él es.

—¿Cómo dices? —preguntó Edie, tropezando con un adoquín. El Artillero la sostuvo sin desviar la mirada del cielo y lo hizo con tanta suavidad que la chica se sorprendió y dejó de hablar del pájaro. No sabía si agradecérselo o no. Se sentía confundida y no sabía por qué.

—¿Qué quieres decir? —preguntó George.

—La Memoria siempre descubre la manera de sobrevivir. Incluso cuando no queda nadie que recuerde. Se encierra en las piedras y aguarda a que surja alguien como ella y la libere.

—¿Me lo devuelves? —preguntó Edie, tocándole a George el brazo sin dejar de correr.

—¿Qué quieres que te devuelva? —preguntó George, pero enseguida cayó en la cuenta.

—Mi disco de cristal.

—¡Ah! —dijo.

Edie se detuvo y George se volvió, tratando de idear una explicación.

—¡Lo has dejado allí! —exclamó ella en tono incrédulo—. Estás de broma, ¿verdad?

—Todo ha sido muy confuso. Me estaban atacando. No he pensado...

Edie lo miró. El alma se le cayó a los pies. La traición había sido tan repentina que se sintió mareada.

—Después volveremos a recogerlo. Pronto. Pero después de encontrar la Piedra —dijo el chico, consciente de que el Artillero volvía sobre sus pasos.

Toda la calidez, la felicidad y el alivio que Edie había sentido tras el regreso del Artillero se desvanecieron de golpe: ahora en su interior reinaba el frío, la soledad y el vacío. Edie no sabía qué decirle. Se había sentido traicionada en otras ocasiones, pero esto era aún peor.

Se limitó a darse la vuelta y desandar sus pasos a toda prisa. Al cabo de un instante, ya había desaparecido detrás de una esquina.

El Artillero contempló a George con expresión inescrutable y de repente el chico se indignó. Estaban tan cerca... Eso casi había acabado.

—¿Qué pasa? —exclamó George.

El soldado sacudió la cabeza; parecía decepcionado. La indignación de George aumentó y le ruborizó las mejillas.

—¿Qué pasa? ¡No lo he hecho a propósito! Estaban ocurriendo muchas cosas, ¿recuerdas?

—No lo comprendes...

—¡Pues añádelo al montón de cosas que no comprendo! —le espetó—. No comprendo nada de lo que está ocurriendo. No quería que ocurriera, no pedí que ocurriera, no...

—Te has olvidado de traerle su piedra del corazón.

—¿Su qué?

—El disco de cristal... Su piedra del corazón. La piedra del corazón de un vislumbre es esencial para ellos. Es vital para lo que son.

—¡Pero si casi hemos llegado! ¡Mira! ¡Ya llegamos! —exclamó, señalando la Torre Negra en el extremo de la callejuela y el edifico anodino, situado algo más allá.

El Artillero negó con la cabeza.

—Tú estás aquí —dijo y señalando por encima del hombro, añadió—: Ella está allá.

—Pero...

—Ella está allá. Sin su piedra del corazón. Y está sola.

45

No parpadees

Edie entró corriendo en la pequeña plaza dominada por el monumento. La puerta de entrada a la columna estaba cerrada. Le pareció imposible. Acababan de estar allí y la puerta estaba abierta. La golpeó con ambos puños, y entonces vio el trozo de papel que había metido en el marco de la ventanilla.

«Regreso en cinco minutos» ponía el garabato escrito en rotulador rojo.

Edie retrocedió un paso y dirigió la mirada a la jaula que había en lo alto de la columna. El corazón le latía con fuerza y le temblaban las rodillas. Se sentiría mejor en cuanto encontrara el disco de cristal y lo sostuviera en la mano; sabía que entonces dejaría de sentir ese vacío en las entrañas.

Procuró controlar la respiración, echó la cabeza hacia atrás y cerró los ojos. Cinco minutos equivalían a trescientos segundos, que a su vez equivalían a trescientos elefantes. Edie los contó mentalmente tratando de no apresurarse, procurando que cada elefante durara un segundo entero...

Mientras Edie sigue contando, tú toma una foto de la ciudad.

Toma una foto de la escena: una chica está frente a una puerta al pie de una elevada columna; tiene los ojos cerrados y se balancea nerviosamente sobre ambos pies con sus largos cabellos oscuros al viento mientras cuenta elefantes mentalmente para tranquilizarse.

Tú le haces compañía y cuentas un par de elefantes.

Ahora toma otra foto.

Algo falta.

La columna no está.

La puerta sí.

La chica ha desaparecido.

Vuelve a contemplar la primera foto, la que incluía a la chica. Hay algo más, algo negro y borroso a la izquierda de la foto. Algo que se abalanza sobre ella.

Ahora mira la segunda foto. El borrón de dos patas y forma de toro está saliendo por el borde izquierdo y, en sus brazos, lleva algo que parece una chica con la boca abierta por el terror.

Los movimientos del Minotauro son sumamente rápidos.

Tan rápidos que el empleado del monumento, que retira el cartel de la puerta en el preciso instante en que el Hombre Toro pasa galopando y se la lleva, no ve nada.

Edie fue eliminada de la escena con la misma rapidez.

Si parpadeas, no lo verás.

46

El trato del Caminante

La mirada del Artillero se clavó en los ojos de George y éste quiso escabullirse y huir de su intensidad. Sentía la atracción de la Piedra en el extremo de la callejuela.

El Artillero parpadeó.

—Puñeteros vislumbres. Bien, qué remedio... —dijo, y echó a correr en pos de Edie.

—¡Eh!

El Artillero se volvió.

—¿Adónde vas? —preguntó George.

—Allí donde me necesitan —contestó doblando la esquina, y desapareció.

George quería ayudar a Edie, y quería devolver lo que había roto y desagraviar a la Piedra y acabar de una vez con ese asunto.

Quizá podría hacerlo rápidamente...

No llevaba la chaqueta. La llevaba Edie y la cabeza del dragón estaba en el bolsillo.

—Puñeteros vislumbres.

E, impulsado por una ira aún más negra que el edificio del que tan cerca estaba, corrió detrás del Artillero y de Edie; a cada paso que daba, más se alejaba de la esperanza de ponerse a salvo, y mayor era su enfado con Edie y su insensato apego por el disco de cristal.

El Artillero llegó al pie del monumento. No había ni rastro de Edie. Estiró el cuello y se echó la visera del casco hacia atrás para ver si ya había llegado a la cima de la columna, pero en la jaula que la rodeaba no se veía a nadie.

El Artillero rodeó la base de la columna. Para cuando volvió a estar delante de la puerta, George entraba corriendo en la plaza.

—¿Dónde está?

El soldado se encogió de hombros y señaló la puerta.

—A lo mejor todavía está subiendo la escalera...

George negó con la cabeza.

—No tenía dinero para pagar la entrada —dijo, mostrándole el pedazo que le quedaba de la suya.

—Pues será mejor que entres y lo compruebes. Y, si no está, ve en busca de su piedra del corazón.

George recordó los más de trescientos escalones y se enfadó todavía más.

—Vale —dijo. Pero de repente se detuvo—. ¿Su piedra del corazón? —preguntó.

—Piedra del corazón, piedra de la memoria, piedra de la visión... La llaman de muchas maneras —contestó el Artillero encogiéndose de hombros.

—Un momento. Estoy buscando el Corazón de Piedra y lo he buscado junto a alguien que al parecer lleva consigo algo llamado una piedra del corazón... ¿No te parece que podrías habérmelo dicho antes?

El Artillero se rascó la cabeza.

—De acuerdo, es verdad —dijo algo avergonzado—. Pero es que nunca la llaman el «Corazón de Piedra», ¿comprendes? En general la llaman piedra de la memoria o piedra del corazón. Además, acabas de decir que el disco de cristal te ha mostrado el Corazón de Piedra y que está en Cannon Street. Así que no se trata de que el mismísimo disco, o el vislum... Edie, sea el corazón de piedra, ¿verdad? Así que no pasa nada, a condición de que lo recuperemos ahora mismo. Y después hablaremos, ¿vale?

El Artillero lo empujó hacia la puerta y George le mostró su entrada al guardia. El Artillero oyó que le explicaba que se había dejado algo en la cima del monumento, y el guardia le franqueó el paso.

Al quedarse solo, el Artillero se sintió aliviado: George lo había hecho sentirse como un estúpido al que se le pasaban las cosas. Y no sólo eso. En realidad, George había cambiado. Después de todo lo que le había ocurrido, se había convertido en un chico más decidido y dispuesto a ponerse al mando; ya no era el llorica del principio. El Artillero sonrió.

Volvió a rodear la columna y entonces algo le llamó la atención. Era un olor. Frunció la nariz y se inclinó para observar una marca: era como si la hubieran hecho cuando el cemento del pavimento aún estaba húmedo; lo curioso era que el pavimento no era de cemento, sino de piedra. Cuando el Artillero pasó el dedo por los bordes de la marca, encontró restos de arenilla. Eso indicaba que la marca era nueva y que la había hecho algo capaz de dejar una hendidura en una piedra.

Retrocedió un par de pasos y descubrió algo que lo paralizó: el rastro de una pezuña en el asfalto, junto al bordillo. El Artillero levantó la cabeza y echó mano al revólver.

Pero no vio nada. Un grupo de hombres y mujeres salieron de un edificio de oficinas y se alejaron del monumento charlando y riendo mientras la brisa agitaba sus vistosas corbatas.

Entonces la vio: una figura solitaria que se aproximaba entre los empleados que se disponían a ir a almorzar, una figura de gran estatura envuelta en un largo abrigo de *tweed* de color verde; el viento agitaba los cabellos que asomaban bajo la capucha de la sudadera, donde ponía «John Deere».

El Caminante se dirigía directamente hacia él.

Procurando no llamar la atención, el Artillero dio unos pasos a la izquierda y se puso delante de la puerta, por si George volvía a salir. Ignoraba lo que pretendía el Caminante, pero quería evitar que George se topara con él. El Artillero comprendió que había estado esperando a que apareciera desde que había visto al Cuervo tirando de la pierna de George con la intención de hacerlo caer.

—Estaba convencido de que aparecerías. Nunca estás muy lejos de ese pájaro del demonio, ¿verdad?

El Caminante se detuvo, bailoteando sobre ambas piernas y mirándolo de arriba abajo. Entonces se quitó la capucha de la sudadera revelando su rostro gris y demacrado, y preguntó:

—¿Has visto a ese pájaro del demonio? Nunca está donde debería estar, de lo contrario, yo habría llegado aquí más rápidamente.

—Lo siento, compañero. He tenido que deshacerme de él.

El Caminante recorrió la figura del Artillero con mirada de desagrado, y sus ojos violetas se clavaron en el revólver que llevaba en la mano.

—¿Dices que has tenido que deshacerte de él?

—Se había convertido en un incordio, ¿comprendes?

—Te comprendo perfectamente, es un pájaro incordiante, es una de sus mejores características.

Ambos se miraron fijamente.

—Estará muy enfadado cuando regrese.

—No es mi problema —dijo el Artillero con firmeza.

Los ojos del Caminante brillaron. De pronto dejó de fruncir el ceño y sonrió con expresión expectativa, como un hombre hambriento que percibe el olor de una panadería.

—Perdona, pero creo que lo será. Nunca olvida lo que es... Supongo que sabes a qué me refiero —dijo el Caminante.

—Vete al cuerno. ¿Dónde está la chica?

—¿La chica?

—He visto el rastro del Toro, Caminante. ¿Dónde está?

El Caminante dio tres pasos hacia delante y tres pasos hacia atrás.

—Mis planes no incluían a la chica. La chica supone una distracción para mi estratagema.

—Habla claro.

—Te aseguro que hablo con mucha más claridad que tú, amigo mío —dijo el Caminante en tono desdeñoso—. El

Toro recibió un jirón de la ropa del chico. Casi logré atraparlo en su casa. El Toro siguió el rastro del olor. Ya sabes que los niños le abren el apetito.

—Entonces, ¿por qué se ha llevado a la chica?

—En toda empresa cuidadosamente planificada existe la posibilidad de que surja una variable inesperada: al parecer el chico le ha dado su chaqueta a la chica. El Toro no tiene la culpa.

—¿Adónde se la ha llevado?

—Me lo he encontrado recorriendo el sendero de la antigua zanja de Fleet. Ya sabes dónde vive. Como me he decepcionado al descubrir que, en lugar de un chico, me había traído una chica, he dejado que siguiera su camino. Lo único que debes hacer es encontrar al chico, acompañarlo hasta la casa del Toro y efectuar un intercambio. Es una empresa tan sencilla que creo que incluso alguien tan tosco como tú será capaz de llevarla a cabo sin problemas.

El Artillero apretó el puño y decidió que, de momento, no lo incrustaría en medio de esa sonrisa desdeñosa. No hasta que no averiguara algo más.

—Suéltala —le espetó el Artillero.

—Cuando le entregues el chico al Toro. Después éste me lo traerá. No necesito a la chica, necesito al chico. Necesito lo que tiene.

—¿Y por qué, Siervo de la Piedra?

—Hay agravios que hay que compensar.

—Él se encargará de compensarlos. Ha intentado hacerlo desde que comprendió lo que había hecho.

—O desde que comprendió lo que es.

—Eso aún no lo sabe.

—¿No se lo has dicho?

—No se lo he dicho porque no estoy seguro de lo que es. Lo único que importa es que tú te has comportado de modo improcedente. El chico satisfará esos agravios...

De repente, el Caminante estalló, y empezó a gritar y escupir saliva.

—¡Malditos sean SUS desagravios! ¡Me importan un pimiento! ¿Acaso crees que me gusta ser un Siervo de la Piedra? ¡Yo era un hombre poderoso y tenía siervos, y no sólo de carne y hueso! ¡Quiero recuperar lo que se ha roto para poder satisfacer MIS propios agravios! —dijo, lanzándole una mirada furiosa al Artillero. El estallido sólo había incrementado su ira. El soldado se encogió de hombros.

—Según lo que me han contado, te viste obligado a servir a la Piedra porque la ofendiste con tu codicia y tus ansias de poder. El chico la ha ofendido sin saber lo que hacía.

—¿Así que su ignorancia triunfa sobre mi inteligencia? Creo que no.

—Comparado con lo que debes de haber hecho para merecer la condena con la que tienes que cargar, él no ha hecho nada.

—¿Así que abogas por él? ¡Qué conmovedor! Lamentablemente, la Piedra no tiene sentimientos. Si yo llevo a cabo su sacrificio, me levantarán una parte de mi condena. Y además...

Introdujo una mano en el bolsillo de la sudadera y extrajo la figurilla que se llevó de la habitación de George.

—También tengo su imagen. Hecha por un hacedor. La Piedra puede intercambiar un siervo por otro...

—No puedo permitir que hagas eso, Caminante.

—No puedes detenerme.

El Artillero alzó el revólver. El Caminante le lanzó una mirada desdeñosa, entornó los ojos y se apartó un mechón de pelo del rostro.

—Y ciertamente no puedes matarme.

PUM PUM.

Sonaron dos disparos, tan seguidos, que casi parecieron uno solo. La pequeña figurilla de George se convirtió en astillas de arcilla y polvo y la fuerza de las balas lanzó al Caminante hacia atrás. Su largo abrigo se agitó en el aire antes de que el Caminante acabara extendido sobre el pavimento.

—Pero puedo evitar que deposites su imagen encima de la Piedra —dijo el Artillero en tono seco—. Así no podrás apoderarte de su alma.

Durante un instante, el Caminante permaneció tendido en el suelo, sin aliento. Después se puso de pie con una agilidad sorprendente y se sacudió el polvo de la ropa.

Ambos contemplaron los agujeros que tenía en la sudadera. Tal vez por azar, las balas habían borrado una parte del logotipo: ahora, en lugar de «John Deere», se leía «John Dee». No había ni rastro de sangre.

—Me gustaba esta prenda —dijo el Caminante lentamente.

—Pues entonces debería usted estarme agradecido, señor Dee —dijo el Artillero, guardándose el revólver en la cartuchera—. Al menos ahora está escrito correctamente.

El Caminante examinó los agujeros que las balas habían hecho en la parte trasera de su abrigo; tampoco había sangre. En realidad estaba tratando de controlar la ira que lo invadía. Sonrió de manera poco convincente, con los labios blancos por la tensión.

—No eres más que una cosa de metal. Una cosa hecha por un hombre. No lo olvides. Un hombre te hizo... y un hombre puede deshacerte. Y yo soy un hombre.

—Tú no eres un hombre —dijo el Artillero negando con la cabeza—. Ya no te pareces a un hombre; hace ya mucho, mucho tiempo que no lo eres.

El Caminante le tendió la mano.

—Disparar primero y pensar después ha sido siempre una mala estratagema, Artillero —dijo, acariciando los agujeros de su sudadera. Las balas ni siquiera le habían hecho un rasguño—. Estos agujeros te costarán muy caros, porque me han recordado tus... aptitudes. Dame las balas: no quiero que en vuestro encuentro, el Toro esté injustamente en desventaja.

—¡Ni lo sueñes!

—Lo malo de los soldados es que creéis que podéis resolver cualquier problema apuntándolo con un arma. Bien, la próxima vez no será así. Dame el arma o las balas, o juro por la mano que te hizo que dejaré que el Toro haga lo que quiera con la chica... ¡Me traigas o no al chico!

Hizo una pausa y, chasqueando los dedos, repitió:

—¡Por la mano que te hizo, Artillero, dame todas las balas!

El Artillero se quitó una pequeña bolsa del cinturón y se la tendió. El Caminante examinó su interior.

—Y las que están en el revólver. Todas las balas, y jura que no ocultas ninguna por la mano que te hizo.

El Artillero estaba abatido. Abrió el revólver, lo sostuvo con el índice y el pulgar y, con una expresión de asco, dejó caer las balas en la bolsa que sostenía el Caminante.

—¡Júralo!

—Por la mano que me hizo, ésas son todas las balas...

—Conoces el castigo que supone quebrar el Juramento del Hacedor, ¿no?

—Más bien eres tú quien quiebra juramentos; conozco el castigo.

—Quiebra el juramento y te verás obligado a vagar para siempre. Ningún niño merece pagar ese precio. No puedes ni imaginar el dolor que significa tener que vagar —dijo, contemplando al Artillero.

Después se marchó de repente y, mirándolo por encima del hombro, le dijo al Artillero:

—Encuentra a ese chico. Llévaselo al Toro. Una vida por una vida. Un intercambio justo. Ésas son mis condiciones. Y si trata de aproximarse a la Piedra sin darme lo que quiero, si trata de satisfacer su agravio y no los míos, sabréis que el daño que soy capaz de causarle a un mortal va mucho más allá de lo que cualquiera de los tuyos pueda llegar a imaginar. O evitar —dijo, alejándose envuelto en su zarrapastroso abrigo de *tweed*.

47

El bramido del Toro

Edie volvía a respirar. Cuando el Minotauro la golpeó y la levantó en el aire, el impacto la dejó sin aliento y tardó un buen rato en recuperarlo. Después todo se convirtió en un remolino negro, y perdió el conocimiento.

El impacto de las pezuñas del Minotauro contra el pavimento debió de haberla despertado y quizá también reactivó sus pulmones.

Inspiró una bocanada de aire cargado de gases de diésel y sintió náuseas. Después empezó a debatirse. Estaba aplastada contra un inmenso torso negro, curvado como la proa de un barco y cubierto de pelo hirsuto que —pese a ser metálico— se movía como el pelaje de un animal.

Con la oreja derecha oía los latidos del enorme corazón del Minotauro y su respiración jadeante. Su ojo derecho estaba aplastado contra el pecho del monstruo.

Con el ojo izquierdo veía parte de la ciudad y el autobús rojo junto al que corría quien la llevaba en brazos.

Lo vio todo de golpe, como a través de un caleidoscopio.

Edie forcejeó y pataleó.

Y la bestia se detuvo tan repentinamente que volvió a dejarla sin aliento. Sus manos la agarraron y la sostuvieron ante él, y entonces vio quién la había atrapado.

Vio la cabeza del Minotauro.

Tenía la frente como un yunque; el morro, como un

mazo; los ojos, pequeños e iracundos, y los cuernos, curvos, afilados y peligrosos.

Y detrás de los cuernos, detrás de las orejas aplastadas, la joroba de una espalda increíblemente musculosa que se erguía por encima de ella como una montaña oscura.

Edie sintió que estaba a punto de volver a perder el conocimiento y supo que debía luchar para evitarlo.

Abrió la boca con la intención de gritar, de chillar o de soltar un alarido, pero antes de que pudiera hacerlo, el Minotauro se le adelantó. Alzó la cabeza, abrió sus fauces y, mostrándole sus afilados dientes de predador, diseñados para cualquier cosa menos para mascar hierba, soltó un bramido.

Fue un bramido sin palabras, una pura expresión de furia y hambre golpeó a Edie como una atronadora andanada, un bramido tan grave que las tripas se le aflojaron presas de un temor antiguo, profundo e inexplicable, y a la vez tan agudo que Edie creyó que los oídos le estallarían de dolor.

Cerró los ojos y el aliento de la bestia, que olía a carne fresca y a antiguos osarios, impulsó sus cabellos hacia atrás. Edie hizo lo único que podía hacer para evitar que la oscuridad volviera a arrastrarla. Recurrió al resto de energía que aún le quedaba y, en un intento de gritar más fuerte que el diablo, soltó un alarido que dirigió directamente a las oscuras fauces del Toro.

48

Hora de irse

De pie junto al monumento, el Artillero observó el punto donde el Caminante había desaparecido y espiró lentamente.

—¿Has oído lo que ha dicho?

No obtuvo respuesta. El Artillero chasqueó entonces los dedos con impaciencia, y dijo:

—Está bien, ya puedes salir. Se ha largado. Ha ido a vigilar la Piedra para evitar que llegues allí antes de que haya modificado un poquito las cosas.

George abrió la puerta de la columna y salió al exterior. Estaba pálido y exhausto, y mantenía la vista clavada en la esquina tras la que había desaparecido el Caminante.

—¿Quién era?

El Artillero se acuclilló y recogió los dos casquillos vacíos; les echó un vistazo y se los guardó en el bolsillo.

—El Caminante. ¿Has encontrado la piedra del corazón?

George se extrajo el disco del bolsillo y el Artillero soltó un gruñido.

—No lo pierdas. Edie debe de estar pasándoselo bastante mal. Si logramos sacarla de ésta y no le entregas la piedra del corazón, estará acabada.

—¿Qué ha pasado?

—El Toro se ha puesto en marcha —dijo el Artillero, venteando y escudriñando el horizonte.

—¿Qué?

—El Minotauro la ha atrapado.

—¿El Minotauro?

—Mitad toro, mitad hombre. Y completamente malvado. La mitad hombre aborrece la mitad toro, y la mitad toro cree que la otra es la que lo vuelve desgraciado. Es un sinvergüenza feo y primitivo. Y peligroso, demasiado peligroso para ella.

—¿Por qué? —preguntó George, procurando recordar las leyendas griegas que su padre le había leído hacía ya mucho tiempo, durante unas vacaciones en una isla del Mediterráneo.

—Porque los minotauros creen que pueden convertirse en algo menos parecido a un toro y más parecido a un hombre si devoran eso en lo que quieren convertirse.

—¿Quieres decir con eso que la devorará?

—No exactamente. Querrá hacerlo, pero está bajo las órdenes del Caminante. El Caminante es un Siervo de la Piedra. Un Maldito, o...

—Un Extrañado.

El Artillero lo miró, impresionado.

—Veo que has estado aprendiendo algunas cosas mientras yo recuperaba mis fuerzas.

—Me encontré con el Relojero.

El Artillero lo miró fijamente.

—No me digas.

—¿Es bueno o es malvado? —preguntó George ansioso por saber por qué el Artillero había empleado ese tono.

—Tendremos tiempo de hablar de ello cuando hayamos recuperado al vislumbre.

—Edie —dijo el chico en tono firme—. Se llama Edie y ¿cómo vamos a detener al Minotauro? Ese hombre, esa cosa, se ha quedado con todas tus balas.

—Sí —dijo el Artillero; parecía avergonzado.

—¿Por qué has dejado que lo hiciera?

—Porque es un canalla astuto. O le daba las balas, o él le entregaba la chica al Toro. Lo has oído, ¿verdad?

—Sí, pero no lo he entendido. Y tampoco he comprendido eso del juramento.

—El juramento es algo que una mácula no puede quebrar. Si juras por la mano de un hacedor y quiebras el juramento, estás acabado.

—¿Acabado? ¿Como una estatua que no se encuentra en su plinto a medianoche? ¿Como el Hombre de la Rejilla?

Un rugido lejano confundido con el rumor del tráfico atrajo la atención del Artillero.

—Peor aún. Estás condenado a vagar. Ahora cierra el pico y pongámonos en marcha. No hay tiempo que perder —dijo secamente.

—¿Adónde se la ha llevado? —preguntó George corriendo junto al Artillero.

—¿Acaso no vas a la escuela? ¿Adónde llevan sus víctimas los minotauros? ¿Dónde viven, en las leyendas?

El chico se devanó los sesos. Recordaba al héroe griego y a Ariadna, la hija del rey que le proporcionó un ovillo de hilo para que pudiera salir de un...

—¡Laberinto! —exclamó—. ¡Vive en un laberinto!

—Correcto. En el Laberinto.

George ya no pudo hacer más preguntas, porque necesitaba el aliento para seguirle el paso al Artillero en su carrera a través de las calles, a lo largo de las calzadas, siempre cuesta arriba, en dirección al norte, alejándose del río.

El Artillero se detuvo en el bordillo, dejó pasar un autobús, alzó a George del suelo y lo transportó a través de una calle ajetreada. Los conductores de los coches no los veían, y el chico iba dando bandazos a uno y otro lado a medida que el Artillero iba esquivando los vehículos. Cuando lo depositó en la acera opuesta, George se sintió mareado.

—Pero en Londres no hay un laberinto —tartamudeó el chico.

El Artillero soltó un bufido burlón y prosiguió rumbo al norte.

—Algunos dicen que toda la condenada ciudad es un laberinto. Pero no te preocupes... —dijo, señalando una estructura de ladrillo curva y oscura que se elevaba más allá.

George vio unos carteles donde ponía «Museo de Londres» y otro donde ponía «Muralla de Londres».

—Casi hemos llegado —dijo el Artillero.

George se esforzaba por no perderlo. Tenía la sensación de que se había pasado la vida corriendo. Su vida se dividía en el pasado, cuando sólo había perseguido pelotas de fútbol, y en el presente, en el que no dejaba de correr.

—Nunca he oído hablar del Laberinto de Londres —jadeó.

El Artillero señaló un muro de cemento atravesado por pasarelas y coronado por edificios altos.

—Pues eres afortunado. Porque aquí está. Un laberinto tan oscuro y sinuoso que haría las delicias de cualquier minotauro.

El Artillero arrastró a George hasta una escalera y ascendió los peldaños. El chico vio un cartel y una flecha donde ponía «Barbican».

49

Las manos del Minotauro

Gritar no sirvió de nada. De todos modos, Edie jamás había confiado en los gritos, y gritarle al Minotauro fue como arrojarle una bola de nieve a una avalancha con la esperanza de detenerla.

El Minotauro dejó de bramar simplemente cuando se cansó de hacerlo. Edie notó que el monstruo se sacudía las gotas de lluvia del pelaje como un perro. Justo antes de seguir corriendo, inclinó la cabeza para echarle un vistazo a su rehén, y Edie vio la expresión de sus ojos.

Apretó el puño y sopesó la posibilidad de pegarle un puñetazo, pero el vacío que sentía en su interior la había dejado sin energías y apenas consiguió mover la mano.

El vacío que sentía era cada vez mayor y cada vez había menos de Edie: de un modo atroz, la mirada enloquecida del Minotauro la iba vaciando. Era una mirada hambrienta, ardiente y horrorosa.

El Minotauro remontó una escalera de caracol y, mientras sus pezuñas golpeaban los peldaños, Edie trató de urdir un plan. Sentía como si se estuviera disolviendo de dentro hacia fuera.

Salieron a una pasarela azotada por la lluvia. Un anciano con un andador avanzaba arrastrando los pies. Edie estiró un brazo y gritó:

—¡Socorro!

El anciano no reaccionó, porque no la veía, claro. Su cerebro no le permitía ver algo tan increíble como una chica empapada en brazos de una enorme estatua.

El Minotauro se detuvo y la miró, primero a ella y luego al anciano. Su hocico de toro esbozó una sonrisa desdeñosa y volvió a bramar.

Edie se sentía tan vacía que el sonido pareció reverberar en la oquedad de sus entrañas. Sintió que volvía a desmayarse y que esta vez no lograría evitarlo.

De pronto, el Minotauro le acercó el hocico, la olisqueó y se estremeció, como si su aroma fuera un estimulante exquisito. Y entonces sacó la lengua y le lamió el cuello, las orejas, los ojos y el cabello que le cubría la frente, y eso fue lo más repugnante de todo.

Lo último que sintió antes de perder el sentido fueron las manos del Minotauro palpándole el cuerpo, las piernas, los brazos y los riñones, como un carnicero comprobando la calidad de la carne.

Después la volvió a alzar en brazos y siguió corriendo, pero la chica ya se había desmayado.

50

El Laberinto de Londres

George y el Artillero abandonaron la escalera; cuando salieron a una pasarela elevada, el leve aroma del cemento empapado en orina quedó a sus espaldas.

George resbaló. El aguacero que apenas había empezado a caer ya había empapado el suelo. Mientras corría bajo la lluvia, George había tenido la sensación de que el destierro al que se dirigían era algo de lo que más bien convenía huir. Y cuanto antes, mejor.

El Artillero lo ayudó a ponerse de pie y clavó la mirada en la cicatriz que el chico tenía grabada en la mano. La cicatriz que le había dejado el zarpazo del dragón.

—¿Qué miras? —preguntó George.

—La marca del hacedor. Justo antes de que el Cuervo te atrapara, el vislumbre, Edie, me dijo que la marca significa que tienes una opción. Y diría que la has aprovechado.

—¿De qué opción me hablas? ¡Yo no he elegido nada de esto! —protestó George.

—Sí, lo has hecho. Has elegido estar aquí cuando podrías estar junto a la Piedra, solucionando tus problemas. Pero estás aquí —dijo. Y asintió con la cabeza, como si aprobara algo que George no comprendía—. Te has puesto derecho, estás más erguido que la primera vez que te vi. Ya no te disculpas. Estás luchando.

—Sólo intento permanecer con vida.

—No. Si eso fuera cierto, estarías ante la Piedra satisfaciendo tus agravios, y no pensarías en nadie más. No estarías conmigo, tratando de ayudarla —dijo, mirándolo de arriba abajo—. Has recorrido un largo camino, compañero, y no sólo kilómetros. Y ¿sabes por qué luchas en vez de lloriquear?

—¿No será por esta marca?

—Luchas porque tienes algo por lo que luchar. La marca te ha causado problemas, pero puede que sea lo que te ayude a solucionarlos. La marca indica que podrías ser un hacedor.

—¡Yo no soy un hacedor! No hago nada.

Y entonces cayó en la cuenta de que se había metido la mano en el bolsillo y de que estaba amasando el trozo de plastilina.

—Puede que tú no sepas lo que eres, pero te diré una cosa: las máculas lo saben y, tras verte con ese dragón en Temple Bar, creo que yo también lo sé. Está en tu sangre y en tus huesos. Lo has hecho bien, muchacho. La primera vez que te vi parecías estar hecho de un material bastante dudoso. Es lo que Jagger solía decir en su estudio: no se trata de la arcilla, se trata de lo que haces con ella.

George pensó en su padre, con el cigarrillo en la boca mientras amasaba la arcilla con las manos. Antes de que pudiera seguir pensando, el Artillero prosiguió.

—Ya hablaremos después. Ahora tenemos trabajo —dijo.

George corrió tras él. Observó que se encontraban en un nuevo complejo independiente de la ciudad. Las pasarelas elevadas le otorgaban un aspecto futurista, sobre todo si la visión del futuro de uno incorpora mugre y ventanas vacías que lo observan al pasar.

Lo siguió a lo largo de un sendero que corría en paralelo a la ajetreada calle que tenía por debajo. A través de la pared de cristal que se extendía a su derecha, George contemplaba los coches y los taxis que circulaban apresuradamente. Estaba tan embelesado que tuvo que esquivar a un anciano con un andador, y acabó chocando con un cubo de basura que, aunque era de goma, le pareció más duro que una roca.

Hizo caso omiso del dolor y siguió corriendo.

Más allá, la calle de cuatro carriles desaparecía bajo el amplio arco de un gran edificio de ladrillo y piedra, como engullida por una ballena. La parte superior del arco estaba acristalada y George vio a la gente sentada ante las mesas de un restaurante, comiendo bajo un letrero de neón azul donde ponía: «Pizza.»

Corrieron por un patio cubierto, a lo largo del arco, y de repente se encontraron con suelos pulidos, y luces artificiales, brillantes y ruidosas. Unos tubos de acero dispuestos en diagonal perforaban la pared acristalada situada a la izquierda y reforzaban la pared de granito rosa situada a la derecha. Pasaron junto a un cartel que rezaba: «Bastion Highwalk», y una estatua de dos bailarines de tango, y volvieron a salir al aire libre.

George estaba cansado y, mientras zigzagueaban a través del laberinto sin saber adónde iban, empezó a sentirse perdido.

Le pareció ver un espacio abierto a la derecha, un destello verde, una inesperada iglesia blanca junto a un estanque, y después abandonaron de nuevo el aire libre y corrieron a lo largo de un recinto de techos bajos. La pasarela parecía aproximarse al techo al girar en ángulo recto a través de un bosque de gruesas columnas de cemento.

En ese espacio largo y parecido a una cripta, George volvió a sentir que estaba bajo tierra. Sabía que aún se encontraban en lo alto, por encima de la ciudad, pero respirar le suponía un esfuerzo cada vez mayor.

—Vamos, muchacho. Acelera —le dijo el Artillero.

George aceleró. Corrieron hacia un cuadrado iluminado, al final del oscuro pasadizo.

Cuando salieron al exterior, bajo la lluvia, se encontraron al borde de un gran espacio rectangular, completamente encerrado entre edificios de apartamentos con balcones que le recordaron las pirámides aztecas que había visto en el colegio. La vegetación que surgía de todos los balcones contrastando con el gris del cemento y el rojo parduzco de los ladrillos intensificaba la sensación de encontrarse en una ciudad perdida.

El centro de la plaza alargada estaba ocupado por un estanque donde las fuentes competían en vano con la lluvia.

Atravesaron un charco y después entraron en otra pasarela cubierta.

George abandonó la idea de orientarse y se concentró en no perder de vista al Artillero. Las cosas y los lugares junto a los que pasaba se convirtieron en un borrón. Hasta que miró a la derecha y vio algo parecido a un gigantesco invernadero repleto de frondosas plantas tropicales y grupos de aburridos escolares contemplando la lluvia.

George no podía creer que hubiera pasado sólo un día desde esa excursión del colegio en la que mostró el mismo aburrimiento y desinterés que aquellos niños.

La lluvia le golpeó la cara, y George se recordó a sí mismo ante el Museo de Historia Natural, enfadado y convencido de que ser un solitario era la mejor manera de protegerse.

Ahora hubiera dado cualquier cosa por formar parte de ese grupo que se aburría tras las ventanas empañadas; tal vez no se sentiría feliz, pero no estaría tan asustado ni exhausto, ni se encontraría donde se encontraba ahora. Le pareció increíble que toda esa pesadilla hubiese durado ya casi veinticuatro horas.

Entonces recordó que el reloj seguía marcando las horas y que a menos que llegara rápidamente hasta la Piedra de Londres, experimentaría —quizá no durante mucho tiempo— algo que el Fraile Negro había denominado el Camino Arduo.

Más allá del Artillero, un imponente edificio de oficinas se elevaba al cielo; las plantas inferiores se arqueaban hacia arriba como trampolines de esquí. El edificio estaba iluminado desde el interior y destacaba contra las nubes oscuras y la lluvia torrencial. Su imagen le levantó el ánimo, quizá porque no estaba hecho de cemento, sino de cristal y luz.

George empezó a sentirse mejor.

El Artillero dobló una esquina.

Y entonces el Minotauro se abalanzó sobre él.

51

El Toro y la bala

Cuando el Artillero dobló la esquina, el Minotauro lo embistió con sus afilados cuernos golpeándolo con la violencia de un coche en plena aceleración.

El ruido del impacto se confundió con el jadeo del Artillero y el gruñido salvaje que el Minotauro soltó al tensar los músculos de su poderoso cuello y lanzar al soldado por los aires.

Las cadenas de la brida que el Artillero llevaba colgada de la cintura se quedaron enganchadas en los cuernos, y el Minotauro las lanzó al otro lado de la acera mojada.

El Artillero aterrizó en el suelo y fue rodando por la calzada hasta que una gran maceta de cemento lo detuvo.

El Minotauro se volvió. Y entonces George se fijó en que mantenía los brazos cruzados sobre el pecho, como si acunara a un bebé... Sólo que no era un bebé, era Edie.

A George le costó reconocerla. Estaba tan pálida que parecía translúcida, como un fantasma de sí misma que el Minotauro aprisionaba ávidamente contra su ennegrecido pecho de bronce. Tenía los ojos cerrados y el chico creyó que estaba muerta... Hasta que vio que sus labios se movían intentando articular una palabra como entre sueños.

—¡EDIE! —gritó George.

Pero Edie era incapaz de oírlo. El Minotauro pateó el suelo con una de sus pezuñas y toda la pasarela se agitó violentamente.

El Minotauro le indicó a George que se acercara con un gesto casi humano.

—No te muevas —gruñó el Artillero poniéndose de pie y colocándose entre la bestia y el chico.

—¿Qué vas a hacer? —preguntó George en tono áspero.

—Agujerear al condenado bicho —respondió.

El Artillero sacó rápidamente el revólver y apuntó al Minotauro.

—Eh, pedazo de *corned beef*. Aquí estoy.

Al ver el arma, el Minotauro se puso tenso.

—Pero si no tienes... —dijo George.

—Sí que tengo —dijo el Artillero sin apartar la mirada del Toro.

—Pero si has jurado que...

—El Caminante se ha pasado de listo. Si quieres engañar a alguien que se cree un cerebrito, inténtalo con algo sencillo. He dejado una bala en la recámara cuando he retirado las otras. Aún dispongo de un disparo.

—¡Pero has roto el juramento!

—Ha sido mi elección —masculló el Artillero con expresión dura e indiferente—. Edie no se había apuntado a esta aventura. No puedo dejar que ocurra.

—Pero tendrás que...

—No quiero oírlo —exclamó el Artillero, y levantó la barbilla mirando al Minotauro—. Déjala en el suelo, y con suavidad.

Pero el Minotauro no la soltó; la agarró de los hombros como si fuera un trapo y se escudó tras ella.

—Eres un asqueroso canalla, ¿verdad? —dijo el Artillero.

El Minotauro soltó un bufido.

PUM.

El revólver se agitó en la mano del Artillero. El Minotauro permaneció inmóvil, pero la detonación despertó a Edie, que no acababa de comprender dónde estaba.

—¿Qué...? —Eso fue todo lo que pudo decir.

El Minotauro echó la cabeza hacia atrás y soltó un bramido furioso y triunfal. El eco del bramido rebotó entre los edificios; después agachó la cabeza y gruñó amenazadoramente.

George no podía creer lo que estaba viendo.

—¿Qué ha pasado?

—He fallado —confesó el Artillero.

Era como si los muros de toda la ciudad se hubieran desplomado sobre su cabeza. No podía respirar.

—¿Qué quieres decir?

—Que no le he dado —dijo, contemplando el arma con expresión incrédula—. Se me debe de haber acabado la suerte.

—Eres el Artillero. ¡Tú no fallas! —siseó George—. ¡Lo dijiste!

—También te dije que no te creas todo lo que te dicen.

—¡No es verdad! ¡No dijiste eso!

—Bueno... —El Artillero parecía algo avergonzado—. Pues debería habértelo dicho —carraspeó.

El Minotauro piafaba; el suelo era de cemento, pero la pezuña del monstruo se clavó en él como si fuera de mantequilla.

—Vuelve a dispararle —instó el chico, presa del pánico—. Dispárale antes de que te ataque.

—¿Con qué? —preguntó el Artillero; abrió el revólver y el casquillo cayó en el charco que había a sus pies—. Me he quedado sin balas, ¿te acuerdas?

George sintió que el mundo se le venía encima.

—¿QUÉ?

El Artillero le mostró la recámara vacía.

—Per... Qué... Entonces, ¿cómo la rescatarás? —balbuceó el chico.

El Artillero se encogió de hombros; a George el gesto le pareció completamente inadecuado, dadas las circunstancias. A cinco metros, los esperaba la muerte, piafando.

Edie se limitó a mirarlos fijamente.

—No lo sé. Si tuviera otra bala, tal vez podría acabar con él, pero sin balas —dijo, señalando al Minotauro—, me abrirá en canal. Y a ti también. ¿Sabes qué hacen los minotauros con las niñas pequeñas?

—No.
—Mejor para ti. No pienses en ello. No tienen modales en la mesa.
George se sentía absolutamente frustrado.
—¿Qué podemos hacer?
—¿Morir matando? —dijo el Artillero.
George no quería morir, ni matando ni sin matando. La actitud del Artillero era valiente, pero por primera vez le pareció irritante. Tenía que pensar...
Se metió la mano en el bolsillo y amasó el trozo de plastilina. Y de repente supo qué hacer.
—Dame el casquillo vacío.
—¿Qué?
—¡DÁMELO!
El Artillero agarró uno de los casquillos vacíos y se lo arrojó. El chico lo agarró con la mano de la cicatriz.
—Voy a hacer una bala.
—¿Que harás qué? —dijo el Artillero, desconcertado.
George introdujo la plastilina en el casquillo vacío. El Artillero soltó un bufido.
—¿Con plastilina?
—Si soy un «hacedor», si esta cicatriz es la marca de un hacedor, ¿por qué no iba a poder hacerlo?
—Sí, pero la plastilina...
—Tú eres de bronce y, sin embargo, tienes flexibilidad suficiente para poder moverte. También debería funcionar al revés, ¿no? Tú lo dijiste: no se trata sólo del material, sino de lo que haces con él —dijo George—. Vigila al Toro.
El chico habló en tono decidido; el Artillero obedeció sus órdenes y soltó un suave silbido.
—Tú mandas. Pero date prisa, porque el Minotauro se dispone a embestirnos.
La pezuña de la bestia golpeó el suelo y el Minotauro dejó caer a Edie.
—Aquí viene.
—Detenlo. Dame tiempo —dijo George bruscamente.
—Sí, señor. Toma el revólver. Estaré muy ocupado —dijo,

alcanzándole el arma. Entonces se volvió dispuesto a enfrentarse al Minotauro, que se abalanzaba sobre él.

El Minotauro lo alcanzó, pero el soldado quedó alojado entre ambos cuernos y se lanzó hacia atrás, aprovechando la fuerza del impacto para seguir rodando. George tuvo que brincar hacia un lado para evitar que las dos estatuas lo arrollaran y, al caer, aplastó la bala.

Corrió hacia Edie, que yacía encima de una maceta de cemento con una pierna a cada lado. George oyó un estruendo a sus espaldas y, al volverse, vio que el Artillero y el Minotauro habían dado una voltereta entera. El ruido provenía de las botas del soldado, que había impactado con ellas en el suelo. Ahora procuraba evitar que el Toro lo arrastrara. Aferraba sus cuernos como si fueran el manillar de una bicicleta mientras el monstruo lo empujaba hacia el borde de la pasarela.

Sus botas con tachuelas despedían chispas.

George sacó el disco de cristal del bolsillo y lo depositó en las manos flácidas de Edie. Oyó que murmuraba unas palabras, pero no comprendió lo que decía, porque estaba demasiado ocupado amasando el trozo de plastilina.

—¡Date prisa! —gritó el Artillero.

El chico casi había terminado de fabricar la bala.

Edie vio lo que estaba haciendo. De repente su mirada se volvió brillante, como si la fuerza del disco de cristal atravesara su cuerpo y la iluminara.

—Bien, George. Haz que funcione.

El chico estaba totalmente concentrado en amasar y darle forma a la plastilina.

El soldado estaba acorralado contra la barandilla. A sus pies, se abría el vacío. Luchaba contra el inmenso poder de los músculos bovinos del Minotauro. Apretó los dientes y lo empujó hacia atrás.

—La verdad..., bicho cornudo..., es que serías ideal para preparar un... guiso excelente. O unas croquetas.

El Minotauro agitó los cuernos, pero el Artillero no los soltó.

—Sabes lo que es una croqueta, ¿verdad?

El Minotauro sacudió la cabeza de un lado a otro, pero el Artillero aguantó la sacudida.

—Son parecidas a las albóndigas... Bueno, sólo es una idea —dijo, y lanzó su bota revestida de acero hacia la entrepierna del Minotauro, como si fuera un mazo. Concentró toda su energía en esa patada y, cuando la bota lo alcanzó, la cabeza del Toro se levantó del suelo.

El Minotauro soltó un bramido de furia y dolor que golpeó a George como si fuera una onda expansiva. En comparación, el eco del bramido anterior parecía un susurro. El Toro se zafó del soldado y trató de atravesarle el pecho con los cuernos. El Artillero se echó a un lado e impactó contra la barandilla soltando chispas.

—Hazlo, George —lo urgió Edie.

George se concentró en la plastilina y en el casquillo vacío. La introdujo en el cono aplastado, tratando de hacer caso omiso de los gruñidos y el estrépito. Pensó en balas. Pensó en lo que son capaces de hacer y en los resultados de un impacto. Recordó que habían pulverizado las salamandras del monumento del Artillero. Recordó al Cuervo hecho trizas, dos veces. Recordó la gárgola que acabó convertida en polvo en la jaula del monumento. Recordó las balas en las manos del Artillero al cargar el arma. Imaginó la potencia de una bala al incrustarse en el blanco y, a medida que fue pensando en ello, en lo que había visto, en su aspecto, sus manos casi empezaron a moverse por sí solas, como si supieran lo que hacían. También notó que la cicatriz ya no le dolía.

Alisó el extremo de la bala de plastilina y, con la uña, trazó un círculo alrededor de la punta, imitando una bala de verdad.

Abrió el revólver y encajó la bala, como lo había hecho el Artillero.

Ambas estatuas pasaron junto a él en medio de un remolino de piernas y pezuñas. Chocaron contra una maceta de cemento con tanta fuerza que ésta se partió y la tierra que contenía se derramó en el suelo alrededor de los cuerpos que luchaban. George se acercó al Artillero y le tendió el revólver:

—¡Ya está!

El Artillero lo miró y en ese instante el Minotauro aprovechó la oportunidad para clavarle un cuerno en el flanco.

El Artillero entró en *shock*.

George no podía creer que lo hubiera corneado.

No después de haber regresado. No después de creerlo muerto.

El Minotauro agitó la cabeza y retorció el cuerno en la herida con la ferocidad del perro que sacude una rata. Luego empujó al Artillero contra la barandilla que se elevaba por encima de la calle. El Artillero levantó los brazos para asestar un golpe en la nuca del monstruo, pero con el forcejeo acabó dándole inútilmente a la barandilla.

George estaba aterrorizado. No podía creer que el Artillero hubiera regresado sólo para morir de nuevo. Entonces volvió a notar ese sabor negro en la boca y corrió hacia delante, amartillando el revólver con ambos pulgares y apuntando a la cabeza del Toro.

—En el ojo —gruñó el Artillero.

El chico dio un paso a un lado y ajustó la puntería. Ni siquiera pensó en que el arma quizá no se dispararía. Él había hecho la bala, eso era lo único que sabía y ahora la usaría para salvar a su amigo. A sus amigos.

El Minotauro alzó la mirada y la clavó en el cañón del arma embargado por el odio y el apetito, y, mientras rugía y se debatía, George se dispuso a apretar el gatillo.

Y entonces, antes de que el arma se disparara, se oyó un CRASK y el Minotauro y el Artillero desaparecieron.

El chico tuvo que dar un paso atrás para comprender lo que había ocurrido y aflojó el dedo que apretaba el gatillo.

El Minotauro había empujado al Artillero por encima de la barandilla; ésta se desplomó y ambos cayeron al vacío.

George se asomó para ver qué había pasado.

CRASK.

El Artillero y el Minotauro chocaron contra el techo

rojo de un autobús de dos pisos. Al caer, el Artillero se volvió y el cuerno se deslizó fuera de su cuerpo como una espada saliendo de la vaina.

Aún le quedaban fuerzas para pegarle una patada al Toro en el morro y arrojarlo del techo. El Minotauro se aferró al borde del autobús y nadie notó que colgaba de la parte de atrás ni tampoco que el Artillero estaba tendido encima del techo.

Edie se colocó junto a George, ante la barandilla.

—¡Está herido! —exclamó.

—Sí —dijo el chico, con la esperanza de que no se hubiera dado cuenta de que el Artillero había desviado la mirada del Minotauro durante un segundo porque George le había hablado—. Será mejor que lo sigamos.

Ambos corrieron hacia las escaleras.

—Esconde el arma —dijo Edie—. La gente no nota nuestra presencia cuando estamos con los vitratos porque no pueden verlos y, sin ellos, nuestro comportamiento sería incomprensible. Pero ¿dos chicos en la calle con un cañón como ése en la mano? ¡Imagínatelo!

George comprendió que ya volvía a ser la de antes y decidió no hacer ningún comentario, al menos mientras bajaban de tres en tres los peldaños de la escalera de caracol que conducía a la calle.

52

La muerte acecha en lo alto

El autobús aceleró. En el techo, el Artillero se puso dolorosamente de rodillas y examinó el agujero en su flanco.

—Sólo es un agujero. No ha tocado los órganos vitales. La gente sobrevive a cosas peores.

Extrajo un vendaje de su equipo y se desabrochó la chaqueta. Se apretó la venda contra la herida y, al enrollarse la venda alrededor del estómago, una mueca de dolor le atravesó el rostro.

—Sano y salvo —gruñó.

Sin embargo se apoyó penosamente sobre los codos y permaneció sentado con las piernas abiertas.

—He de recuperar el aliento —dijo, jadeando e inclinando la cabeza hacia atrás para observar el cielo y las nubes mientras las gotas de lluvia le recorrían la cara.

Entonces un bramido furioso lo hizo volver al presente.

El Artillero echó un vistazo a su alrededor; no había nada que pudiera utilizar como arma. El autobús aceleraba hacia un cruce; el semáforo acababa de ponerse en verde; el Minotauro se puso de pie.

El Artillero también se puso de pie y lo enfrentó.

—Venga, pedazo de cornudo, a ver qué puedes hacer.

Sabía que cuanto más tiempo se concentrara el Toro en él, tanto más tiempo dispondrían para escapar el chico y el vislumbre. Volvió rápidamente la cabeza y le echó un vistazo al cruce.

—No me gusta hacer sufrir a los animales, pero creo que contigo haré una excepción.

El Toro bramó y se lanzó al ataque. El Artillero se apuntaló y, justo antes de que el Toro lo embistiera, se puso de cuclillas; cuando tuvo el Toro encima, se irguió con todas las fuerzas que le quedaban. Puso toda su energía en ello y sintió cómo se desgarraban las vendas.

De no haber sido por los cuernos afilados y el alarido de furia del Minotauro, la imagen casi habría resultado cómica: parecían dos torpes bailarines de ballet, uno intentando arrojar al otro al aire.

El Toro chocó contra el cuerpo erguido del Artillero, sus pezuñas se despegaron del techo y sus patas pedalearon en el aire; resonó un CRASK y después el Artillero volvió a aterrizar en el techo del autobús. El Minotauro se quedó donde estaba, colgado por encima del cruce con los cuernos clavados en el brazo de acero que sostenía el semáforo.

Mientras el soldado se alejaba encima del techo del autobús, el Toro soltó un rugido de furia tan intenso que las gotas de lluvia acumuladas en el techo salpicaron el rostro del Artillero, que parpadeó y lo saludó con la mano.

—Hasta la vista, colega. Dicen que la carne de buey hay que guardarla colgada, ¿no?

Pero no logró esbozar una sonrisa; se quedó observando al Minotauro debatiéndose hasta que el autobús dobló una esquina. Cuando dejó de verlo, se dedicó a renovar el vendaje.

«Al menos los chicos estarán a salvo», pensó y ahora, a pesar de que se encorvaba de dolor, sí sonrió.

Los chicos corrían detrás del autobús. El revólver rebotaba contra la pierna de George. Por suerte era una calle de una sola dirección, así que, si corría deprisa, no perderían de vista el autobús.

Al girar por una curva vieron que había mucho tráfico, pero ni rastro del autobús.

—¿Dónde se ha metido? —jadeó Edie.

—No lo sé —contestó George—. A lo mejor se encuentra bien, ¿no crees?

—Espero que sí —dijo ella, rebuscando el disco de cristal en el bolsillo.

—Estamos a salvo, ¿verdad? —dijo él.

El disco brillaba.

—No —contestó la chica.

Ambos se volvieron y escudriñaron la calle. No se veía nada.

—¿Qué es? —preguntó George, agarrando el revólver.

—¿Dónde está? —dijo Edie con desconcierto.

Oyeron un ruido, un ruido leve. Un chirrido que provenía de arriba. Ambos dejaron de observar la calle y alzaron la mirada.

Algo oscuro y con cuernos se desprendió del semáforo y cayó como un yunque.

Consiguieron esquivar sus pezuñas cuando se desplomó en el suelo, pero no pudieron evitar que sus manos los atraparan —a Edie del antebrazo y a George del cuello—, y tampoco llegaron a tiempo de taparse los oídos cuando el Toro los alzó en el aire y soltó su bramido triunfal.

George vio que Edie pataleaba y se debatía e intentaba gritarle algo, pero no oyó ni una palabra. Y, antes de que supiera qué hacer, el Minotauro se le acercó, lo olisqueó con su hocico y le pasó la lengua, gruesa como una babosa, por todo el rostro.

El chico sintió náuseas; la bestia volvió a levantarlo y después olisqueó a Edie. Y cuando le pasó la lengua por la cara, y el pelo, y la cabeza, George vio su mirada suplicante y descubrió que el Minotauro disfrutaba con su terror; su boca esbozaba una sonrisa jadeante, y no lo pudo soportar.

Más que la mirada lasciva de la bestia fue el estremecimiento de Edie lo que despertó su ira y sus ganas de protegerla, lo que lo impulsó a sacarse el revólver del bolsillo y apuntar al Minotauro.

Edie sólo logró decirle tres palabras de advertencia:

—En el ojo.

George ajustó la puntería y le apuntó al ojo; el Toro bramó. No pensó en ningún momento que la bala que había hecho no funcionaría, sólo temió errar el tiro. Así que, mientras el pesado revólver se agitaba en su mano, se concentró en controlar el temblor; entonces todo se detuvo y de repente el ojo diminuto al que estaba apuntando le pareció tan grande como la puerta de un granero.

PUM.

El revólver pegó un culatazo. El bramido se interrumpió de pronto, como si un cuchillo lo hubiera cortado. El Minotauro abrió las manos y ambos chicos cayeron al suelo.

El Toro agitó la cabeza una y otra vez, cada vez más deprisa, tratando de emitir algún sonido con la boca mientras se sacudía violentamente, como si quisiera desprenderse de la bala que George le había incrustado en la cabeza. De pronto se puso de pie y lo miró con un ojo del que manaba algo parecido al bronce fundido; gruñó y se dispuso a abalanzarse sobre el chico... Pero cayó al suelo como una piedra.

Durante un momento, George no oyó más que el sonido de su respiración y los latidos dc su corazón.

—Diana —dijo el Artillero.

George ayudó a Edie a levantarse, y ambos vieron que el soldado se acercaba cojeando, pero con una sonrisa desafiante.

A sus pies, el cuerpo sin vida del Minotauro empezó a desmoronarse y se convirtió en un montón de limaduras de bronce que el viento dispersó.

—Absolutamente genial. Ahora no me dirás que no tienes manos de hacedor. Y justo a tiempo, ¿no?

El Artillero estaba herido; los chicos lo notaron porque caminaba encorvado y se apretaba la venda contra la herida.

—Al menos puede caminar. Supongo que eso significa que no morirá, ¿no te parece? —dijo Edie en voz baja.

George echó un vistazo a su reloj. Eran las tres y cuarto de la tarde. Metió la mano en el bolsillo de su chaqueta, la que aún llevaba Edie, y sacó la cabeza de dragón.

—Oye, debo llegar hasta la Piedra en menos de media hora —dijo—. Será mejor que me ponga en marcha. Cuando regrese pensaremos en la mejor manera de ayudarte a volver a tu plinto antes de medianoche.

Edie se quitó la chaqueta y se la alcanzó.

—Iremos juntos —dijo el Artillero—. Hemos llegado juntos hasta aquí, así que acabaremos esto juntos.

—Pero estás herido...

—Lo sé. Mi suerte ha cambiado...

—Porque has roto tu...

—Basta de charlas. Hemos de ponernos en marcha y tú me necesitas, porque el Caminante estará vigilando la Piedra y yo no he pasado por todo esto para que acabes cayendo en sus manos en el último minuto, ¿de acuerdo? —dijo y emprendió el camino con la espalda recta y haciendo caso omiso del dolor.

53

La Torre Negra

Frente al edificio de oficinas en cuya destartalada fachada está incrustada la Piedra de Londres hay una estación.

Delante de la estación, al igual que en la mayoría de las estaciones londinenses, hay un puesto de venta de periódicos.

En las calles de la ciudad siempre han resonado los gritos de los vendedores de periódicos. El hombre que los anunciaba tenía la voz estropeada debido a las inclemencias del tiempo y a los tres paquetes de cigarrillos diarios que se fumaba y voceaba su mercancía en una especie de idioma taquigráfico apenas comprensible.

—*¡Standaar! ¡Compre el Standaar!* —gritaba cada veinte segundos.

El resto del tiempo lo dedicaba a carraspear, escupir y frotarse la nariz. El ruido estaba empezando a incordiar al Caminante, que paseaba a sus espaldas, a la sombra de la Torre Negra.

Esquivó el escupitajo que acababa de lanzar el vendedor de periódicos y decidió que estaba harto. Si el Cuervo hubiese estado allí, él podría haberse relajado porque al Cuervo no se le escapaba ningún detalle y casi nunca olvidaba nada. Pero, dadas las circunstancias, se veía obligado a hacer guardia frente a la Piedra situada al otro lado de la calle y la tos del vendedor distraía su atención.

Apoyó una mano en el hombro del vendedor de periódicos y éste se volvió, desconcertado; antes de que pudiera pronunciar una sola palabra, el Caminante sonrió y se dirigió a él en voz baja.

—Vete a casa. Estás enfermo. A lo mejor estás muy, muy enfermo. Podrías morir.

El vendedor de periódicos empezó a temblar. Se olvidó de que acababa de ver al Caminante, y no se dio cuenta de que le habían hablado. Se sentía fatal, enfermo y aterrado. Seguro que la culpa la tenían los malditos cigarrillos.

Echó llave a la tapa metálica de su puesto, invadido por el pánico. Se preguntó si el corazón le aguantaría hasta llegar a casa.

El Caminante esbozó una sonrisa de satisfacción y jugueteó con el fragmento de piedra que llevaba colgado del cuello mientras el hombre se alejaba tosiendo.

El Caminante se ocultó detrás de una columna y se metió la mano en el bolsillo. Estaba convencido de que podría evitar que el chico lo viera si se acercaba a la Piedra, pero sabía que el Artillero —si es que aún lo acompañaba— lo vería, así que se sacó un disco plateado del bolsillo. Era del mismo tamaño y forma que una polvera de mujer. Lo hizo girar, se oyó un clic: la polvera se había convertido en dos espejos. Se guardó uno en el bolsillo y sostuvo el otro delante de la columna, inclinándolo para ver qué ocurría al otro lado de la calle sin dejar de mover los pies ni apartar los ojos de la Piedra. Se relamió los labios resecos y aflojó el antiguo puñal que guardaba en la vaina que colgaba de su cinturón.

54

Acero templado

El Artillero los detuvo en la esquina de la calle que conduce a Cannon Street, allí donde la Torre Negra se elevaba al cielo dentro de su jaula de tubos plateados.

—No os mováis hasta que silbe. Cuando silbe sabréis que lo he atrapado o que no hay moros en la costa.

George miró la hora: eran las tres y treinta y uno.

—Dispongo de once minutos —dijo en tono tranquilo.

—Tienes tiempo. Que no os vean. Iré por detrás para ver dónde está el malvado canalla —dijo el Artillero.

Edie quiso detenerlo. Cuando su mano lo rozó, sintió una oleada de sensaciones. No era como vislumbrar. No era miedo. No le provocó el dolor agudo e inalterable del pasado. Era algo fluido, pero palpitante, como un diente a punto de picarse.

—Espera. Algo malo está a punto de ocurrir.

El Artillero se la quedó mirando unos instantes y finalmente le ofreció una sonrisa.

—Los vislumbres ven el pasado, no el futuro. Y siempre están ocurriendo cosas malas. Por eso seguimos haciendo lo que hacemos.

—No es eso...

—Después me lo cuentas, ¿vale? —dijo el Artillero, alejándose rápidamente.

—¿Qué ha roto? —preguntó Edie con la mirada fija en la espalda del soldado.

—Juró que no llevaría ninguna bala cuando se encontrara con el Minotauro —dijo George, apoyándose contra la caja metálica de un puesto de vendedor de periódicos.

—¿Qué significa eso?

—Que se ha puesto en peligro, que se ha sometido a una maldición. Para salvarnos.

—Querrás decir para salvarme a mí —dijo Edie en tono apagado; pero después recuperó su antigua fiereza—. Claro que yo no se lo había pedido.

Le pegó una patada al puesto de venta de periódicos; el estruendo la satisfizo, pero no se sintió mejor.

—Lo siento, es mi condenado mal genio. Siempre lo es. Si lo hubiera controlado... —dijo, desviando la mirada.

—¿Qué?

—Nada.

George le tocó el hombro y aunque ella le apartó la mano, él no la soltó.

—¿Qué, Edie?

—Si hubiera aprendido a controlarlo, no estaría donde estoy ahora. No estaría sola, tendría una familia —dijo, soltando una breve carcajada más parecida a un sollozo—. En todo caso tendría un padre... Una especie de padre. Si me hubiera controlado.

Se quedaron así un buen rato: Edie inmóvil, y George con la mano apoyada en su hombro y la mirada fija en su espalda.

Los ojos de ella veían algo diferente: el mar en el horizonte y guijarros bajo sus pies, un tren que pasaba traqueteando lleno de gente que no la veía y un conductor que la saludaba alegremente sin comprender lo que ocurría y que desvió la mirada antes de poder ver lo que tuvo que hacerle al hombre que la perseguía.

—Ocurre de pronto, me atraviesa como el viento. No puedo cerrar la puerta y evitarlo. La atraviesa como un vendaval negro y me arrastra consigo, y entonces es... Y yo...

—No pasa nada. Todo se arreglará.

—No, no es verdad —dijo una voz malhumorada—. Nada volverá a arreglarse para ti.

El Caminante se había materializado justo detrás de George y la larga hoja de su puñal le rozaba la garganta.

55

La Piedra de Londres

El Caminante palpó los bolsillos del abrigo de George. El chico no podía moverse. La afilada hoja del puñal le rozaba la nuez y no se atrevía ni a tragar.

—Por favor —dijo, tratando de que la voz no le temblara—. Sólo quiero que esto acabe. Sólo quiero irme a casa.

—Nadie se irá a casa —gruñó el Caminante.

Edie empezó a temblar. Pateó el suelo para evitarlo, pero no lo consiguió.

No se trataba sólo del cuchillo o del hombre del largo abrigo verde o del odio que expresaban sus palabras. Todo eso era malo, muy, muy malo. Pero no era nada comparado con aquello que realmente la aterraba.

Lo que la aterraba, lo que hacía que el suelo se hundiera bajo sus pies, era el hecho de que no era la primera vez que veía al Caminante y su largo cuchillo.

Y sabía que era capaz de cortarle el cuello a George sin dejar de sonreír, porque la última vez que lo había visto estaba ahogando a una niña en un agujero practicado en el hielo, durante la Feria de la Escarcha.

Pero eso tampoco era lo peor. Lo peor era impensable, así que trató de olvidarlo gritándole:

—¡Déjalo en paz!

El Caminante la ignoró por completo y siguió hurgando en los bolsillos de George con una desesperación cada vez mayor.

—¿Dónde está la cosa que rompiste? Dímelo. Lo único que quiero es eso que rompiste. Sólo quiero ponerlo encima de la Piedra...

Entonces sus dedos rozaron la cabeza de dragón que George se había guardado en el bolsillo lateral de la chaqueta.

—Aquí está. Sácalo y dámelo, chico. Yo desharé el agravio. La Piedra me sonreirá a mí —le dijo al oído, y George olió el aroma fétido de su aliento.

Edie percibió que algo la atraía al Caminante. Estaba tan ocupado observando al chico mientras se sacaba la talla rota del bolsillo que había dejado de mirarla. Edie ya había tenido esa atracción en otras ocasiones, pero en general ocurría cuando algo especialmente desagradable intentaba que ella lo tocara. Los objetos profundamente tristes ejercían esa clase de atracción. Edie jamás entraba en un cementerio, porque las lápidas la atraían como si fueran imanes. Era la primera vez que un humano ejercía sobre ella esa clase de atracción. Y entonces comprendió qué la atraía.

Era la piedra con un agujero en el medio, la que colgaba del cuello del Caminante.

—¡Déjalo en paz! —volvió a gritar.

El Caminante alzó la mirada. Sus ojos color violeta se clavaron en la chica; retiró el puñal de la garganta de George y, agitándolo en un zigzag de acero, le advirtió:

—Cierra el pico, *milady*, o te rajaré como un saco de guisantes. Te derramarás en la acera, ¿y sabes qué? A nadie le importará.

—Te equivocas —dijo George y mientras la hoja seguía zigzagueando delante de Edie, agarró la cabeza de piedra del dragón y la aplastó contra la cara del Caminante con todas sus fuerzas.

El Caminante se tambaleó hacia atrás mientras se cubría un ojo con una mano y empuñaba el cuchillo con la otra, tratando de alcanzar a George. Pero el chico ya no estaba allí, rodaba por el suelo alejándose de la mano del Caminante, intentando escapar de él. Casi lo logró.

La hoja le rasgó la camisa, le arañó las costillas y atravesó el grueso tejido de lana de su chaqueta. El puñal se atascó y el Caminante atrajo a George hacia sí. Éste trató de liberarse de la chaqueta, pero no lo logró a tiempo.

—¡Ahora morirás, chico! Antes no era necesario, pero ahora sí... ¡Lo juro por la Piedra! —aulló el Caminante—. ¡Y si me has dejado tuerto de un ojo, juro por la Piedra que te haré sufrir camino a tu eterno descanso!

—¡NO! —gritó Edie, abalanzándose contra el Caminante como una gata salvaje, cediendo a la atracción de la piedra, sabiendo de pronto e instintivamente lo que haría.

El Caminante vio que la chica se le echaba encima con los cabellos al viento y los ojos echando chispas, y, aunque intentó girar el puñal para clavárselo, sintió algo que casi había olvidado, algo que hacía siglos que no sentía, algo que nada tenía que ver con la ira o el enfado.

Sintió temor.

George le golpeó los nudillos con la cabeza de dragón y el puñal cayó al suelo.

Edie se lanzó sobre su garganta y le arrebató la piedra. Después se aferró a su oreja izquierda y, aunque sus pendientes de metal le lastimaron la mano, no la soltó.

Y el pasado la golpeó con la conocida sensación de dolor y de náusea.

Sus cabellos se erizaron y formaron un halo alrededor de su cabeza. La cabeza del Caminante cayó hacia atrás y los faldones de su abrigo se elevaron cuando lo que Edie vislumbraba también lo golpeó a él.

George logró sacarse del todo la chaqueta justo cuando la primera astilla de tiempo penetraba en el cerebro de la chica.

Y esto es lo que Edie vio:

Una habitación en un palacio.

Cortesanos vestidos con jubón y calzas, espadas colgadas del cinturón y gorgueras blancas alrededor del cuello.

Ventanas emplomadas en las que se reflejaba la luz de las velas.

Una mujer de cabellos de un rojo fuego recorriendo la sala, con un vestido amplio como un galeón y una gorguera alrededor del cuello. Tenía el rostro todavía más blanco que la gorguera. Le dijo unas palabras a un hombre que le hacía una reverencia.

—... No nos falles, John Dee. —Eso fue todo lo que Edie oyó mientras la mujer le entregaba un bolso al hombre. A continuación siguió avanzando, y el hombre alzó la cabeza y se quedó observando cómo se alejaba.

Era el Caminante.

El tiempo se partió en dos. Edie trató de superar las náuseas y de cerrar los ojos, pero se volvieron a abrir.

Ahora estaba en un oscuro taller.

La única iluminación provenía de una vela y un brasero.

Una figura con un casquete en la cabeza vertía fuego líquido en un molde.

Cuando el fuego líquido se enfrió, la luz se volvió más tenue y Edie vio que el hombre se volvía y gritaba enfadado.

Una vez más, era el Caminante.

El tiempo la arrastró hacia la noche.

Ahora veía una calle.

El viejo Londres a la luz de la luna.

Edificios con entramado de madera asomados a los adoquines.

Una iglesia.

Junto a la iglesia, en la calle, una columna cuadrada.

Junto a la columna, el Caminante.

Bajo la columna, un cartel donde se leía: «PIEDRA DE LONDRES.»

Un destello metálico.

El golpe de un martillo.

El Caminante quitando un trozo de piedra con un cincel.

El viento se levantó y arrastró las hojas a través de los adoquines. Hubo un susurro, como el de muchas alas acercándose.

El Caminante se quedó paralizado, con expresión culpable.

Entonces la perspectiva se agitó y fue a concentrarse en la parte posterior de la cabeza del Caminante, como si estuviera a punto de atacarlo; éste se volvió con los ojos muy abiertos y chilló:

—¡NO!

Y el pasado llegó a su fin y Edie regresó al presente y el Caminante seguía chillando con los ojos muy abiertos, en el aquí y el ahora.

Edie soltó la piedra y retrocedió.

Una figura oscura pasó junto a su hombro y agarró al Caminante por detrás, abrazándolo como un oso. Después se volvió y los miró.

Era el Artillero.

—¡Creía que os había dicho que os quedarais escondidos!

Pese a lo mal que se sentía, Edie sonrió, y George y el Artillero también.

—Bien, ¿qué hora es?

56
El sacrificio

Los brazos de bronce del Artillero sujetaban al Caminante, impidiéndole hacer cualquier movimiento. Su cabeza había caído hacia delante y sus grasientos cabellos negros y grises le cubrían la cara. Por lo visto, lo que Edie había vislumbrado lo había desprovisto de voluntad y energía.

George miró su reloj.

Cuatro minutos.

—Será mejor que me ponga en marcha.

—Sí —dijo el Artillero—. Buena suerte.

Hubo algo en el tono en que lo dijo que obligó a George a volverse.

—¿Qué pasará cuando ponga la cabeza del dragón encima de la piedra?

—Obtendrás lo que deseas. Habrá terminado.

—¿Y eso qué significa?

—Date prisa —dijo la chica.

—Díselo —dijo una voz en tono malvado. El Caminante levantó la cabeza y su mirada violeta escudriñó al chico—. Dile que se despida.

Había muchas preguntas de las que George deseaba saber la respuesta, pero ahora no disponía del tiempo suficiente para plantearlas.

—¿Qué ocurrirá?

El Caminante se encogió de hombros.

—Se acaba. Satisfaces el agravio. Regresas a tu Londres

seguro y feliz, sin vitratos, sin máculas, sin nada extraño e inexplicable que enturbie tu vida. ¡Y hasta nunca!

—Pero lo recordaré todo, ¿no?

—Edie —dijo el Artillero—, lleva a George hasta la Piedra.

—Dices que si pongo esto encima del Corazón de Piedra, ¿lo olvidaré todo?

El Caminante soltó un escupitajo.

—¿Corazón de Piedra? Eso no es el Corazón de Piedra. Es la Piedra de Londres. Y sí: deshaz tu insignificante agravio y regresa a tu existencia aún más irrelevante.

—¡Edie! —exclamó el Artillero con apremio.

Edie agarró al chico del brazo y lo arrastró hacia el destartalado edificio en cuya fachada estaba incrustada la Piedra. Sus pensamientos se arremolinaban.

A sus espaldas, el Caminante luchaba por meter las manos debajo del abrigo.

—Ni lo sueñes —dijo el Artillero.

Edie arrastró a George hasta el enrejado, en la parte inferior de la fachada; detrás de la reja se encontraba la Piedra, que no parecía más que un inocente trozo de mampostería. Edie, sin embargo, percibió que irradiaba una oscura atracción y retrocedió un paso.

—Vamos, adelante.

George comprobó la hora. Disponía de un minuto y medio, noventa segundos para decir algo que tuviera sentido. Pero no se le ocurría nada que lo tuviera... Y menos lo que estaba pensando.

Miró a Edie. Ella, como siempre, mantenía las mandíbulas apretadas, pero sonreía y sus ojos brillantes eran casi tan oscuros como su cabello.

—Estoy un poco asustado —dijo el chico.

—Todos lo estamos.

—Si lo hago, creo que no... Quiero decir que tú estarás... O yo estaré en un Londres donde nada de todo esto tendrá sentido. Así que no creeré que existas. No te conoceré. Tú todavía estarás en este... Este No-Londres. Este lugar siniestro. Y estarás sola.

—Estaré perfectamente —dijo la chica—. Date prisa.

Edie sonrió y sus ojos parecían aún más brillantes. Él la miró.

—No le tienes miedo a nada.

—Lo sé. Así que estaré bien. Adelante.

George la contempló; quería recordarlo todo: su rostro, sus mandíbulas apretadas y su sonrisa.

—Edie, ¿y si la respuesta de las esfinges tenía dos significados? Sería típico de ellas, ¿verdad?

—Muévete, George. Ya sabes lo que dijeron las esfinges: «Tu remedio reside en el Corazón de Piedra, y la Piedra Corazón será tu alivio: has de encontrarlo, hacer un sacrificio, y satisfacer el agravio que has creado colocando encima de la Piedra del Corazón de Londres lo necesario para reparar lo que has roto.» ¡Hazlo! El tiempo se acaba. ¡Recuerda lo que dijo el Fraile al respecto!

George se sobresaltó, y se sobresaltó porque recordó lo que el Fraile había dicho de las esfinges: que planteaban acertijos incluso cuando respondían. Y al mismo tiempo vio que el Caminante intentaba zafarse del abrazo del Artillero y recordó con cuánto desdén había dicho que la Piedra de Londres no era el Corazón de Piedra...

... Y entonces volvió a recordar al Fraile con tanta inmediatez que le pareció oír su voz alegre y risueña diciendo:

—¿Qué podría ser mejor para ellas que una respuesta con dos significados? ¡Una con tres! ¿Qué es el Corazón de Piedra? ¿Quién lo sabe?

Entonces se volvió hacia Edie y su idea repentina lo obligó a soltar un torrente de palabras:

—Aguarda un momento, Edie, cállate y escucha. ¡Escúchame! ¿El Corazón de Piedra y la Piedra en el Corazón de Londres? ¿Qué pasaría si fueran dos cosas diferentes en vez de dos maneras de describir la misma piedra? ¿Y si esta Piedra de Londres fuera la Piedra en el Corazón de Londres, pero el Corazón de Piedra fuera algo completamente diferente, algo que se nos escapa?

Ella negó con la cabeza, no quería seguir hablando, quería que eso terminara.

—¿Como qué? Olvídalo...

—En ese caso, no sé qué sería el Corazón de Piedra, pero tú sabes lo que dijo el Fraile: dijo que podría ser cualquier cosa, cualquier lugar, cualquier persona...

—No hay tiempo, George.

El chico estaba desesperado, casi lo había comprendido.

—No, en serio. ¿Y si se tratara de algo más y no sólo de que repare lo que rompí y que regrese a casa para hacer mis deberes de mates y vuelva a encontrarme con un montón de chicos que me desagradan tanto como yo les desagrado a ellos? ¡Mira, Edie! —dijo, mostrándole la mano con la marca del hacedor—: Hice una bala, Edie. ¡Y funcionó! ¿Y si...?

Ella lo interrumpió sacudiendo la cabeza.

—No hay tiempo para los «¿y si...?», George. Ahora has de hacer lo que has de hacer y después adiós, ¿vale? No tiene sentido que ambos nos quedemos atascados aquí, ¿no? Es como los escaladores: uno se cae y cuelga de la cuerda y el otro se agarra y aguanta mientras puede, pero al final las fuerzas le fallan... ¿Por qué habrían de caer los dos? Así que en marcha, George. Ahora estás a salvo. Regresarás a casa. Él dijo que nadie regresaría a casa... ¡Pero tú sí! Sí, tú eres especial. Has logrado lo que dijeron que no lograrías: los has derrotado; no lo desperdicies y regresa a casa. ¡Haz que signifique algo regresando a casa y siendo feliz! ¡Corta la cuerda! No tienes la culpa de dejarme colgada. Si el que colgara fueras tú, yo la cortaría sin dudar, ¡así que hazlo!

—No —dijo George, mirando el reloj—. No te abandonaré ni olvidaré nada de todo esto.

—¡Eres un imbécil! ¡Podrías liberarte!

—Pero tú te quedarías atascada aquí. Sola.

—Me las arreglaba perfectamente antes de conocerte.

—No es verdad.

—¿Y qué? Si olvidas todo esto, no lo sabrás y ni siquiera te sentirías culpable... ¡Eres un imbécil, un imbécil integral!

—exclamó y le pegó una bofetada. George no se movió y Edie volvió a pegarle.

Él se limitó a mirarla, pero su mirada se endureció.

—¡Vete! —dijo la chica.

Y esta vez le pegó un puñetazo y le hizo sangre en el labio.

—Te dije que no volvieras a pegarme.

—Y yo te dije que no me dijeras lo que debo hacer —respondió ella cerrando el puño—. ¿Todavía estás aquí?

George se volvió y se inclinó por encima del enrejado.

—Bien. Hasta la vista.

—Sí. Hasta la vista —contestó; entonces se volvió y se acercó al Artillero frotándose los ojos.

—Está bien —dijo el Artillero—. Todo está bien.

—Hazme el favor —dijo el Caminante en tono de aburrimiento—. Los vislumbres nunca están bien. Casi todos acaban mal. Dile la verdad.

—Disculpa.

Era la voz de George, y Edie volvió la cabeza.

El chico parecía confuso. No la reconocía. Era espantoso. Estaba encorvado y parecía contrito, como la primera vez que lo vio. Toda la determinación que parecía haberle otorgado el hecho de acabar con la búsqueda aparentemente había desaparecido.

—Lo siento, pero estoy... ¿Sabes dónde estoy? —Parecía avergonzado—. Lo siento, pero no sé cómo he llegado hasta aquí. Creo que debo de haberme mareado.

El chico agitó los brazos; y Edie no pudo evitar pensar en ese chico que a primera vista le había disgustado.

—Lo siento. Ni idea —dijo, y se alejó.

—Edie.

La chica se detuvo, y entonces comprendió, y se volvió rápidamente.

George le sonreía. Estaba erguido y no parecía contrito en absoluto. Lanzó la cabeza de dragón al aire y después la recogió.

—Me la he quedado. Quiero ver cuán arduo es el Camino Arduo —dijo con un guiño que expresó toda su determinación—. No te librarás de mí tan fácilmente.

Y, para su gran vergüenza, ambos se echaron a reír y acabaron abrazándose, aunque en cuanto se dieron cuenta, se apresuraron a separarse y se limitaron a intercambiar una sonrisa.

—Esto ha sido una muy mala pasada —dijo Edie.

—Sí. Te la merecías, por todas esas tonterías sobre la «cuerda cortada».

—No tenías que hacerlo. Lo digo en serio. No le tengo miedo a nada.

—Lo sé.

Ambos se contemplaron durante un rato, pero dejaron de sonreír.

—Todo me da miedo —dijo Edie, inspirando profundamente.

—También lo sé.

Como no sabía qué hacer, él le dio un golpe amistoso en el hombro.

—¡Qué asco! —dijo una voz desagradable a sus espaldas—. Has encontrado tu propio pequeño Corazón de Piedra.

El Artillero mantenía aferrado al Caminante; el primero sonreía y sacudía la cabeza.

—Por desgracia, ahora debemos marcharnos —dijo el Caminante, sacando las manos de los bolsillos. Sólo podía mover los antebrazos, pero con eso fue suficiente. Tenía un espejo en cada mano.

Los puso uno frente al otro y, antes de que nadie pudiera hacer nada, levantó una rodilla y se introdujo en uno de los pequeños espejos.

En cuanto su pie tocó el espejo, se produjo un intenso destello y la cabeza del Artillero se echó hacia atrás con tanta violencia que se le cayó el casco. El aire fue ocupando el espacio que ambos habían dejado; el espejo pareció haberlos absorbido.

Durante un instante pavoroso, dos espejos flotaron en

el aire sin una mano que los sostuviera; el casco del Artillero y el puñal estaban en el suelo: parecían un cuenco negro y un cuchillo.

Y entonces los cuatro objetos también desaparecieron. Los chicos contemplaron el vacío, horrorizados.

—¡Se ha llevado al Artillero! —exclamó Edie, dejándose caer al suelo y apoyándose contra el edificio—. El Artillero se ha ido —añadió en tono incrédulo—, ¡y ni siquiera sabemos adónde se lo ha llevado!

George se sentó junto a ella. Estaba muy cansado, pero también estaba convencido de algo.

—Estará bien —dijo.

—¿Cómo?

—No lo sé —contestó George, observando a la multitud que emergía de la estación de Cannon Street como si nada extraño hubiera ocurrido—. Pero ahora nos toca a nosotros. La pelota está en nuestro tejado.

—¿Qué?

—Tendremos que rescatarlo —dijo, sonriendo y procurando parecer tranquilo—. Todo saldrá bien.

Ella lo miró horrorizada y repentinamente frustrada.

—No es verdad... —dijo, desvió la mirada y la clavó en el punto donde había estado el Artillero; trató de recordar dónde había visto el casco y el puñal dispuestos del mismo modo, como un cuenco negro y un cuchillo de cocina. Entonces recordó que alguien le gritó: «... ¡Puertas en los espejos!» a través de una superficie helada, pero antes de que lograra comprenderlo, el recuerdo de aquel hielo y de aquella otra cosa aterradora que había reprimido gritándole al Caminante volvió a invadir su cerebro... Y se dio cuenta de que era demasiado importante como para no decírselo a George.

—¡Lo he visto! El que se ha llevado al Artillero. Lo he visto antes...

—¿Así que hoy no era la primera vez que veías al Caminante?

Ella asintió con la cabeza; el miedo ante lo que debía decirle le provocó náuseas, porque sabía que decirlo en voz alta equivaldría a convertirlo en algo real.

—¡Hace unos cien años, tal vez doscientos!

—¿Cómo dices?

—Lo vi cuando vislumbré en el Támesis. Lo vi en la Feria de la Escarcha.

—Es imposible...

—Te digo que lo vi. Y estaba ahogando a alguien. Era... era...

No pudo proseguir.

—¿Era... horroroso? —preguntó George.

—Era yo.

El chico la miró fijamente.

—Era una chica que llevaba un sombrero, y él la ahogó, y la chica era yo.

Ambos desviaron la mirada y se quedaron un buen rato en silencio.

—Bien —dijo George finalmente—. Tampoco podemos dejar que ocurra eso, ¿verdad?

El sol se estaba poniendo y ambos se pusieron de pie en silencio y caminaron hacia la luz.

Agradecimientos

En realidad, todas las estatuas, los vitratos y las máculas que aparecen en este libro están allí fuera, en las calles, esperando ser descubiertos. Si tienes ganas de descubrirlos, o incluso de descubrir tu propio No-Londres, te recomiendo que te metas el *London Compendium* de Ed Glinert en el bolsillo y te pasees por la ciudad. Yo lo hice y aún sigo haciéndolo, y considero que es un libro indispensable. Otros libros igualmente indispensables, pero menos fáciles de transportar fueron la *London Encyclopedia* de Christopher Hibbert y Ben Weinreb, y *London - A Biography*, de Peter Ackroyd. *Hawksmoor*, del mismo autor, fue uno de los dos libros que me arrancó de mi Londres cotidiano y me hizo descubrir otros nuevos, una provocación que agradezco mucho. El otro libro era un polvoriento ejemplar de *London* de H. V. Morton, una extraña combinación de impresiones que también te recomiendo que busques en las librerías de segunda mano.

También quiero agradecerle a Katie Pearson la cita de D. H. Lawrence que aparece en la primera página de este libro. Y a Alexander Darby, mi ahijado (de doce años de edad), deseo darle las gracias por leer un resumen del libro y decirme que debía describir las cosas de un modo mejor. Y finalmente quiero agradecerle a Jack y Ariadne, y muy especialmente a Domenica, que sean tan buenas cajas de resonancia, que hayan sido los primeros que me escucharon y que hayan creído en mí. Lo único que resultó más divertido que escribir *Corazón de Piedra* fue leéroslo por las noches. Este libro es para vosotros.

Índice

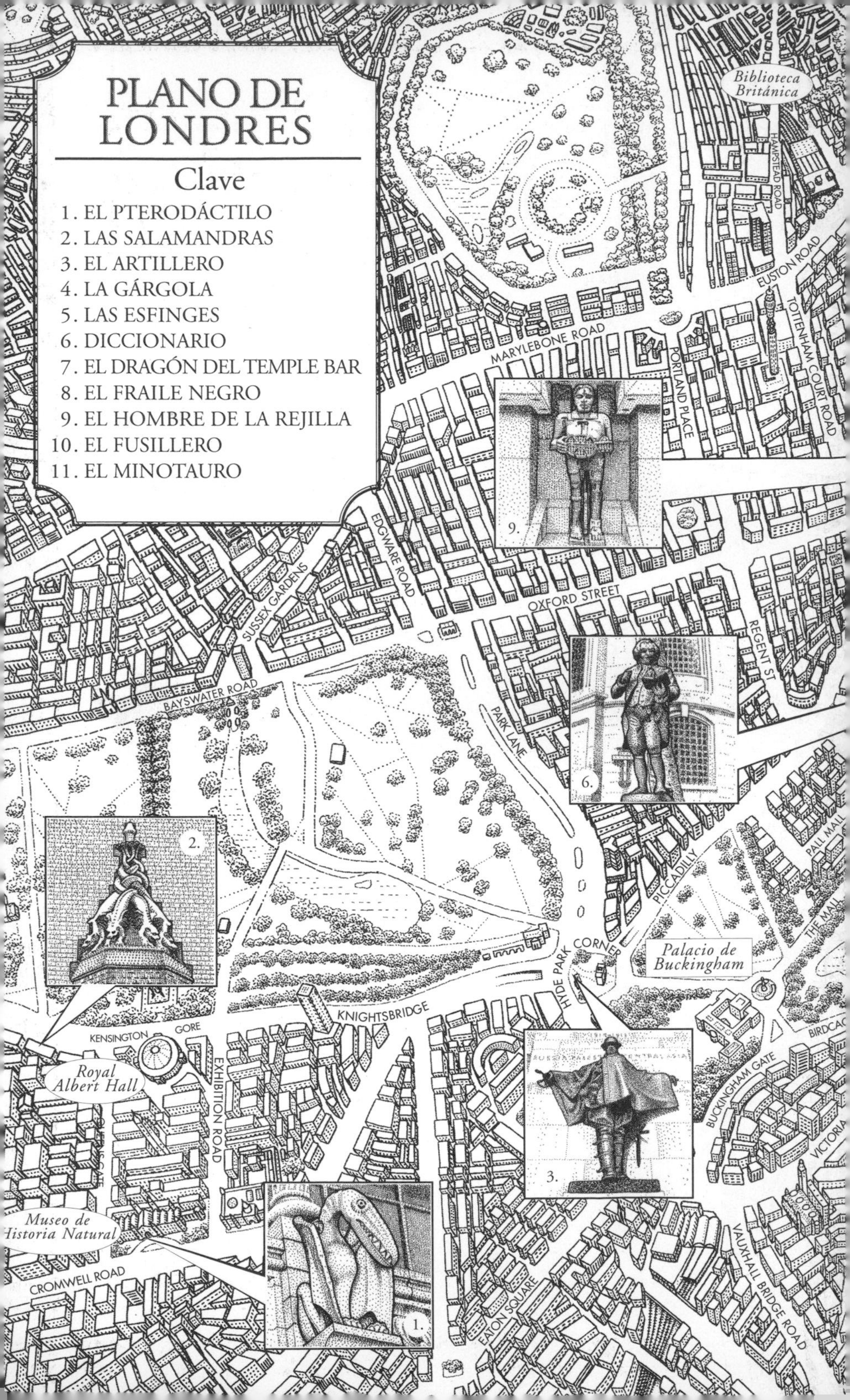
PLANO DE LONDRES
Clave
1. EL PTERODÁCTILO
2. LAS SALAMANDRAS
3. EL ARTILLERO
4. LA GÁRGOLA
5. LAS ESFINGES
6. DICCIONARIO
7. EL DRAGÓN DEL TEMPLE BAR
8. EL FRAILE NEGRO
9. EL HOMBRE DE LA REJILLA
10. EL FUSILLERO
11. EL MINOTAURO
Biblioteca Británica
HAMPSTEAD ROAD
EUSTON ROAD
TOTTENHAM COURT ROAD
MARYLEBONE ROAD
PORTLAND PLACE
EDGWARE ROAD
SUSSEX GARDENS
OXFORD STREET
REGENT ST
BAYSWATER ROAD
PARK LANE
PICCADILLY
PALL MALL
THE MALL
HYDE PARK CORNER
Palacio de Buckingham
KNIGHTSBRIDGE
KENSINGTON GORE
Royal Albert Hall
EXHIBITION ROAD
BIRDCAGE
BUCKINGHAM GATE
VICTORIA
Museo de Historia Natural
CROMWELL ROAD
EATON SQUARE
VAUXHALL BRIDGE ROAD
9.
6.
2.
3.
1.